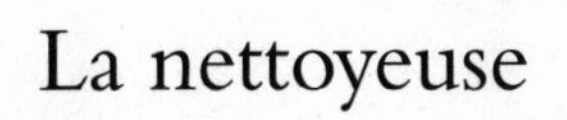
La nettoyeuse

Elisabeth Herrmann

La nettoyeuse

Traduit de l'allemand par Jörg Stickan et Sacha Zilberfarb

Titre original : *Zeugin der Toten*
Publié en 2011 par List Verlag

Édition du Club France Loisirs,
avec l'autorisation des Éditions Fleuve Noir.

Éditions France Loisirs,
123, boulevard de Grenelle, Paris
www.franceloisirs.com

ISBN : 978-2-298-06232-8

Pour Shirin

Chers amis de France Loisirs,

C'est avec un immense plaisir que je vous présente cette histoire peu commune et son héroïne non moins extraordinaire.

Je vous souhaite de passer un excellent moment !

Avec toute mon amitié

Elisabeth Herrmann

Les Négresses vertes

Face à la mer

Sur le sable, face à la mer
Se dresse là, un cimetière
Où les cyprès comme des lances
Sont les gardiens de son silence

Sur le sable, des lits de fer
Sont plantés là, face à la mer
Mon ami, la mort t'a emmené
En son bateau pour l'éternité

Si on allait au cimetière
Voir mon nom gravé sur la pierre
Saluer les morts face à la mer
Ivres de vie dans la lumière

Dans la chaleur, le silence
À l'heure où les cyprès se balancent
Les morts reposent au cimetière
Sous le sable, face à la mer

Helno de Loureacqua
† 1993

Foyer éducatif Youri Gagarine, Sassnitz (Rügen), 1985.

Debout devant son armoire ouverte, Martha Jonas pressa les écouteurs en Bakélite contre ses oreilles. Le grésillement augmenta. La station disparut, recouverte par la friture. Des bribes de voix et de musique provenant des canaux voisins brouillèrent la fréquence par pulsations intermittentes. Elle retint sa respiration et tourna le bouton de la radio très légèrement vers la droite, puis vers la gauche, en vain. Elle avait perdu la station.

Le récepteur, un petit transistor VEB Ilmenau, était dissimulé derrière une pile de draps soigneusement repassés et numérotés. Martha tâtonna à la hâte pour trouver le câble de l'antenne. Le temps lui filait entre les doigts.

Un bref instant, la voix profonde et sonore de Barry monopolisa les ondes. Martha tira le câble en direction de la fenêtre et le bulletin de météo marine reconquit la fréquence. Une voix monotone annonçait en boucle les différentes forces de vent sur les côtes de la mer du Nord. Quelques secondes plus tard, le programme jeunesse est-allemand DT 64 s'insinua sur les ondes puis s'étala sans vergogne : *Survivre à sept années noires, sept fois tu seras cendre*… Plus rien. Disparu. Folle de rage, Martha était à deux doigts de se jeter sur l'appareil pour l'arracher à l'armoire et le balancer contre le mur.

Un rai de lumière entra par la fenêtre et glissa comme un spectre sur les murs presque nus. Martha hésita, puis finit par ôter les écouteurs. Elle les fourra, câble compris, dans l'armoire, qu'elle referma à clé, bien que cette précaution fût contraire aux règlements tacites. Elle s'approcha de la fenêtre et regarda avec dépit le ciel parsemé d'étoiles. Si près de la mer, elles étaient, avec la lune, plus claires qu'ailleurs. Le spectacle en devenait presque romantique. Sauf que Martha Jonas était tout sauf romantique. Du moins pas les dimanches soir entre 22 heures et minuit. Par temps couvert, ça captait mieux. Pourquoi ? Elle n'en savait strictement rien. Sans doute parce que les nuages conduisaient mieux les ondes courtes. On était en août, et tout ce qu'elle souhaitait, c'était un ciel gris et de la pluie. Elle retenterait le coup dans une heure.

Les deux phares surgirent de nouveau. À deux cents mètres, une voiture s'engagea sur la route cahoteuse en direction de Mukran. Martha s'apprêtait à tirer le rideau quand le véhicule bifurqua en direction du foyer, puis s'immobilisa devant le portail. Les phares s'éteignirent.

La chose était si inhabituelle que Martha recula d'instinct et se mit à épier au-dehors entre les pans du rideau tiré. Le visiteur devait être attendu car elle entendit la porte d'entrée grincer tout doucement au rez-de-chaussée. Une grande silhouette sombre se dirigeait à pas pressés, comme pour fuir au plus vite le traître clair de lune, vers le portail en fer dont les barreaux en étoile rappelaient des rayons de soleil.

C'était Hilde Trenkner, la sous-directrice du foyer. Une femme proche de la soixantaine qui, avec le temps, avait acquis plus de pouvoir et d'influence que la plupart de ses supérieurs. Trenkner entretenait des relations étroites avec les membres du conseil régional ainsi qu'avec certains messieurs mystérieux et sans noms. Comme celui qui, à cet instant, démarrait sa Wartburg noire et franchissait lentement le portail. La femme le referma derrière lui, aussi précautionneusement qu'elle l'avait ouvert. La voiture s'arrêta entre le terrain de jeux et le perron. Un homme vêtu d'un cache-poussière clair par-dessus son costume descendit, ouvrit la portière côté passager et en sortit un paquet volumineux enveloppé dans des couvertures. Il suivit Trenkner à l'intérieur.

Martha traversa sa chambre à pas de loup et entrebâilla la porte. Devant elle, le majestueux couloir était plongé dans l'obscurité. Par une fenêtre de la façade principale, le pâle clair de lune effleurait le linoléum, sur lequel l'ombre de la croisée s'allongeait démesurément. Deux grands dortoirs bordaient le couloir des deux côtés ; de longs bancs en bois étaient disposés devant les entrées. Rien n'indiquait que cette nuit serait différente des autres. Extinction des feux à 19 heures, dernier rappel à l'ordre à 20, silence complet à 21. Celle qui se risquait à enfreindre le couvre-feu devait avoir une bonne raison, ou alors très envie de prendre une douche glacée à la cave. Tout était calme. Mais bientôt Martha entendit des pas feutrés et vit Trenkner monter l'escalier.

En temps normal, la sous-directrice s'annonçait par son pas lourd et le tintement du trousseau de clés qu'elle portait à la ceinture. Mais cette fois-ci, sur ses gardes, elle regarda autour d'elle puis d'un petit signe de tête invita l'inconnu, qui portait toujours son paquet dans les bras, à la suivre dans le couloir. L'obscurité empêchait Martha de distinguer son visage. Il devait faire une tête de moins que Trenkner mais paraissait sportif, même s'il avait en cet instant le plus grand mal à maintenir dans ses bras la couverture qui ne cessait de glisser. Un pan du tissu tomba et Martha aperçut alors le visage blanc d'un enfant endormi.

C'était donc ça. Une nouvelle recrue. Elle ferma la porte avec précaution et regagna son lit. Elle s'assit sur le bord et réfléchit : devait-elle se manifester ou non ? Sans doute une admission en urgence. Ça arrivait de temps en temps, quand la police était forcée d'intervenir au sein de familles dont les mœurs n'avaient pas leur place dans l'ordre socialiste. Les cas de négligence ou d'abandon étaient passés sous silence, et l'on faisait disparaître les preuves vivantes dans des foyers spécialisés comme celui-ci, où tout était mis en œuvre pour remettre ces rejetons dans le droit chemin, y compris, s'il n'y avait pas d'autre choix, en employant la manière forte. Un détail pourtant la chiffonnait : la voiture garée devant l'établissement n'était pas un véhicule de police.

Une Wartburg. Les yeux rivés sur le sol, Martha attendit que le mystérieux visiteur reparte. À minuit, ce serait trop tard, elle devrait attendre toute une semaine, jusqu'à l'émission suivante.

Une porte fut refermée en douceur, des pas silencieux s'éloignèrent. Martha patienta. Au bout de quelques minutes, elle commença à se demander pourquoi la voiture ne repartait pas. Que fabriquait Trenkner ? Peut-être était-elle allée dans le bureau avec son visiteur pour régler la paperasse. Signer le procès-verbal d'admission. Ç'aurait tout aussi bien pu attendre le lendemain, quand la nouvelle recrue serait présentée aux autres et installée à sa place.

«Voici ton armoire, ton lit, tes vêtements et tes chaussures. Et là tes fournitures et ta blouse. Chaque chose à sa place. Ici, au sein du collectif des enfants, le désordre est proscrit. Comme dans la vraie vie. L'enfance est un apprentissage. Tu le comprendras bientôt.»

Trenkner avait une voix de stentor et sa taille inhabituelle en intimidait plus d'un. Mais elle avait aussi des méthodes bien à elle, parmi lesquelles la cave était encore l'une des plus sympathiques. Martha n'était pas adepte des sévices corporels. Elle avait fait des études, et si elle était devenue éducatrice, c'était par intérêt pour les grands pédagogues (Pestalozzi, Korczak, Blonski, Soukhomlinski, et bien sûr Makarenko) et aussi, accessoirement, parce qu'elle aimait les enfants, les sages comme ceux sortis du droit chemin, les âmes égarées, ceux à qui elle pouvait donner une seconde chance de s'intégrer dans le grand collectif des hommes. Vingt ans plus tard, à quarante-cinq ans passés, Martha avait perdu la plupart de ses illusions et finalement ne les regrettait que très peu. Ç'avait été une découverte amère de se dire que l'on pouvait sans doute aimer un enfant, peut-être deux ou trois, voire une douzaine, mais sûrement pas deux cent vingt-trois. Seuls un encadrement strict et le respect absolu des règles permettaient d'en venir à bout.

— Maman ?

La voix, un murmure anxieux, semblait toute proche tant la maison était silencieuse.

— Maman !

Martha bondit du lit et ouvrit la porte. La fillette n'avait qu'une seule chaussure aux pieds. Ses boucles blondes, presque blanches, tombaient en grand désordre sur son visage. Elle portait sur sa petite robe d'été un mince gilet en tricot qui serrait ses maigres épaules. Elle fixa l'éducatrice de ses yeux écarquillés. La fillette ne ressemblait pas aux autres enfants qui débarquaient ici.

C'était peut-être cet air qu'elle avait, plus épouvanté que soumis, ou peut-être ses habits, visiblement plus soignés que chez les asociaux auxquels Martha était habituée. Elle lui rappelait ces angelots dorés des monts Métallifères qui dormaient dans une caisse entreposée à la cave depuis que les autorités avaient aboli Pâques et la Pentecôte et troqué Noël pour la Fête de la paix socialiste.

— Je veux voir ma maman.

Des larmes coulaient sur les joues de l'enfant, et sa lèvre inférieure tremblait.

— Chut !

Martha s'approcha de la fillette, qui recula en se blottissant dans son gilet.

— Retourne dans ton lit.

L'enfant secoua la tête d'un air buté. Avec un soupir agacé, Martha s'agenouilla devant la fillette, geste rare chez l'éducatrice, car peu recommandé pour sa tension artérielle. Mais la petite semblait près de craquer, elle chancelait, comme si elle pouvait à peine tenir sur ses jambes et luttait contre la fatigue. Elle devait avoir cinq ans, six tout au plus.

— Comment t'appelles-tu ?

— Christel.

— Christel comment ?

— Christel Sonnenberg. Où est ma maman ?

— Viens.

Martha se releva lentement et voulut saisir le poignet de la fillette, qui se dégagea d'un geste brusque. Une peluche tomba par terre. Un tout petit nounours, noir comme l'ébène.

— Donne-moi ça !

Agile comme un écureuil, la fillette se précipita sur Martha, mais celle-ci, plus rapide, tint la peluche hors de sa portée. On y voyait à peine dans la pénombre, et pourtant elle aurait pu reconnaître cette chose les yeux fermés, rien qu'en la touchant, car les enfants la dessinaient souvent en cachette.

— Psst, du calme, je te le rendrai. Mais dis-moi, c'est un Kiki ? Qui te l'a donné ?

— Ma maman.

Interloquée, Martha jeta un regard autour d'elle. Il était déjà rare que les enfants difficiles issus des familles asociales viennent avec des jouets, mais des jouets venus de l'Ouest... Voilà qui faisait deux entorses à la norme, et Martha comprenait de moins en moins ce qui se passait.

— Tu n'as pas le droit d'en avoir. Mais tu recevras sûrement un Tiemi.

— Je déteste les Tiemi ! Rends-le-moi !

— Silence, siffla Martha. De toute manière, dès que quelqu'un le verra, on te le confisquera. Les Tiemi aussi sont beaux. Beaucoup plus beaux, même ! Car ils viennent de chez nous, ils sont fabriqués en République démocratique. Où est ton lit ?

Toutes les nouvelles arrivantes étaient d'abord conduites à leur lit. À chaque manteau sa patère, à chaque enfant son lit.

— Je n'ai pas de lit.

— Allons, bien sûr que tu en as un.

— Il y a déjà quelqu'un dedans.

Le dortoir IV était alors occupé par dix-huit filles. Neuf à gauche, neuf à droite. Les admissions et les départs étaient examinés lors des réunions quotidiennes dans le bureau de la directrice. Il se pouvait donc que la fillette ait raison. Et qu'il manque un lit. Martha ouvrit prudemment la porte du dortoir et jeta un œil à l'intérieur.

Les fenêtres, contrairement à celles du rez-de-chaussée, n'étaient pas grillagées. Sur un mur était accroché le portrait du président du Conseil d'État Érich Honecker. À côté de lui, de taille plus petite, une photo de Youri Alekseïevitch Gagarine, cosmonaute soviétique mort dans la fleur de l'âge et premier homme à avoir voyagé dans l'espace.

— Quelle place t'a-t-on donnée ? chuchota-t-elle.

— Là-bas, au fond.

L'enfant désigna le dernier lit du côté gauche. En entrant dans la salle, Martha raidit les épaules comme elle le faisait toujours lors de ses rondes. Elle vérifia que les enfants dormaient bien et ne faisaient pas semblant. Elle rajusta ici une couverture, remit là une paire de pantoufles négligemment jetées à leur place sous le lit, puis se dirigea vers le coin où dormait le numéro 052 – Judith Kepler.

Le lit était vide. La couverture avait été rejetée, mais les pantoufles étaient encore là. Un Tiemi traînait par terre, une peluche marron foncé, toute râpée, deux fois plus grande que celle que Martha tenait encore à la main, et aussi, il fallait bien l'admettre, deux fois plus laide.

Il devait y avoir une erreur. Désemparée, Martha regarda autour d'elle, mais il n'y avait aucune trace du numéro 052. Était-elle aux lavabos ? Elle alla s'assurer que personne ne se trouvait dans les douches communes et les toilettes. Lorsqu'elle revint auprès de la mystérieuse nouvelle arrivante, elle jeta un dernier coup d'œil et vit quelques filles redressées sur leur lit qui se frottaient les yeux.

— Couchées !

Elles retombèrent, comme terrassées par un coup de feu. Martha se sentit gagnée tout entière par cette désagréable sensation de chaleur qu'elle éprouvait chaque fois que la situation lui échappait. La moitié du dortoir était déjà réveillée. Une enfant avait disparu. Une autre se tenait avec elle dans le couloir. Que diable se passait-il ici ? Et où était Trenkner ? Elle se pencha vers la petite.

— Je vais tirer cette histoire au clair, chuchota-t-elle, tout ira bien.

La fillette secoua farouchement la tête et dit :

— Je veux voir ma maman.

— Où est-elle ?

— Chez Lénine.

— Qu'est-ce que tu racontes ?

— Dans le palais d'or aux fenêtres en pierres précieuses.

— Lénine n'avait pas de palais. Pas de ce genre-là, en tout cas.

— Je l'ai vu !

Martha avait entendu trop de mensonges dans sa vie pour ne pas savoir que chez les enfants de cet âge ils recelaient toujours un fond de vérité. Sans doute la mère avait-elle débité ces sornettes à la petite avant de l'abandonner ou de la laisser seule à la maison, livrée à elle-même. Ces cas-là étaient courants. Il leur était déjà arrivé de recueillir temporairement des enfants de déserteurs de la République. Ils ne restaient jamais longtemps. Martha ignorait où ils étaient envoyés, mais on entendait dire que, contrairement aux attardés mentaux et aux asociaux, ils étaient très faciles à placer dans des familles d'accueil.

— D'où viens-tu ?

— De Berlin.

Évidemment. Toujours la même histoire, toujours la fuite par la Baltique vers ce qui, pour ces gens-là, signifiait la liberté. La côte était à moins de dix minutes à pied. Ils avaient dû ramasser la fillette en pleine errance pendant que sa mère cherchait à rejoindre le large. Ayant enfin trouvé une explication plausible à ce remue-ménage nocturne, Martha repensa soudain à la radio et se dit qu'elle aurait peut-être encore une chance de l'écouter un peu avant qu'il soit minuit.

— Rends-moi mon petit singe.

— Non.

— Je veux mon petit singe !

Martha prit une bonne bouffée d'air et s'apprêta à signifier à l'enfant que le temps des caprices était révolu, lorsqu'elle vit les yeux de la fillette s'écarquiller d'effroi. Dans son dos, elle entendit murmurer une voix doucereuse.

— Bonsoir, Judith.

Le couloir s'alluma d'un coup. Saisie d'une peur bleue, Martha se retourna. La fillette se réfugia derrière elle et s'agrippa à sa jambe.

L'homme était âgé d'environ quarante-cinq ans et de taille moyenne. Il avait le visage rond et le teint clair d'un Allemand du Nord. Pourtant, malgré les taches de rousseur dont elle était criblée, sa peau paraissait étonnamment livide pour la saison. Quand il tendit la main à l'enfant, celle-ci, de peur, fit un bond en arrière.

— Qui êtes-vous ? demanda Martha.

Une grande et anguleuse silhouette apparut derrière lui. Trenkner.

— Tout va bien.

La sous-directrice tendit un pyjama à la fillette, qui n'était ni neuf ni repassé. Il était tout froissé.

— Enfile ça.

Martha sentit dans son dos l'enfant qui secouait la tête.

— Enfile ça !

— Non !

Trenkner releva la tête d'un coup sec. En trois enjambées elle avait rejoint la porte ouverte du dortoir. Elle entra, jeta un œil, puis ressortit en fermant soigneusement la porte derrière elle. Martha prit une profonde inspiration.

— Madame Trenkner, cette enfant…

— Judith.

Un sourire furtif glissa sur le long visage décharné de la sous-directrice.

— Il est interdit de se promener la nuit dans le couloir. Tu sais ce qui arrive aux enfants qui le font ? Le père Fouettard vient les chercher.

La fillette se serra encore plus contre Martha.

— Excusez-moi, madame Trenkner, mais cette enfant n'est pas Judith.

La sous-directrice et l'inconnu échangèrent un bref regard.

— Suivez-nous dans le bureau.

Trenkner posa des yeux sévères sur l'enfant.

— Et toi, va te coucher. Et si je te reprends à traîner la nuit dans le couloir, on t'enfermera à la cave. Pour toujours.

Une nouvelle fois, elle tendit le pyjama à la fillette. Au bout de trois secondes, la petite ne bougeant toujours pas, Trenkner le laissa tomber à terre, puis elle tourna les talons et, avec autorité, partit la première. Elle descendit l'escalier pour rejoindre le bureau de la directrice du foyer, qui se trouvait de l'autre côté du hall d'entrée.

La sous-directrice s'installa derrière l'imposante table, l'air le plus naturel du monde, à croire qu'elle avait l'habitude de s'y asseoir. La petite lampe de travail projetait dans la pièce une lumière jaunâtre et diffuse. Devant elle était posé un mince dossier, qu'elle tira vers elle et ouvrit.

— Asseyez-vous, je vous prie.

Difficile de savoir à qui des deux ces mots étaient adressés, puisqu'il ne se trouvait qu'une seule autre chaise dans la pièce. L'inconnu fit un signe de tête à Martha. Soudain elle se rendit compte qu'elle portait sa tenue d'intérieur, rose qui plus est, et qu'elle ne s'était ni démaquillée ni peignée avant de se mettre au lit. Elle serrait le singe en peluche tout contre elle, exactement comme l'avait fait la fillette auparavant.

— Judith Kepler, née le 22 septembre 1979, commença Trenkner de sa voix froide et dénuée de toute émotion. Demande déposée par l'école et la coopérative d'achat « Rationell » pour un placement de l'enfant dans un environnement social favorable. Les organismes de protection de l'enfance ont trouvé le logement familial laissé à l'abandon. Les vêtements de l'enfant étaient négligés et malpropres. La mère, ancienne élève en section d'éducation spécialisée, est employée au service des bouteilles consignées de la coopérative. Décrite comme attardée et alcoolique, cette personne s'est à plusieurs reprises livrée à des propos négatifs à l'encontre de l'école et de la société. Un placement en foyer a été ordonné pour une durée de deux ans avant réexamen.

Elle leva la tête. Son regard tomba sur Martha, qui avait déjà entendu mot pour mot le même rapport quelques semaines plus tôt. Réunion d'administration, dans cette même pièce, avec la directrice du foyer à la place de Trenkner, les éducatrices alignées en rang d'oignons devant le bureau. Ensemble, elles avaient réfléchi pour savoir dans quelle section loger la petite Judith. Ce qui, tout bien considéré, revenait à se demander où il restait de la place. Martha se serait volontiers passée de cette enfant. Le rapport du président du Comité pour la protection de l'enfance donnait à penser que dans son cas le terme « difficile » était un euphémisme. Concrètement, cela promettait un beau désordre dans le groupe, et par conséquent un sacré serrage de vis. Elle ne pouvait pas s'empêcher de penser que Trenkner l'avait dans le collimateur. Car c'était Trenkner, et non la directrice, qui avait finalement décidé que Kepler Judith recevrait le numéro III/052 – bâtiment III, enfant 52, éducatrice responsable : Martha Jonas.

— La petite qui est là-haut…, se risqua Martha, mais l'homme la coupa aussitôt.

— La petite qui est là-haut a fugué pour la énième fois. Elle était sous votre surveillance. Comment expliquez-vous que nous ayons cueilli Judith à Mukran en pleine nuit ?

— Judith ?

Judith était une petite boulotte aux cheveux bruns avec un nez en trompette, qui s'exprimait avec difficulté, voire bégayait, et semblait indifférente à tout. Impression générale : attardée, tant sur le plan physique que mental. Mais au cours des six semaines qu'elle avait déjà passées ici, elle avait fait des progrès considérables. Ses caprices alimentaires avaient nettement diminué et elle se tenait bien mieux à table. Son hygiène corporelle, moyennant un contrôle des plus stricts, avait atteint un niveau à peu près correct. Trenkner lui avait fait passer son langage inapproprié grâce à ses fameux bains de bouche à l'eau savonneuse. Certes, ce n'étaient pas là exactement les principes de la pédagogie nouvelle dont Martha avait rêvé autrefois, mais il fallait bien reconnaître qu'ils apportaient ordre et discipline dans la vie des enfants. Après une très brève phase d'acclimatation, la petite Judith s'était intégrée sans trop de difficultés dans la communauté des enfants. Elle n'avait jamais quitté l'enceinte du foyer autrement qu'en groupe et sous surveillance. Jamais encore elle n'avait fugué. Judith était une enfant qui se pliait aux règles. Pas une petite récalcitrante à l'image de celle qui se trouvait là-haut dans le dortoir.

L'homme s'assit avec nonchalance sur le bord du bureau. Martha s'étonna que Trenkner le laisse faire. Il semblait du genre imperturbable, seul l'imperceptible balancement de ses pieds le trahissait.

— Où étiez-vous ce soir à 22 heures ?

— Dans ma chambre. J'avais fini ma ronde et vérifié que tout le monde était couché et dormait.

— Quand la ronde suivante devait-elle avoir lieu ?

Elle ne répondit pas.

— M'avez-vous entendu ? La ronde suivante était prévue à quelle heure ?

— À 23 heures, murmura-t-elle.

De nouveau elle sentit cette vague de chaleur l'envahir.

— Avez-vous effectué la ronde réglementaire prévue à 23 heures ?

Question rhétorique. L'homme connaissait la réponse. Elle secoua lentement la tête.

— Où donc étiez-vous ?

Trenkner se pencha en arrière et croisa les bras sur sa poitrine. Rien dans ce visage marqué par l'âge, avec ses lèvres pincées, ne laissait percevoir la moindre lueur de sympathie ou de solidarité envers ses collègues.

— Dans… dans ma chambre.

L'homme échangea un regard avec la sous-directrice. Martha sentit sa gorge se nouer. *Ils savent.*

— Tous les dimanches soir, vous restez dans votre chambre entre 22 heures et minuit. Qu'y faites-vous ?

— Je lis.

— Mais encore ?

— Je fais ma lessive. Le petit linge.

— Mais encore ?

Martha regarda la pointe de ses chaussons.

— J'écoute la radio.

— Quelle station ?

— DT 64. Voix de la RDA. Et, l'été, Fréquence Vacances.

— Veuillez jeter un œil là-dessus, je vous prie.

Il plongea la main dans la poche de sa veste et en sortit, accrochée à une lanière de cuir, une carte officielle criblée de tampons qui fit blêmir Martha. La tête lui tourna, et pendant un instant elle sentit le sol se dérober sous ses pieds.

Il rempocha sa carte de la Stasi.

— Reprenons : quelles stations ?

— DT 64, chuchota Martha.

Elle sentit bien que l'homme n'était pas dupe : qui pouvait croire qu'une femme comme elle, déjà bien empâtée par l'âge, écoutait encore les programmes jeunesse ? Alors, tant qu'à mentir effrontément, autant enchaîner tout de suite avec le mensonge suivant, encore plus gros que le premier.

— Et La Voix de la RDA.

… Station que, pour le coup, personne n'écoutait de son plein gré.

— Allons, je vous en prie. Pour cela, il vous suffisait d'utiliser l'un des jolis postes des salles communes, au lieu de votre petit transistor.

Il pointa un petit cube en bois posé sur le rebord de la fenêtre avec la grille des fréquences où étaient rayées les stations ennemies afin que personne ne tombe dessus par mégarde. L'homme regarda Trenkner, qui trônait derrière le bureau, inflexible telle la statue du Commandeur. Placardé au mur, dans la pénombre, Honecker les épiait, comme partout. Martha sentait le sang bourdonner dans ses oreilles et des gouttes de sueur perler sur son front. Trenkner se racla légèrement la gorge.

— Votre structure mentale m'échappe. Depuis quelque temps, j'ai l'impression que votre conscience politique et votre sens des responsabilités pédagogiques se relâchent.

Ils savent tout.

— Le dimanche soir, surtout, vous négligez régulièrement vos devoirs.

Pourtant j'ai toujours été prudente. Personne n'a jamais rien remarqué. J'ai toujours fait mes rondes. J'ai juste avancé légèrement la première et reculé un petit peu la seconde.

— Madame Jonas, reprit l'homme. Je vous le demande pour la dernière fois : quelle station avez-vous écoutée tout à l'heure ?

— Radio… Radio Luxembourg, Londres, bégaya Martha.

L'homme haussa les sourcils.

— Et le bulletin de la météo marine, ajouta-t-elle.

Elle pétrissait le petit singe de ses mains moites. Il avait le poil soyeux et un ventre solide et dur. Pas comme les Tiemi, qui boulochaient et devenaient tout de suite informes. Maintenant que tout était fichu, elle comprit soudain ce qu'un tel objet pouvait signifier pour un enfant. Elle-même n'avait-elle pas eu une poupée autrefois ? Oh, pas aussi jolie que ce petit singe – au sortir de la guerre, l'argent avait manqué pour ça. Une poupée avec des cheveux blonds et de grands yeux bleus, ronds comme des billes. Qui ressemblait vaguement à Christel, ou plutôt Judith…

— Le bulletin de la météo marine, répéta l'homme. Franchement, madame Jonas…

— Je n'ai pas fait exprès !

Martha leva la tête, désespérée, et ses yeux s'emplirent de larmes.

— Je suis tombée dessus par hasard ! On ne pense pas à mal, et puis soudain… Je n'ai pas fait exprès…

Qu'allait-il se passer à présent ? Travail pénitentiaire ? Un interrogatoire musclé pour lui extorquer des aveux ? Pourquoi s'était-elle laissé embarquer dans cette histoire ? Elle maudissait le jour où pour la première fois elle avait…

— Je vais vous dire à quoi vous passez votre temps. Vous, une éducatrice de foyer, vous vous êtes procuré en cachette un récepteur performant afin d'écouter, du moins je le suppose, le hit-parade britannique.

Martha se demanda si elle rêvait.

— Je me trompe ?

— Non.

— Vous savez, moi aussi, ça m'arrive de l'écouter.

Les yeux embués, elle fixa l'homme qui, le sourire aux lèvres, sortit de sa poche un paquet de Casino. Il s'alluma une cigarette tout en regardant sa montre, comme s'il se rappelait soudain qu'il avait un rendez-vous.

— Cette semaine, c'est cette drôle de… Quel est son nom déjà ?…. Ah oui, Sindi Loppère, qui est numéro un. Personnellement, j'ai des goûts plus rétro. Et vous, qu'aimez-vous ?

Martha ne savait pas s'il se payait sa tête.

— Les… (Elle se racla la gorge, tant elle était sèche.) Les Bee Gees.

— Ah oui, les Pitchies, répéta l'homme à qui ces noms ne disaient visiblement pas grand-chose, je comprends qu'on en oublie de montrer l'exemple.

Martha hocha la tête, comme au ralenti. Elle n'y comprenait plus rien. À quoi jouaient-ils ? Trenkner poussa un cendrier vers l'homme, sans quitter la suspecte des yeux.

— Et pourtant. N'oubliez pas que ces enfants vous ont été confiés pour que vous éradiquiez la moindre volonté de déviance par rapport à la bonne éducation socialiste. À moins que les stations de l'Ouest ne soient désormais permises dans ce foyer ? Éclairez ma lanterne, madame Trenkner. Seraient-ce là vos toutes nouvelles méthodes ?

— Bien sûr que non, dit Trenkner d'un ton fielleux.

— Alors nous avons un problème.

Il secoua la tête d'un air infiniment désolé. Ébranlée, Martha enfonça un peu plus encore ses doigts dans la peluche soyeuse. Elle le regarda déposer la cendre dans le cendrier, puis jeter un coup d'œil dans le dossier ouvert devant Trenkner. Songeur, il prit la fiche d'admission.

— Judith Kepler. C'est bien notre petite fugueuse, n'est-ce pas ?

Il lui tendit la feuille. Une photo de Christel était collée sur la fiche. L'homme dut remarquer sa consternation, car un léger sourire parcourut ses lèvres fines et pâles.

— Il n'y a pas de méprise, n'est-ce pas ? Regardez bien !

Martha s'exécuta. La photo était perforée sur les deux côtés. Dans le coin inférieur gauche, elle aperçut la trace d'un tampon officiel. La photo avait dû être détachée d'une pièce d'identité.

— Judith Kepler, lit-elle à voix haute. 17, Bachstrasse, Sassnitz…

L'homme rangea la feuille. La cendre de sa cigarette tomba sur le sous-main. Trenkner se pencha en avant et s'empressa de souffler dessus.

Que se passe-t-il ici ?

L'homme tira une grande bouffée et observa d'un air songeur les volutes de fumée.

— Qu'allons-nous faire de vous maintenant ?

Que vont-ils faire de moi maintenant ?

Trenkner intervint de nouveau :

— Je serais favorable, dans l'intérêt de tous, à ce que nous réglions cette affaire au plus vite.

Elle sourit, le genre de sourire qui donnait des sueurs froides à Martha. Trop souvent elle l'avait vu sur ce visage.

— Que cachez-vous là ?

Martha regarda son ventre. Lentement, hésitantes, ses mains libérèrent la peluche.

— Un Kiki.

L'homme tendit la main. Elle le lui remit sans opposer de résistance.

— Station capitaliste, jouet capitaliste… Ma parole, madame Trenkner, tout va à vau-l'eau dans cet établissement ?

Un instant, Trenkner faillit perdre son sang-froid. Son sourire s'évanouit et une colère noire l'envahit, qu'elle eut toutes les peines du monde à maîtriser.

— Je vous promets que ça ne restera pas sans suites.

— Il n'est pas à moi ! (Martha manqua de s'étouffer.) Il est à…

Les deux autres la dévisagèrent. L'homme se pencha un peu en avant afin de mieux saisir ses paroles. Martha aperçut alors une tache sombre sur le revers de son manteau. Elle baissa discrètement les yeux sur les chaussures de l'inconnu. Elles étaient poussiéreuses et crottées.

— Eh bien ? fit-il tout bas.

Il rejeta son manteau en arrière et la tache disparut dans un pli. Martha aurait mis sa main au feu que c'était du sang. Elle regarda instinctivement du côté de Trenkner, dont les yeux se plissèrent en deux fentes étroites. Avait-elle remarqué la tache elle aussi ? Avait-elle remarqué que Martha l'avait découverte ? La sous-directrice la transperça du regard. Martha comprit tout à coup que le moment était venu de prendre une décision, et elle fit comme elle avait toujours fait quand elle devait choisir entre conviction et éducation. Entre Pestalozzi et Semilivitch. Entre sincérité et nécessité.

— … à Judith, conclut-elle.

L'homme souleva le petit singe et l'examina avec intérêt.

— Ceci est à notre petite fugueuse ? Mais dites donc, voilà une prise bien inhabituelle.

Martha hocha la tête. Le visiteur échangea un bref regard avec Trenkner. Se trompait-elle ou écrasait-il sa cigarette bien plus nerveusement qu'il ne l'avait allumée ? Il se leva.

— Vous avez raison, il est tard, et l'on m'attend. Madame Jonas, nous ne sommes pas des monstres. Au contraire. Seulement, nous pouvons vous rendre la vie agréable ou pénible, à vous de choisir. Que préférez-vous ?

— Agréable, répondit Martha timidement.

— Alors convenons ensemble qu'à l'avenir vous veillerez plus soigneusement sur Judith. Cette enfant a besoin d'une attention particulière. Elle semble assez perturbée.

— Perturbée, répéta Martha en opinant du chef.

— Pour le moment, elle a interdiction de quitter l'enceinte de l'établissement. Il vaudrait mieux la tenir à l'écart de ses petites camarades, le temps que retombe l'agitation occasionnée par sa fugue.

Il regarda Trenkner qui, les lèvres pincées, soutint son regard sans battre des paupières. Puis il se retourna vers Martha.

— L'État vous a témoigné toute sa confiance en remettant cette enfant entre vos mains. Ne le décevez pas.

Martha acquiesça. Elle sentait encore la chaleur sur son ventre, à l'endroit où elle avait serré la peluche contre elle, et tout à coup elle se mit à trembler.

— Dans ce cas, l'État ne vous décevra pas non plus et vous donnera une chance de réparer vos torts. Je crois qu'une nouvelle radio vous ferait plaisir. Et quelques disques. Avez-vous une platine ?

Martha secoua la tête.

— Vous en aurez une. Avec des disques de vos Pitchies. Prenez un jour de congé la semaine prochaine et venez chercher tout cela chez nous à Schwerin. Sur la Demmlerplatz.

— Merci beaucoup, murmura-t-elle. À qui dois-je m'adresser ?

— Demandez Hubert Stanz.

Il hocha la tête et sortit. Martha l'entendit s'éloigner dans le couloir, lentement d'abord, puis, se croyant sans doute hors de portée d'oreille, à pas plus rapides, presque précipités. Elle se releva, hésitante. Trenkner s'empara de la fiche d'admission et la rangea dans le dossier avant de le refermer.

— Apportez votre vieille radio au dépôt. Autre chose ?

Martha secoua la tête, sans savoir si ces mots signifiaient qu'elle était congédiée. Trenkner ouvrit un tiroir et y glissa le dossier. Elle prit son énorme trousseau et d'un geste assuré saisit du premier coup la bonne clé.

— Vous avez entendu ce que M. Stanz vous a dit ?

— Oui.

— Eh bien, il ne reste plus qu'à espérer que vous ayez compris.

Martha s'arrêta au pied de l'escalier. Dehors, devant la porte d'entrée, la Wartburg démarra et s'éloigna doucement. Son cœur battait comme un marteau-piqueur. D'une main tremblante, elle chercha l'interrupteur et le tourna. Le clic retentit comme un coup de feu.

Tu l'as échappé belle.

Schwerin. Demmlerplatz. Siège du XVe bureau du ministère de la Sécurité d'État. Et de sa prison de sinistre réputation. Hubert Stanz.

La poitrine oppressée, elle monta doucement l'escalier en prenant soin d'économiser le peu d'air qu'elle avait dans ses maigres poumons. Arrivée devant la porte du dortoir IV, elle s'arrêta. Puis elle baissa lentement la poignée.

On n'entendait qu'un concert de douces respirations et de ronflements réguliers. Elle traversa les rangées à tâtons en prenant garde de ne faire aucun bruit. Ses yeux ne s'étaient pas encore habitués à l'obscurité. Au fond du dortoir, un mince filet de lumière éclairait juste assez pour lui permettre de distinguer les contours des lits et les deux grands rectangles sombres accrochés au mur.

Elle s'immobilisa devant le numéro 052. La fillette était couchée sur le dos, les yeux fixés au plafond.

Deux cent vingt-trois petites filles. Qui venaient et repartaient. Certaines retournaient chez leurs parents, mais la plupart changeaient simplement de dortoir, de classe, d'école ou de foyer, puis un beau jour elles pliaient bagage et leurs traces se perdaient, s'effaçant comme la couleur des vieilles photos de classe. Et bientôt leur souvenir pâlissait, s'estompait jusqu'à se dissoudre dans le fleuve de l'oubli, qui emportait tout sur son passage – les noms, les numéros, les visages, et pour finir l'espoir de leur donner une existence meilleure, qu'on avait voulu construire autrefois, quand on était encore jeune et optimiste, convaincu d'être dans le bon camp, le bon pays.

— Judith ?

L'enfant pleurait les yeux ouverts. Elle ne clignait pas des paupières et ne séchait pas non plus ses larmes, qui coulaient du coin de ses yeux, ruisselaient sur ses tempes et se perdaient dans ses cheveux. Elle ne regarda pas Martha.

— Où est mon petit singe ?

— Parti.

Martha s'assit sur le bord du lit. Elle ramassa le Tiemi qui était tombé par terre et le posa à côté de l'oreiller.

— Je veux voir ma maman.

— Judith, ta maman…

— Je m'appelle Christel !

La main de Martha jaillit comme une flèche et vint se coller sur la bouche de la fillette. Par chance, les autres ne s'étaient pas réveillées.

Tu es folle. Va-t'en. Tu prends trop de risques.

Mais Martha ne s'en alla pas. Peut-être était-ce dû à cet étrange sourire sur le visage de Trenkner et à cette tache sombre sur le cache-poussière de l'inconnu, ou alors à cette peur glaciale, ce sentiment d'impuissance qui, dans le bureau de la directrice, s'était abattu sur elle comme une chape de plomb sous laquelle elle avait failli étouffer. Ou bien parce que le numéro 052 cachait un mystère. Martha n'avait pas la moindre idée de ce que cela pouvait être, mais une chose était claire : désormais elle serait observée, et ces quelques minutes étaient les dernières où le véritable nom de la fillette existait encore. Elle retira sa main en douceur, se pencha en avant et chuchota à l'oreille de l'enfant :

— À partir de maintenant, c'est notre petit secret à toutes les deux. Personne ne doit le savoir, personne sauf toi et moi. Il va falloir être très sage. Tu comprends ? Très, très sage. Et si tu fais tout ce que les grands te diront, un jour ta maman reviendra te chercher.

La fillette tourna enfin la tête et la regarda.

— Tu le jures ? Devant Dieu ?

Devant Dieu ou n'importe qui, pourvu que la petite oublie son nom. Il en allait de la sécurité de Martha.

— Je le jure. Si tu es sage.

— Je serai sage, promis.

La fillette ferma les yeux. Martha lui glissa le Tiemi dans les bras, se leva et lui caressa furtivement la tête. Elle sortit à pas feutrés du dortoir, éteignit la lumière du couloir et se glissa sur la pointe des pieds jusqu'à sa chambre. Une fois la porte refermée derrière elle, elle respira enfin, gagnée par le vague et timide sentiment de s'en être sortie à bon compte.

L'appareil était toujours derrière la pile de linge, exactement comme elle l'avait laissé. Elle s'apprêtait à débrancher la prise lorsqu'elle s'arrêta net. Il était près de minuit. Et Stanz en personne l'avait autorisée à écouter le hit-parade britannique. Elle appuya sur le bouton, coiffa les écouteurs, puis attendit que la friture cesse et que le poste capte la station. Elle regarda l'aiguille phosphorescente de son réveil. C'était l'heure. Pile l'heure du numéro un.

« … *if you're lost you can look and you will find me…* »

Le bourdonnement reprit. Craquements et grésillements, et soudain Cyndi Lauper disparut.

« … mer du Nord : vent d'est force trois, variable. Mer agitée jusqu'à un mètre. Prévision : vent de sud-est force sept à cinq, forcissant vers l'ouest. Belte et Sund : vent de nord-est force trois… *time after time…* »

Elle posa les écouteurs. Prévisions force sept à cinq. Martha souffla. La boîte aux lettres mortes était libre, prête à être remplie. Par un message qui, pour une fois, n'avait rien à voir avec de quelconques manœuvres des forces soviétiques. Sans bruit, elle sortit de l'armoire son imperméable et ses bottes en caoutchouc.

1

Ce n'était pas l'endroit rêvé pour mourir.

Judith Kepler tira le frein à main et coupa le moteur. Elle vit à travers le pare-brise de la camionnette le mur gris de la HLM et sentit son estomac se contracter. Ses mains cramponnées au volant devinrent moites. Ça ne pouvait pas tomber plus mal. Se retrouver un jour pareil avec un parfait novice sur le dos !

Chaînes de vêtements *discount*, bordels et concessionnaires d'occasion peu catholiques s'alignaient le long de la rue saturée. Un coin où tout était bas de gamme – les filles, les voitures et les logements. Quelques fenêtres de l'immeuble étaient murées, d'autres arboraient des couvertures et des torchons délavés en guise de rideaux.

Son coéquipier lorgnait avec avidité une Ford Fiesta d'occasion, visiblement en bout de course, à saisir pour 99 euros par mois. Seul justificatif demandé : un CDI. Kevin n'avait ni l'un ni l'autre. Ni 99 euros ni CDI. C'était un grand gaillard large d'épaules, avec une de ces coupes branchées à la frange peignée sur le front, qui donnait à son visage carré un petit air poétique dont lui-même sans doute n'avait pas conscience.

Elle baissa le pare-soleil et jeta un œil dans la glace. Qu'est-ce qu'une femme dans la trentaine pouvait représenter pour un type de vingt et un ans ? Probablement un être neutre, une chose par-delà le bien et le mal. Elle écarta une mèche de son front et se dit aussitôt qu'il devait trouver ce geste terriblement bimbo. C'était son tic, chaque fois qu'elle arrivait sur un lieu d'intervention. Mains lavées, cheveux peignés. C'est la première impression qui compte. Pour tout : appartements, boulots, mecs, bref, chaque fois qu'il faut assurer.

Judith se surprit à se demander à quand remontait la dernière fois qu'elle avait été avec un homme qui assurait. Pensée idiote. Il fallait qu'elle arrête un peu de se faire des nœuds au cerveau.

Kevin s'arracha à la contemplation de la bagnole, haussa les sourcils jusqu'à ce qu'ils atteignent le bas de sa frange et râla :

— Bon, on y va ?

Toi, mon coco, après ton premier service, je te garantis que tu n'assures plus une cacahouète, pensa-t-elle en affichant le sourire le moins goguenard possible.

Elle sortit et l'entendit claquer la portière. Il la suivit comme un chiot. *À tous les coups, il va faire demi-tour sur le palier lorsqu'il aura pigé où il met les pieds, alors pas la peine de prendre des gants.*

Devant l'entrée de l'immeuble, une puanteur d'urine lui monta aux narines – signe tangible que la faune interlope avait pris possession du coin et marqué son territoire. La porte était une horreur des années 1950, avec un cadre en aluminium et une vitre en verre trempé fêlée par endroits. Quelqu'un l'ouvrit de l'intérieur. Un employé des pompes funèbres sortit, immobilisa le battant et salua Judith d'un bref signe de tête.

— Bon courage, ma petite.

Il fourra la main dans la poche de sa veste et tendit à Judith une petite boîte en métal. Son geste muet présageait ce qui les attendait là-haut.

— Merci.

Judith appliqua la crème menthol sous ses narines, tendit la boîte à Kevin, qui la renifla, perplexe, avant de la lui rendre. Il n'avait aucun diplôme, et l'Agence pour l'emploi lui avait dégoté ce job comme stage de la dernière chance. Au lieu de 7 heures comme prévu, il s'était pointé à 8 h 30 en marmonnant une vague excuse autour d'un réveil cassé et des quelques années passées où ce dernier n'avait jamais servi. Si malgré tout ils avaient pu partir ensemble, c'était parce que le médecin avait eu une urgence, ce qui avait retardé l'examen médico-légal et la restitution du corps. Et parce que Judith était la seule chez Dombrowski Facility Management à comprendre les problèmes de réveille-matin. Elle-même en avait quatre, dispersés dans son appartement à des points stratégiques, autrement dit difficiles à atteindre, et programmés de telle sorte qu'ils sonnent l'un après l'autre à une minute d'intervalle. Le dernier se trouvait dans la salle de bains.

— Mets-en.

Soit Kevin ne comprenait pas, soit il tenait la crème menthol pour un gadget inutile. À sa guise. Judith rendit la boîte à l'employé des pompes funèbres, qui la gratifia d'un bref signe de tête. Il alluma une cigarette et scruta le ciel d'été dont la brume matinale se dissipait en douceur.

— Six semaines là-haut par ce temps. Encore heureux qu'on ait pu la mettre dans la boîte en un seul morceau.

Ils se connaissaient. Pas par leur nom, mais simplement comme se connaissaient tous ceux qui bossaient dans cette branche un peu particulière : l'administration de la mort. À chacun sa place : le médecin délivrait le certificat de décès, les croque-morts enlevaient la dépouille pour lui refaire une beauté, les nettoyeurs remettaient la maison en état. On employait un jargon technique, dépourvu de fausse compassion et concentré sur l'essentiel : le boulot.

Kevin, déjà pâle de nature, blêmit. Visiblement, la sympathique employée de l'agence ne l'avait pas préparé à ça : « Nettoyer des immeubles. Faire le ménage. C'est à la portée de n'importe qui. Ça ne coûte rien d'aller voir ! »

Et maintenant ça, dès le premier jour.

Des pas bruyants approchèrent. Le médecin, reconnaissable à sa sacoche en cuir cabossée et à son empressement zélé, dévalait l'escalier, suivi par deux policiers.

— Nous avons terminé là-haut. (Comme nombre de ses confrères, il parlait de lui au pluriel.) Mort naturelle. Partie dans son sommeil. *Amen.*

Deux poids lourds passèrent en trombe. Le médecin s'avança sur le large trottoir, aspira à pleins poumons le mélange d'ammoniac et de gasoil, secoua la tête et se dépêcha de regagner sa voiture. Les deux agents lui emboîtèrent le pas. Le croque-mort fumait.

— Eh bien, allons-y.

Judith fit un signe de tête comme on fait rentrer les chiens par temps de pluie. Kevin la suivit au petit trot.

Ils montèrent l'escalier. Le couloir était encombré de poussettes, de chaussures et d'autres bric-à-brac. Chaque étage les éloignait un peu plus du bruit de la rue pour les rapprocher de l'oubli. Tout en haut, il ne restait plus que deux portes, dont l'une était ouverte. Malgré le menthol, Judith sentit l'odeur douceâtre, annonciatrice du parfum lourd de la mort. Six semaines, avait dit l'homme. L'odeur pestilentielle avait fini par alerter les voisins.

Kevin suffoquait.

— Qu'est-ce qui pue comme ça ? demanda-t-il, se doutant de la réponse.

Judith n'avait pas l'intention de prendre des pincettes. Quand on faisait équipe avec elle, il fallait être prêt à dépasser ses propres limites. Les services d'hygiène avaient appelé Dombrowski, Dombrowski avait envoyé Judith, et Judith n'était pas du genre à bichonner les petits nouveaux.

— Par là.

Un couloir étroit au long tapis usé, des papiers peints sans âge, des manteaux d'hiver sur le portemanteau, en plein été. Quatre portes, toutes ouvertes. À gauche, le salon. Première impression : l'exiguïté et la misère. Les deux piliers de l'existence de Gerlinde Wachsmuth.

Et la solitude, pensa Judith en pénétrant dans la chambre. Un sobre crucifix en bois était accroché au-dessus du lit. Le deuxième croque-mort était en train de fermer le cercueil en zinc, tâche qu'il exécutait avec le plus grand soin. La cage d'escalier était étroite comme tout le reste. Il faudrait porter le corps à la verticale dans ses tournants. Son collègue revint de sa pause cigarette. Tous deux se postèrent à côté du cercueil, joignirent les mains et marmonnèrent une petite prière.

Judith se demanda s'ils se donnaient en spectacle ou s'ils le faisaient aussi en l'absence de témoins. Elle se tourna vers Kevin pour l'enjoindre d'adopter à son tour une posture de circonstance, lorsqu'elle remarqua l'expression de son visage. Il ne la regardait pas, ses yeux étaient rivés sur le lit. Sa lèvre inférieure se mit à trembler. Il déglutit et sa pomme d'Adam bondit le long de son cou de taureau comme une balle en caoutchouc. Brusquement il porta la main à sa bouche, se détourna et se précipita hors de la chambre.

— Puceau ?

Ils avaient terminé leur prière. Judith acquiesça et jeta un œil à sa montre. Qu'il se dépêche de vomir, ils avaient déjà perdu assez de temps. Les bruits qui s'échappaient de la salle de bains ressemblaient davantage à une grosse quinte de toux. Stratégie d'évitement donc, plus que réel malaise. Elle aurait bien voulu renvoyer ce gamin chez lui. C'est aux toilettes que se fait le tri entre le bon grain et l'ivraie.

— Bon, moi, je m'y mets, cria-t-elle. À partir de maintenant ça sera décompté de ta pause.

Argument qui une fois sur deux produisait un effet bœuf sur des types comme Kevin. On aurait quand même pu lui conseiller de jeûner avant sa première intervention.

Elle commença par inspecter le lit et l'état du matelas. La tête de lit était placée au centre du mur. Les oreillers et la couverture étaient posés sur sa gauche, le cercueil sur sa droite. La seule trace visible de Gerlinde Wachsmuth était l'empreinte de son corps sur le drap. Un petit bout de femme qui s'était couchée pour ne plus se relever. Une mort paisible. Le départ en douceur tant attendu, à pas de velours. Judith pouvait ressentir la sérénité, l'absence de toute peur. Parfois la mort est le seul ami à ne pas vous oublier.

La mort venue, le cadavre de Gerlinde Wachsmuth avait eu six semaines de canicule pour pourrir tranquillement au cinquième étage d'un immeuble mal isolé. La trace de son corps était d'une teinte délicatement jaune là où les bras, les jambes et la tête avaient reposé sur le drap, mais à mesure qu'on s'approchait du centre du corps, cette teinte s'assombrissait, virant au violet foncé, presque noir. Au milieu de ce creux sombre remuaient de petits points blancs.

Judith n'avait pas besoin de regarder sous le lit pour savoir que le liquide qui empestait l'air s'était accumulé à cet endroit. Bien que les croque-morts aient ouvert la fenêtre, et malgré la crème menthol qui lui brûlait la lèvre supérieure, cette odeur lui rentrait par tous les pores.

Les deux hommes soulevèrent le cercueil et le portèrent avec précaution hors de l'appartement. Judith attendit que Kevin ait tiré la chasse d'eau.

— Ça va mieux ? cria-t-elle en direction du couloir.

La porte s'ouvrit. Kevin revint et lui lança ce regard « je-veux-rentrer » propre à ceux qui viennent d'entrevoir pour la première fois l'envers du décor, la réalité cachée derrière l'idée romantique de « la fin de toute chose ».

— Il me faut : lunettes protectrices. Combinaison. Désinfectant et détergent. Film plastique. Bidon pulvérisateur. Vaporisateur de formaldéhyde. Thermonébulisateur et humidificateur à vapeur froide. Caisse des toxiques – larvicide, acaricide, phosphine et acide cyanhydrique. Et les boîtes avec sablon, savon, brosses et balais, évidemment. Compris ?

Kevin secoua la tête.

— En un mot, tout ce qu'il y a sur la plate-forme arrière.

Au lieu de répondre, il chancela de nouveau vers la salle de bains et claqua la porte. Judith compta à rebours de dix à un et patienta. Ses étranglements avaient l'air de passer. Elle aurait pu descendre elle-même. Manquerait plus que ça.

— C'est bientôt terminé ? (Elle regarda sa montre.) Je te laisse exactement une minute. Après quoi, j'appelle Dombrowski pour lui demander de te retirer de l'intervention.

La chasse d'eau gronda, puis le robinet gargouilla. Quand Kevin sortit pour la seconde fois, elle se retourna et s'attendit à ce qu'il tire sa révérence.

— On a quelque chose pour le nez ? demanda-t-il.

— Des masques.

— Double épaisseur, si possible.

Judith grimaça un sourire et sortit deux masques de la poche de son pantalon.

— J'aime mieux ça. Des types qui sortent couverts.

Judith s'agenouilla devant le lit. Kevin et elle portaient une combinaison jetable et des gants en caoutchouc qui leur arrivaient jusqu'aux coudes. Elle pointa une tache qui s'étalait sur la moquette.

— Chlore et oxygène. Mais tu ne te débarrasseras pas de l'odeur. Il faut virer la moquette. Avec un peu de chance, c'est du parquet en dessous. Ils n'auront qu'à poncer.

Elle se releva. Kevin avait les yeux rivés sur les points blancs au centre du matelas, qui avaient cessé de gigoter depuis que Judith les avait aspergés de larvicide. Elle ôta son masque.

— Des asticots. Si l'on y met un peu d'amour, on peut y voir une forme de vie. Du moins tant qu'ils étaient vivants. Film plastique.

— Une… une seconde.

Kevin se faufila dans le couloir et revint avec le lourd rouleau. Encore une chance que Gerlinde Wachsmuth ait rendu l'âme dans un lit une place. Le matelas n'était pas trop lourd. Seul le crépitement des asticots qui dégringolaient sur la bâche étalée par terre perturbait Kevin. Au bruit, on aurait dit une poignée de raisins secs.

— C'est toujours aussi dégueulasse ?

— Non, mentit-elle. La plupart du temps, on se contente de défaire les lits et de nettoyer à fond.

Tu parles, ici c'était du gâteau. Rien en comparaison de ce que les nettoyeurs voyaient d'habitude. S'il n'était pas encore parti, c'était probablement pour pouvoir raconter le soir même à ses potes qu'il avait eu l'occasion de faire figuration dans un film d'horreur. « Waouh ! Des asticots, des cadavres, des croque-morts, je suis un héros, les mecs. » Judith prit le cutter dans la boîte à outils.

— La vache, quel boulot, fit-il. Pourquoi tu fais ça ?

Elle réfléchit une seconde. Déjà que la profession avait du mal à recruter, il n'était peut-être pas très indiqué de lui dire la vérité.

— Parce que je sais le faire. Contrairement à beaucoup d'autres.

Elle découpa le dernier morceau de film plastique, rétracta la lame du cutter et alla vers la fenêtre grande ouverte. La chaleur de midi pesait comme une chape de plomb sur la ville. D'ici elle pouvait voir l'autoroute. Elle contempla les boucles symétriques de l'échangeur où déferlaient en continu des avalanches de métal.

Il arrivait que Judith s'accorde un petit tour sur la plate-forme panoramique de la tour de télévision pour regarder la ville, submergée par la beauté de son mouvement perpétuel : de là-haut, on avait la meilleure vue sur Berlin.

Elle songea qu'elle avait prévu de partir le soir même en Lusace avec son télescope, à la recherche du *dark spot* absolu, sans la moindre pollution lumineuse. Elle avait envie de voir un ciel étoilé digne de ce nom. Août. La période des Perséides, la pluie de météores, pluie de promesses pour une humanité désenchantée : des étoiles filantes.

Elle ouvrit la fermeture Éclair de sa combinaison et saisit un paquet de tabac dans lequel elle gardait toujours une petite réserve de cigarettes préroulées. Elle en sortit une toute tordue et la proposa à Kevin.

— Comment tu savais que tu y arriverais ? demanda-t-il. Ils t'ont fait passer un test d'aptitude à l'Agence pour l'emploi ?

Il lui donna du feu. Elle se pencha en avant et regarda ses mains, qu'il tenait autour de la flamme pour la protéger du vent. Des mains jeunes, aux doigts fins et aux jointures épaisses. Encore dix ans, et ce seraient des mains d'homme. Elle inhala la fumée et la souffla par la fenêtre, par-dessus l'épaule de Kevin. Dans dix ans, au plus tôt, il comprendra.

— Il y a des boulots qu'on ne choisit pas, mais qui vous choisissent.

— Comme ça ? Tombés du ciel ?

— Au cas où tu n'aurais pas encore pigé : c'est une chance de pouvoir faire ce boulot.

Kevin appuya ses avant-bras sur le rebord de la fenêtre et prit un air qui semblait vouloir dire : « Laisse-moi encore un peu de temps pour piger. » Ils se tenaient épaule contre épaule. Ils n'entendaient rien que le brouhaha du trafic à leurs pieds et le léger bruissement de leurs combinaisons. Ils fumaient. Judith clignait des yeux dans la lumière du jour et comptait les années qui les séparaient. Elle arriva à onze. Il était trop jeune pour s'imaginer tout ce qui vous passait par la tête un jour pareil, avec cette chaleur suffocante qui faisait bouillir le sang dans les veines. L'appartement d'une morte qui vous donnait une envie subite d'étoiles filantes. Elle écrasa la cigarette sur le rebord extérieur de la fenêtre, remit son masque, qui du reste ne servait pas à grand-chose, et retourna dans la pièce. Cinq minutes la tête dehors avaient suffi à lui faire oublier cette puanteur. Un enfer, comme un coup de poing en pleine figure.

— Et les morts ? (Il ne lâchait pas l'affaire.) Comment tu fais avec les morts ?

— On ne se fréquente pas trop, si c'est à ça que tu penses.

Évidemment qu'il ne pensait pas à ça. Judith savait qu'elle se la jouait j'en-ai-vu-d'autres, à l'image de ces femmes médecins dans les séries américaines diffusées en boucle sur le câble. Tout ce qu'elle avait voulu dire, c'était qu'un mort était un homme comme un autre, à qui on rendait un dernier service.

Ils se postèrent de part et d'autre du lit. Kevin se baissa et souleva le matelas par un bout, pendant que Judith l'attrapait par l'autre.

— Je n'avais encore jamais vu de mort.

— T'inquiète, ça viendra bien assez tôt.

— T'aurais peut-être dû aller chez les flics, si les morts c'est ton truc.

Le matelas tomba par terre.

— La porte est là, dit-elle.

Kevin ouvrit des yeux tout ronds.

— Je suis sérieuse. Tu peux partir.

Elle attrapa le rouleau de ruban adhésif qu'elle avait posé sur la table de nuit.

— Je n'ai aucune envie de travailler avec des types comme toi.

— Ça veut dire quoi ?

— Ce que j'ai dit.

Kevin jeta un regard indécis en direction du couloir, le chemin de la liberté, promesse d'un chouette après-midi au lac.

— Et qu'est-ce que tu diras au patron ?

Elle déroula un demi-mètre de Scotch qu'elle coupa avec les dents, car pour rien au monde elle n'aurait demandé le cutter à Kevin.

— Que tu es un crétin de première.

— Ah oui ? Pourquoi ?

Judith n'avait pas plus envie de lui expliquer ça que le reste. Elle recouvrit le matelas avec le film plastique ; le ruban adhésif s'entortilla. Kevin s'accroupit à côté d'elle et appliqua sur la bâche deux poignées faites de Scotch.

— Désolé, dit-il. Ça ne se reproduira plus.

Elle arracha rageusement un autre morceau de ruban adhésif et le lui tendit. Il le coupa en deux. Durant les minutes qui suivirent, ils travaillèrent en silence.

Judith était en nage. Sceller un matelas, même d'un lit une place, n'était pas une partie de plaisir sous une chaleur pareille. La combinaison créait un effet sauna, et le masque n'aidait pas à respirer.

— Ce que je voulais dire, c'est que tu es une femme.

— Quel rapport ?

— Qu'est-ce que tu dis à un mec qui te demande ce que tu fais comme boulot ?

— Tout dépend s'il me casse les pieds ou pas.

Elle vit un sourire dans ses yeux. Il espérait sans doute que la tempête était passée.

Elle tourna le matelas de sorte que Kevin puisse dérouler le Scotch sur tous les côtés. Le ruban adhésif se déchira, la bâche glissa des mains de Judith et le matelas heurta la table de nuit, faisant voler tout ce qui était posé dessus. Bruits de verre. Judith étouffa un juron. Le métier avait une loi sacrée : le logement doit être laissé propre et intact. Kevin se baissa.

— L'ampoule de la lampe. Et un cadre de photo.

— Passe-le-moi.

Elle lui prit le cadre des mains. Le verre s'était fendu. La photo coincée derrière montrait un homme dans la trentaine. Elle était jaunie et devait avoir plus de vingt ans. Judith retira prudemment les morceaux et reposa le cadre sur la table de nuit.

— Qu'est-ce que vous fichez là !

Judith se retourna en sursaut. Elle n'avait pas entendu l'homme entrer, mais la première impression qu'il lui fit concordait avec le timbre de sa voix. Il était maigre, presque décharné. Son visage d'un rouge maladif ; de deux choses l'une : soit l'escalier lui avait donné du mal, soit il était alcoolique. Un regard sur ses yeux jaunes, et Judith pencha pour la seconde option. Elle perçut une vague ressemblance avec la photo, dont cet homme était comme la caricature.

— Bonjour. Nous sommes chargés de désinfester l'appartement.

— De quoi ?

— Dés-in-fes-ter. Le contraire d'infester.

— Chargés par qui ? Pas par moi. Foutez le camp.

— Conformément à la loi fédérale de protection contre les épidémies, cet appartement doit être nettoyé et désinfesté dans les règles. Je ne suis pas certaine que vous ayez les qualifications nécessaires pour cela.

— Je ne paierai pas un centime. Que ce soit clair. Qu'est-ce que vous foutiez avec la table de nuit de ma mère ? Je vous ai vus fouiner.

Son regard erra à travers la pièce, pour s'arrêter enfin sur le matelas empaqueté.

— Et laissez ça ici. On ne touche à rien, compris ? Ou j'appelle la police.

Judith retira les gants en caoutchouc.

— La personne qui a pourri ici pendant six longues semaines était donc votre mère ? Toutes mes condoléances.

— Foutez-moi le camp. Tout de suite.

Kevin s'avança d'un pas vers l'homme. Judith saisit le bras de son acolyte avant de le lâcher.

— Non. C'est vous qui partez, dit-elle. Je ne peux pas vous autoriser à rester tant que nous n'avons pas terminé.

L'homme n'avait pas prévu qu'on lui tienne tête. Il fronça le nez de rage et parut soudain s'apercevoir que l'air était irrespirable. L'expression de son visage changea avec une rapidité étonnante, traduisant très précisément ce qu'il éprouvait tour à tour : la surprise, la découverte, le dégoût.

— Qu'est-ce qui se passe ici ?

— Le corps de votre mère a été évacué il y a deux heures. L'entreprise de pompes funèbres prendra contact avec vous. Vous n'avez pas l'air de revenir d'un long voyage, alors arrêtez votre numéro du fils éploré et laissez-nous faire notre travail.

— Elle est morte, dit l'homme. Les voisins avaient raison.

Il se retourna et sortit. Ils l'entendirent sangloter un moment tout bas.

Judith demanda à Kevin de porter le matelas dans la camionnette. Une fois celui-ci parti, elle commença à désinfecter les lieux. Inutile de rajouter des produits chimiques, la décomposition n'était pas si avancée.

Chaque fois qu'elle se frayait un chemin dans l'étroit couloir pour accéder à la salle de bains, elle apercevait l'homme plié en deux, assis sur le canapé, comme s'il cherchait quelque chose sur la moquette usée. La quatrième ou cinquième fois, elle s'arrêta pour l'observer. Il ne cherchait rien. Il gigotait fébrilement comme un toxicomane en manque.

— Nous avons bientôt fini, dit-elle.

L'homme leva la tête.

— Je n'ai plus personne au monde.

Judith haussa les épaules. Elle n'avait aucune envie d'entamer la discussion.

— Je sais ce que vous pensez, continua l'homme. J'aurais dû mieux m'occuper d'elle. Et vous avez raison. Oui. Vous avez raison.

Il reprit son balancement. Elle retourna dans la salle de bains et remplit un seau d'eau. Évidemment qu'elle avait raison. Mais ce n'était pas à elle de juger ce qui avait foiré dans la vie de Gerlinde Wachsmuth et de son fiston dont la photo avait trôné près du lit. Il avait eu une place dans sa vie à elle, elle n'avait pas eu de place dans sa vie à lui. C'était aussi simple et aussi brutal que ça. Elle sentit cette vieille fureur remonter en elle, mais depuis le temps, elle avait appris à la maîtriser. Il fallait distinguer ce qu'il était juste ou utile de faire et ce qui était vain. Et il était vain de dire ses quatre vérités à un pareil type. Elles glisseraient sur lui comme des gouttes de pluie sur des vitres crasseuses.

Elle ferma le robinet et retourna dans la chambre sans jeter un regard à l'espèce d'hypocrite vautré sur le canapé du salon. Peu après, Kevin la rejoignit et ils travaillèrent jusqu'en début d'après-midi, sans relever la tête.

Judith enleva la combinaison et la fourra dans un sac-poubelle bleu. Elle avait fini son travail. Elle était satisfaite. Elle donna ordre à Kevin de descendre les sacs et le suivit dans le couloir.

— Monsieur Wachsmuth ?

La porte du salon était fermée. Elle l'ouvrit et poussa un cri de surprise. Kevin, déjà presque dehors, se retourna et fit demi-tour.

— J'y crois pas, lâcha-t-il.

Les portes de l'armoire du salon étaient grandes ouvertes. Les tiroirs avaient été arrachés, leur contenu dispersé sur le sol. Plusieurs cadres avaient été jetés sans égards sur la table basse carrelée. Les dos arrachés révélaient qu'on y avait cherché quelque chose avec sauvagerie. Des taches claires se découpaient sur les emplacements du papier peint où ils avaient été accrochés. Judith en prit un et le tint en l'air. C'était une reproduction minable du *Pauvre poète* de Spitzweg.

— Le salaud s'est tiré.

Kevin revint de son tour d'inspection.

— Et maintenant, on fait quoi ?

Judith positionna le tableau sur le mur devant une tache qui semblait à la bonne taille.

— Il faut tout remettre en ordre. Sans quoi, ça va nous retomber sur le dos.

— Je croyais que la journée était finie.

Elle reposa le tableau, se mit à genoux et commença à ranger les tiroirs. Verres à liqueur, chausse-pied, bougies à moitié consumées, napperons en dentelle, boîte à photos. Le tout jeté sans ménagement et dispersé jusque sous le canapé. Kevin soupira, ramassa un coussin et le tapota plusieurs fois pour lui redonner forme.

— Si jamais je le recroise… Ça lui suffit pas de laisser pourrir la vieille, il faut encore qu'il la vole.

— Gerlinde, dit Judith. La vieille avait un nom : Gerlinde Wachsmuth.

Elle pêcha dans la boîte une photo montrant un homme, une femme et un enfant. Prise dans les années 1960, à une époque où l'on prenait encore la pose devant l'appareil, mais ne se mettait déjà plus sur son trente et un comme pour aller à la messe du dimanche. L'homme était large d'épaules et assez corpulent. Bien qu'il fixât l'objectif d'un œil dur, son bras enlaçait tendrement la femme, dont le visage rondelet affichait un sourire presque juvénile. Le garçon, menton en avant, levait les yeux vers son père et lui souriait à pleines dents.

Judith fouilla dans le tas de photos qui restaient dans la boîte. L'homme réapparut à plusieurs reprises. L'enfant grandit, se transforma en adolescent ingrat avec favoris et cheveux longs et commença à ressembler vaguement à l'épave qu'elle avait croisée quelques heures plus tôt dans l'appartement. Puis le père disparut. La mère resurgit encore plusieurs fois, seule devant la tour Eiffel ou sur une promenade en bord de mer. Le reste n'était que portraits de Photomaton découpés.

Un roman-photo racontant la recherche d'un bonheur dérisoire. Papa, maman, fiston. Une famille. Pas parfaite, loin de là. Assez pitoyable même, quand on savait que le fiston volait sa mère, même morte. Mais Judith s'intéressait aux histoires de famille. Elle fourra la photo dans sa poche. La boîte atterrirait de toute façon à la poubelle, comme tous les biens de la vieille dame dont on ne pourrait rien tirer.

— Tu voles ou je me trompe ?

Kevin avait raccroché le pauvre poète et était en train de le mettre d'aplomb.

— Pas vraiment. C'est juste pour ma collection de photos de famille.

— Tu n'en as pas de la tienne ?

— Non.

Kevin devait commencer à se dire que l'humour de Judith tenait tout au plus dans un dé à coudre. Mais il en avait assez appris ce jour-là pour savoir qu'il valait mieux la boucler.

L'air chaud exhalait une odeur de caoutchouc brûlé. Quand Judith ouvrit la porte côté conducteur, elle eut le sentiment de grimper dans un four.

Il lui fallut au moins une heure pour rentrer à Neukölln. Les départs du week-end engorgeaient les voies de l'autoroute dans les deux directions. Plus elle descendait vers le sud, plus nombreuses étaient les voitures basses sur châssis, aux vitres teintées et plages arrière remplies de *subwoofers*, qui la dépassaient sur la bande d'arrêt d'urgence. Elle essuya la sueur sur son front et retroussa ses manches.

Kevin avait piqué du nez sur le siège passager, la tête appuyée contre la vitre. Il était tellement épuisé que même les nids-de-poule n'arrivaient pas à le tirer de sa torpeur. Elle risqua un deuxième coup d'œil. *Ça se fatigue vite à cet âge-là, faut croire*. Elle essaya de se rappeler comment elle avait été à vingt ans et sentit brûler en elle un mélange de haine d'elle-même, de désirs diffus et de découragement. Elle vit les cicatrices dans le pli de son bras et déroula sa manche.

Kevin ne se réveilla que lorsqu'elle coupa le moteur sur le parking de Dombrowski. Elle montra une benne en acier grêlé qui rouillait tranquillement à côté de l'entrée.

— Les poubelles vont là-dedans. Au boulot.

Elle retira la clé et la lui lança. Trop hébété pour réagir, il la laissa tomber par terre.

— Je reviens lundi ?

— Ça te branche ?

— Il faut que je réfléchisse.

Il chercha la clé, mit la main dessus et se redressa ; Judith était déjà descendue.

— Hé ! lui cria-t-il.

Elle ne se retourna pas. Elle avait assuré. Elle leva la main en guise de salut et traversa le bitume poussiéreux en direction de l'ancien dépôt de pneus que son chef avait transformé tant bien que mal en siège d'entreprise. La baraque abritait en outre les casiers, les douches, les vestiaires et la salle de repos. Tout de suite à gauche, un étroit couloir menait aux bureaux. Judith alla jeter un œil sur le planning affiché à côté de l'entrée et constata qu'à part Mathias, Josef et Frank, plus personne n'était en intervention. Il ne lui restait plus qu'à se doucher, boire au bas mot cinq litres d'eau, puis se mettre en route pour rentrer chez elle, où elle n'aurait plus qu'à emballer son télescope et son duvet. Ça sentait le week-end peinard. Elle alla à son casier et sortit son sac de sport, qui contenait tout le nécessaire pour reprendre forme humaine après un jour pareil.

Après la douche, elle se sécha et resta un moment devant la glace de la salle d'eau. Elle frictionna ses cheveux, puis laissa tomber la serviette. Comment un jeune type de l'âge de Kevin la voyait-il ? Comme une femme qui un beau jour avait raté la sortie « jolie » et avait calé quelque part aux environs d'« invisible ». Elle avait toutes les peines du monde à avancer sur cette piste cahoteuse qu'on appelait la vie. Plusieurs fois déjà elle avait noyé le moteur, et dernièrement elle avait bien failli partir à la casse. Elle devait garder le contrôle. Jour après jour. Ne pas se laisser aller. Ne pas perdre de vue que la prochaine sortie pourrait bien s'appeler « terminus ». Que le vrai travail qu'elle avait à faire, ce n'était pas ces huit heures de boulot, mais de s'en sortir avec les seize autres qui lui restaient sur les bras. Deux ans déjà. Pendant lesquels elle avait tenu le cap. Judith resta là, soutenant son propre regard le plus longtemps possible, avant de se détourner pour enfiler son jean et un vieux tee-shirt propre. Son sac à la main, elle retourna vers les casiers.

— Ma chère Judith.

Elle fut un instant interdite. Dombrowski s'était approché sans bruit sur ses semelles de crêpe. Son visage rebondi brillait d'une joie surjouée de la voir, et ses bouclettes grises frisottaient sur son large front comme des toiles d'araignées mouillées. Il ressemblait à un Bouddha fraîchement baigné, bien que pour sa part il ne sortît pas de la douche mais de son bureau sans climatisation.

Non, pensa-t-elle, *pas ça*. Il leva les bras, comme pour s'excuser.

— On a un frileux.

2

À bord de sa vieille Golf GTI, quatorze ans au compteur, Quirin Kaiserley quitta l'autoroute à la sortie Adlershof et fit cap vers la cité étincelante de verre et de progrès. Au premier feu rouge, il ne savait déjà plus où il était. Il fit demi-tour en poussant un juron et tenta sa chance dans une autre direction. Il pensa au chantier de la cathédrale de Cologne qui avait duré plus de six cents ans, laissant aux hommes le temps de s'habituer à sa vue, tandis qu'aux alentours de Berlin des villes entières sortaient de terre à une vitesse telle qu'on croyait parfois voir des mirages. Il jeta un regard stressé à sa montre. Sa nervosité et son impatience montèrent d'un cran.

Devant lui émergèrent les bâtiments où étaient mis au point des satellites et des accélérateurs de particules. Quirin se souvint vaguement d'une visite qu'il avait faite ici il y avait plus de vingt ans. À l'époque, personne n'aurait pu imaginer que cette zone deviendrait un jour le pôle scientifique et technologique qu'elle était aujourd'hui. Adlershof était alors tout sauf accueillant. Un lieu fermé. Radiodiffusion nationale de la RDA et entrepôt de munitions du régiment Félix – Dzerjinski. En d'autres temps, radio du Reich et centre d'essais aérodynamiques. Baraquements gris, chemins cahoteux.

Réunions secrètes entre CIA et BND[1]. Entretiens exploratoires. Rencontres en terrain neutre. Échange d'informations. Retrait de troupes. Logistique. Depuis ce temps-là, le monde avait changé. Les hommes, pas tellement.

Quirin suivit les panneaux jusqu'à Adlershof Media City. Il coupa le moteur, mais ne descendit pas tout de suite. Il respira profondément. Ce n'était pas le trac. S'asseoir dans les fauteuils en Skaï sous la lumière des projecteurs, tenir son rôle d'expert en services secrets, c'était pour lui la routine. Une partition qu'il maîtrisait sur le bout des doigts. Cette fois, c'était l'enjeu qui le rendait nerveux, une excitation qu'il peinait à contenir. Le grand jour était enfin arrivé.

Quirin tourna le rétroviseur de manière à voir son visage. Autour de ses yeux fatigués, dont le bleu semblait bien terne comparé au ciel d'été, les sillons s'étaient creusés. Vingt-cinq années de traque avaient fini par laisser des traces. Il avait passé près de la moitié de sa vie à courir après un fantôme, obsession qui lui avait coûté son boulot, sa famille, ses amis. Il se revit devant la porte blindée à Pullach, dans la banlieue de Munich. Tenant à la main, délivré par l'« Administration fédérale des biens », son certificat de dix années de bons et loyaux services au Bureau des fonds spéciaux. Séparation par consentement mutuel. Document qui ne valait même pas le papier sur lequel il était écrit. Un tissu de mensonges de bout en bout. Pour ça, on pouvait faire confiance au BND.

Quirin prit la mallette sur le siège passager, quitta le véhicule sans le verrouiller – il n'aurait qu'à y gagner de

1. Le BND (*Bundesnachrichtendienst*, service de renseignement fédéral) est le service de renseignements extérieurs de la RFA (*N.d.T.*).

se faire voler ce tas de ferraille –, traversa le parking à vive allure, puis monta lentement le perron qui menait aux studios. Le portier, qui depuis le temps le connaissait, lui tendit son badge. Les fauteuils du foyer étaient vides.

— Quelqu'un m'a demandé ?

L'homme était un fossile datant de la radio d'État. Il avait survécu aux époques et aux régimes politiques grâce à son uniforme en coton gris, qui le rendait quasi invisible. Rajustant ses lunettes de vue sur son nez, il étudia le livre des visiteurs avec une minutie exaspérante.

— Non.

— Ou déposé quelque chose ?

Absurde. Qui remettrait du matériel aussi explosif entre les mains d'une momie faisant l'accueil dans un studio de télévision ? L'homme se leva péniblement et se dirigea vers une étagère vide qu'il considéra d'un air songeur, comme s'il la voyait pour la première fois.

— Non.

Quirin hocha la tête et rejoignit les fauteuils, posa sa mallette sur le sol, puis fit les cent pas en gardant un œil sur l'entrée. Elle allait venir. Forcément. Encore une heure à tirer avant le début de l'émission. Avant l'heure de vérité. Avant la victoire. Une jeune assistante de production, reconnaissable à son micro-casque, son porte-bloc et ses lunettes cerclées de noir, traversa le hall d'entrée à pas pressés.

— Bonsoir ! Monsieur Kaiserley, n'est-ce pas ?

Ses cheveux plaqués sur le crâne étaient noués en queue-de-cheval et elle portait l'uniforme chic et *nerd* des bobos de Berlin-Mitte.

— Kirsten. Ravie de vous rencontrer.

Kirsten Sans-nom-de-famille lui lança un de ces regards pétillants sous-titrés « Et si nous allions boire un verre ensemble un peu plus tard ? », qu'il devait au seul fait que son visage n'était pas inconnu des médias.

— J'attends quelqu'un, dit-il.

Kirsten tapota avec son stylo sur le conducteur de l'émission.

— Je vous emmène à votre loge et je préviens le portier.

— Juliane est arrivée ?

Le sourire de l'assistante fraîchit de quelques degrés. Elle remonta ses lunettes et examina son conducteur.

— Mme Westerhoff est au maquillage.

Elle marcha en tête. Quirin attrapa sa mallette et jeta un coup d'œil par les portes grandes ouvertes du plateau. Le talk-show politique *Trois contre un* était produit aux studios d'Adlershof et diffusé tous les vendredis soir en seconde partie de soirée, entre le polar et le journal de minuit. Le créneau horaire était on ne peut mieux choisi et l'audimat excellent. L'émission s'était taillé une réputation grâce à ses sujets politiques explosifs. « Les caméras t'adorent », lui avait déclaré un soir Juliane pendant l'inévitable *after,* sous l'effet de la chaleur, du vin et de l'adrénaline qui coulaient à flots comme le champagne, avant d'ajouter : « Et moi aussi. »

Depuis quand se connaissaient-ils ? Un quart de siècle ? Il avait suivi sa carrière du coin de l'œil, comme elle la sienne. Du moins aussi longtemps que quelque chose ressemblant à une carrière avait existé pour lui. Après sa chute aussi vertigineuse que brutale, elle avait été l'une des très rares à ne pas lui avoir tourné le dos. Lui avait-il jamais témoigné de la gratitude ?

Ce soir, pensa-t-il, *ce sera champagne pour nous deux*. La une de tous les journaux. L'audimat au top. Les yeux pétillants de Juliane. Quelques jours de baume au cœur.

Quand Quirin l'avait appelée quelques semaines plus tôt pour lui parler de sa source – avec toute la prudence requise –, elle avait été tout feu tout flamme. Elle avait décidé de faire exploser cette bombe en fin d'émission, mais elle exigeait des preuves, comme toute journaliste digne de ce nom.

— Nous les produirons.

— Qui « nous » ?

— Protection des sources. Désolé.

Je sais ce qui s'est passé ce jour-là. J'ai en ma possession quelque chose qui devrait vous intéresser, vous et quelque trois mille autres. Mot clé : Rosenholz. Intéressé ?

Rosenholz. À la lecture du mail, le pouls de Quirin s'était mis à galoper. L'expéditeur, du nom d'Aquavit, se révéla lors de leur première et unique rencontre être une personne de sexe féminin, de trente-cinq ans environ, forte, avec l'accent dur des pays scandinaves.

Elle ne dévoila pas son vrai nom. Son visage large et pâle, avec ses yeux étroits sous une frange trop longue, semblait indifférent à tout. Elle portait un tee-shirt blanc au logo *Bommerlunder*. Elle l'attendait au fond d'un café de l'Oranienburger Strasse, une petite boîte posée devant elle. Florena, le Nivea est-allemand. Lorsqu'il ôta le couvercle et vit le microfilm enroulé sur lui-même, il sut immédiatement qu'elle n'avait pas menti.

— C'est une copie complète que vous avez ? demanda-t-il en retenant son souffle.

— Ouais. La liste des vrais noms de tous les agents de la RDA opérant à l'étranger. Établie à partir de centaines de milliers de fiches. Réalisée en 1984 lors du microfilmage du fonds entier de l'Administration centrale de reconnaissance, le HVA[1]. Ceci est l'original. Rien à voir avec le gruyère que le KGB et la CIA vous ont refilé après la chute du Mur.

— Que voulez-vous en échange ? Je n'ai pas d'argent.

— Mais vous avez des relations. Je veux le prix le plus fort qu'une chaîne allemande soit prête à payer. Car ceci (elle tapota sur son sac à main, où elle avait fait disparaître la boîte) fera enfin tomber les vraies têtes.

Elle attendit sa réponse. *Elle est au courant*, pensa-t-il. Pour lui, pour Rosenholz, pour tout ce qui s'était passé à l'époque.

— D'où tenez-vous cela ? Et pourquoi maintenant ?

— J'ai mes raisons. Je ne suis pas venue seulement pour vous, j'ai encore quelques affaires personnelles à régler avant que vous claironniez la nouvelle sur les toits. N'essayez pas de m'entuber ou de me suivre. Quand on réussit à cacher ce matos pendant vingt-cinq ans, on est plus fort que vous tous réunis. Alors : *deal or no deal ?*

— *Deal.*

— Votre sentiment ?

— Ça fera l'effet d'une bombe.

Les yeux étroits de la femme se rétrécirent un peu plus.

— *Trois contre un*, poursuivit Quirin. Le talk-show de Juliane Westerhoff. Ils seront tous là : *Spiegel*, *Focus*, *Stern.*

— Cash ? Je veux 100 000.

— Faut que je négocie.

— Faites.

---

1. Le HVA (*Hauptverwaltung Aufklärung*) était la section de la Stasi qui s'occupait du contre-espionnage (*N.d.T.*).

Quirin, mal à l'aise, acquiesça. Sa cupidité, cette manière qu'elle avait de pencher la tête sur le côté, tout lui déplaisait.

— Bon, reprit-elle. Écrivez-moi pour me dire où et quand. Pas de coup tordu. Je ne suis pas idiote. À la moindre tentative de me coller aux basques, je mets fin à l'opération.

— À une seule condition.

— Laquelle ? demanda-t-elle précipitamment.

— Je veux être le premier à voir les films.

— Un compte à régler, hein ?

— Oui.

— Sassnitz, hein ?

S'il lui avait encore fallu une preuve, ce simple mot suffisait. Quelqu'un l'avait mise au parfum, car elle était beaucoup trop jeune pour avoir pu s'y trouver à l'époque.

— Que savez-vous sur Sassnitz ?

— Bien assez, répliqua-t-elle.

C'était la première fois qu'il décelait une pointe d'émotion dans sa voix.

— Croyez-moi. Assez pour savoir que vous mettrez tout en œuvre pour pouvoir jeter un œil sur la seule preuve matérielle existante. (Elle prit son sac et se leva.) C'est toujours difficile quand il nous reste un compte à régler. On ne les solde jamais vraiment. La réparation morale, la justice, ça n'existe pas.

Il la regarda s'éloigner et se dit qu'elle avait raison.

Kirsten jeta un œil à sa montre.

— Je viendrai vous chercher dans vingt minutes. Voici votre loge personnelle. Tout est là, selon vos instructions.

Elle eut un sourire entendu puis s'en alla d'un pas pressé. Quirin entra dans la loge, une petite pièce chichement meublée. Son regard tomba sur un lecteur de microfiches avec agrandisseur posé sur la table au milieu de la pièce. Il tourna l'interrupteur et vérifia que la lampe et le chargement automatique du film fonctionnaient. Ses mains tremblaient. Encore trois quarts d'heure. Où était-elle, bon Dieu ? Il posa sa mallette sur une chaise et ouvrit la bouteille d'eau gazeuse posée avec deux verres à côté de l'appareil, s'en versa un et but d'un trait. Des comptes à régler.

L'air vicié, mêlé à l'odeur de colle PVC et de produit désinfectant, l'étouffait. Il ouvrit la fenêtre qui donnait sur le parking et vit quelqu'un claquer la porte de sa voiture, puis s'éloigner à la hâte. *Pas ton jour de chance, mon pote*, pensa-t-il, *je n'ai même pas d'autoradio*. Il fallait être un bleu pour croire qu'un ancien des Renseignements laisserait traîner le moindre objet de valeur dans sa voiture.

Il sortit de la mallette son rasoir électrique qu'il trimbalait toujours avec lui en de telles occasions. En dessous était rangée une chemise portant l'inscription *Rosenholz*. Sans la nouvelle pièce au dossier, elle avait autant de valeur qu'une liasse de Reichsmarks. Il s'approcha du petit lavabo à côté de la porte. Tandis qu'il passait l'appareil sur ses joues, il sentit que ses nerfs étaient près de lâcher. Lorsqu'on frappa doucement à la porte, il laissa tomber le rasoir dans le lavabo et se rua sur la porte pour l'ouvrir.

— Quirin ! Tu es seul ?

Juliane Westerhoff se glissa à l'intérieur. Son épais maquillage conférait à son visage la beauté lisse et irréelle d'une star du grand écran. Dès le début de sa carrière, elle s'était composé pour ses apparitions en public un look à la Marlène Dietrich. Regard froid, pommettes hautes, sourcils finement dessinés, les cheveux blond foncé entourant son visage en douces ondulations : c'était ainsi qu'on la connaissait sur le petit écran. Dans la rue, sans fard, personne n'aurait pu la reconnaître. Ce masque était son armure, qu'elle enfilait comme une seconde peau.

Elle lui sourit. Il espérait qu'elle fermerait les yeux sur son costume minable.

— Ton grand soir. Comment te sens-tu ? demanda-t-elle.

Ses yeux verts, étonnamment grands, le toisèrent comme pour s'assurer qu'il était assez télégénique. L'épaisse chevelure sombre de Quirin était parsemée de petites mèches grises. Avec son mètre quatre-vingt-cinq et son physique filiforme de skieur de fond chevronné, c'était un homme à qui l'âge réussissait. Pour l'instant.

Il montra la mallette ouverte et dit :

— Mon éditeur veut récupérer son avance si je ne lui remets pas le manuscrit bientôt.

— Alors, tu les as ?

— Écoute… (Il devait la mettre dans la confidence.) Je crois qu'il y a un problème.

— Un problème ? Quel problème ? Le service juridique de la chaîne est dans les starting-blocks. Les journalistes assis au premier rang. J'ai même reconnu un de tes anciens collègues dans le public.

Elle fit un pas vers lui et le regarda droit dans les yeux.

— Nous avons préparé un magnéto. Des documents d'archives sur les anciens fichiers à la commission Birthler, des prises de vue de Pullach et du chantier du BND à Berlin. Les collègues du Grand Journal de la nuit sont sur le pied de guerre, prêts à décrypter la moindre phrase sur tes lèvres pour la communiquer illico aux agences. L'un des invités est un représentant du BfV[1], et il veillera à ce que le matériel soit transmis et examiné sitôt l'émission terminée. Alors, je te demande…

Elle avança encore d'un pas, lui laissant sentir les effluves d'Opium, le genre de parfum que Marlène aussi avait dû porter. Sa voix baissa d'un cran et n'eut plus rien d'aimable.

— Quel problème ?

— Elle devrait être ici depuis un moment.

— C'est une blague. (Mais elle voyait bien qu'il était sérieux.) Elle n'est pas là ?

Elle regarda autour d'elle, comme si quelqu'un avait pu se dissimuler dans un recoin de cette pièce dont le confort avoisinait celui d'une cellule de prison.

— Tu m'avais dit que tu l'emmenais avec toi !

— Je sais !

Il se retourna et referma sa mallette dans un claquement sonore. Elle sursauta, mais se ressaisit aussitôt. Pas question de compromettre ni le déroulement du programme ni son maquillage si peu de temps avant le début de l'enregistrement. La mine défaite, elle détourna le regard, caressant machinalement de sa paume droite son blazer bleu nuit.

— Et merde, murmura-t-elle.

Elle sortit un émetteur-récepteur de la poche de son tailleur et le porta à sa bouche :

— Vérifiez s'il n'y a pas une dénommée Florena à la réception.

---

1. Le BfV (*Bundesamt für Verfassungsschutz*, office fédéral de Protection de la Constitution) est un service de renseignements intérieurs qui surveille les activités des personnes ou des groupes représentant une menace pour la Constitution (*N.d.T.*).

Ils s'étaient mis d'accord sur ce nom quand Quirin avait appris à Juliane où la source cachait ses microfilms.

— Non ?

Ses grands yeux se posèrent sur Quirin. Elle rangea l'appareil.

— Elle n'est pas là. Qu'est-ce que ça veut dire ? Elle devrait être là, bon sang ! Avec toi !

— On s'était donné rancard...

— Rancard ? Tu te fous de ma gueule ? Rancard ? Je croyais que vous étiez siamois ! As-tu une idée de ce que ça signifie pour l'émission ? Pour moi ? On avait une bombe entre les mains. On aurait relancé tout le débat sur la prescription. Et maintenant ?

Démasquer les collaborateurs de la Stasi : pour ou contre ? La bande-annonce était passée toute la semaine. *Tel sera ce vendredi le sujet débattu sur le plateau de Juliane Westerhoff. Autour de moi pour en parler, plusieurs députés du Bundestag et du Parlement régional du Brandebourg, ainsi que la directrice de l'administration chargée de la gestion des dossiers de la Stasi, Marianne Birthler, et l'ancien agent du BND, Quirin Kaiserley.*

On frappa. Kirsten passa la tête par la porte. Derrière elle apparut un technicien haut comme trois pommes, vêtu de noir délavé de pied en cap.

— Madame Westerhoff ? souffla Kirsten. Le chef du groupe parlementaire de la *Linke* est là. Et M. Kaiserley devrait déjà être câblé.

— Un instant. Un instant !

Kirsten rentra la tête dans ses épaules et disparut. Juliane prit une profonde inspiration.

— Où sont les films ?

— Je ne sais pas.

— Merde et merde et merde ! Dire que je t'ai annoncé pendant une semaine ! Que je t'ai cru !

— Je les ai vus. De mes propres yeux !

— Et alors ? Tu le fais exprès ? Tu ne sais pas ce que ça vaut en l'absence de preuves ? Tu n'as pas appris avec le temps ? (Quirin vit Juliane secouer la tête, au bord de la crise de nerfs.) Des allégations en l'air, c'est tout ce que c'est. Les élucubrations d'un ex-agent qui a pété les plombs !

Il ne comprit pas tout de suite. Elle se ressaisit et pesa bien ses mots.

— Tu sais, ça t'a déjà brisé les reins, dit-elle à voix basse. Tu te couvres de ridicule.

Ridicule.

Quand est-ce que ça avait commencé, au juste ? Le jour où il avait remis sa démission et sa carte ? Ou bien beaucoup plus tôt, quand personne n'avait voulu le croire à son retour de Sassnitz ? Ou bien cela avait-il été une lente dégringolade ? Une longue pente sinueuse qui l'avait vu passer de superstar du BND à pantin d'un jeu de massacre ?

— J'ai compris. Je m'en vais.

— Tu restes. C'est trop tard maintenant. Concentre-toi sur ton rôle d'expert en services secrets pendant la guerre froide. Et je pourrai peut-être encore sauver l'émission.

— Ce n'est pas la question.

Elle dégaina son index et le pointa sur Quirin :

— Si. C'est précisément la question.

Elle regagna la porte sans le quitter des yeux :

— Tes cadavres dans le placard.

Les projecteurs accrochés au gril s'allumèrent. Dans la régie, les images des six caméras couvraient déjà le mur d'écrans. Une assistante de production ouvrit la porte du foyer et pénétra dans le studio. Les voix entremêlées des spectateurs, dont la bonne humeur était entretenue jusqu'à l'ouverture des portes à grand renfort de vin et de chips, parvinrent assourdies dans le studio.

Le technicien tendit le micro-cravate à Quirin.

— Un essai, s'il vous plaît.

— Un deux trois, un deux trois.

L'homme écouta ce qu'une voix lui disait dans l'oreillette et hocha la tête. L'assistante de production pria Quirin de prendre place dans le fauteuil à droite.

— La 1 en position 1, résonna la voix du réalisateur dans les haut-parleurs.

Du fond du studio émergea dans la pénombre la silhouette cubique d'une caméra poussée par deux jeunes types, la petite lumière rouge allumée à côté de l'objectif. Là-haut, à la régie, le visage de Quirin occupait le moniteur 1 tout entier.

— S'il vous plaît, ne regardez pas *vers* la caméra, demanda l'assistante de production.

Du haut de sa petite vingtaine d'années, elle paraissait nerveuse, stressée et quelque peu débordée. Elle était tout le contraire de Kirsten, plutôt le genre à faire roadie de groupe de rock pour arrondir ses fins de mois. Quirin opina d'un signe de tête. Les projecteurs l'éblouirent. Il plissa les yeux et distingua Juliane, debout derrière l'escalier des gradins supérieurs, tenant conciliabule avec un homme svelte d'une trentaine d'années – le rédacteur en chef.

— La 2 et la 3, s'il vous plaît.

Deux opérateurs *steadicam* l'encerclèrent.

— Préférez-vous de l'eau plate ou gazeuse ?

— Gazeuse, répondit Quirin. Y a-t-il un message pour moi ? Ou a-t-on déposé quelque chose à mon nom ?

— Non. Mais je vais revérifier.

L'assistante de production se pencha vers lui.

— Question idiote, mais avez-vous pris un ticket à l'horodateur ?

Quirin réfléchit, puis secoua la tête. Il n'avait vu aucune machine à la ronde.

— La fourrière passe dans le coin depuis peu. Je m'en charge vite fait, si ça vous va.

Quirin s'efforça de sourire. Il avait du mal à garder un air dégagé.

— Ça me va très bien.

Elle s'accroupit.

— J'ai dévoré votre dernier livre. Absolument passionnant. À la lecture, une question n'arrêtait pas de me trotter dans la tête : ces anciens dépôts d'armes russes existent-ils encore ?

Elle faisait allusion à son avant-dernier ouvrage. Il y déplorait le fait que n'importe quel chasseur de trésor tant soit peu dégourdi arriverait sans problème à exhumer les dernières munitions que l'armée soviétique avait enterrées à la va-vite avant son départ. À sa connaissance, au-delà des cris d'orfraie habituels, sa publication n'avait pas été suivie d'effets. Son interlocutrice lui donnait l'impression d'être elle-même remontée comme une Cocotte-Minute et décidée à aller les déterrer sur-le-champ.

— Non, mentit-il.

Il valait peut-être mieux ne pas étaler certaines choses au grand jour.

— Dommage. Enfin, bon. Je vais chercher votre eau.

Elle se leva et se hâta vers la sortie.

Quirin soupira. Cette brève conversation lui avait ôté ses dernières forces. Il n'avait qu'une envie, se lever et partir. S'en aller quelque part où il pourrait être seul et hurler la déception qui lui remuait les entrailles.

— La 4. Où est la 4, s'il vous plaît ? (La voix du réalisateur semblait nerveuse.) Merci. Suivante.

Sur ce, le bras d'une grue pivota devant lui à cinquante centimètres à peine. La caméra 5.

— Et la 6. Téléprompteur. Plan large.

La dernière caméra s'installa très exactement en face du demi-cercle.

— Merci à tous. C'est tout pour le moment. En place dans vingt minutes.

Quirin se leva et quitta le plateau. Sa source était tarie. Il était à sec.

Une septième caméra se mit à bouger quelque part dans le gril. Son objectif n'était guère plus grand qu'un doigt, et sa coque métallique noire se distinguait à peine des petites barres de l'armature. Elle suivit les mouvements de Quirin à travers la salle, jusqu'à ce qu'il disparaisse derrière l'escalier avec un petit hochement de tête en direction de Juliane.

La Close Capture Camera, abrégée CCCam, était fabriquée par Great Choon Brother, l'un des meilleurs fournisseurs de Shenzhen. Elle envoyait, *via* une fréquence sécurisée, des images haute résolution à un transpondeur situé non pas dans la salle de régie de l'AMC, mais à l'extérieur du studio, très précisément dans la base fendue d'un poteau d'antenne de l'ancien programme de radiodiffusion du Reich. De là, le message encodé parcourait dix-sept kilomètres à travers la ville en exactement quatre-vingt-sept centièmes de seconde pour arriver dans un ordinateur qui le transmettait deux mètres plus loin, à un poste de télévision fixé au mur de l'Executive Suite de l'Hôtel de Rome, sur la Bebelplatz.

Angelina Espinoza ôta l'écouteur.

— Zoom.

Sa voix rompue au commandement dénotait une femme haut gradée, mais elle arrivait à tinter son autorité naturelle d'une sorte de grâce en acier trempé, capable de faire flancher tout homme dans un rayon de cent mètres autour d'elle.

Tobias Täschner, Toto pour les intimes, acquiesça. Il était nerveux et content d'être assis. Espinoza approchait de la cinquantaine, ce qui lui faisait facilement dix ans de plus que lui. Agent de la CIA, elle portait à n'en pas douter un tout autre nom à la ville. Leur dernière rencontre avait commencé comme celle-ci sur un terrain tout à fait professionnel pour finir de façon tout à fait privée. Pour le moment, rien ne permettait de conclure qu'elle se souvenait de cette nuit. Elle remit l'écouteur sur ses oreilles et lui fit un bref signe de tête qui voulait dire : « C'est parti. *Subito.* » Il zooma au maximum sur Kaiserley, dont le visage remplit bientôt la totalité de l'écran.

Il avait monté son rack Vinten Radamec sur la table basse, un meuble si immense qu'un skater aurait pu y faire ses figures. Tout était immense dans cet hôtel : le lit, qu'il avait aperçu en passant dans l'entrebâillement de la porte, l'écran plat au mur, qui diffusait des images éclatantes, les fauteuils *king size*, les colonnes du hall, les dossiers d'au moins trois mètres des banquettes en demi-lune tapissées de velours auxquelles un portier au sourire affable l'avait conduit. Et même ledit portier, avec ses presque deux mètres, le dépassait d'au moins une tête et demie. La rencontre entre Mussolini et Versace : telle avait été sa première pensée lorsque, ébahi, il était entré dans ce palace au cœur de Berlin.

Angelina Espinoza était tout le contraire : frêle et à peine plus haute qu'un mètre soixante. Mais ses gestes gracieux se déployaient avec ampleur, comme si les suites d'hôtel de cette dimension étaient pour elle la scène idéale et le reste du monde tout simplement trop exigu. Elle avait des cheveux bruns coupés à hauteur d'épaules, dont les mèches bouclées, qu'elle remontait sans cesse, lui tombaient sur le visage. Elle portait un tailleur-pantalon couleur crème sur un chemisier blanc, tenue somme toute parfaitement adaptée à une réunion d'affaires, ce qui n'empêchait pas Toto de se sentir nerveux en sa présence.

Il l'avait rencontrée en Virginie. À l'époque, il avait été membre du staff du ministre des Affaires étrangères et à ce titre avait effectué une sorte de voyage d'affaires dans les locaux de la CIA, à Langley, en compagnie de quelques collègues de l'Office fédéral de la statistique sur les télécommunications, section Analyse des données. Là-bas, ils avaient fêté la décision de rendre le GPS, jusqu'alors réservé à des fins strictement militaires, accessible au grand public pour un usage civil. Le quartier général, avec ses innombrables bâtiments et annexes, son auditorium et l'immense Memorial Garden, l'avait plutôt impressionné. Seule Scattergood, l'ancienne gentilhommière, rappelait encore le domaine d'autrefois. Les collègues y avaient donné une petite réception. Kellermann, son chef, avait paradé comme le Roi-Soleil, sans remarquer que Toto, derrière le dos de son supérieur, se faisait ferrer par les yeux noirs du *Warrant Officer* Angelina Espinoza. Il n'avait pas eu le temps de compter jusqu'à trois qu'elle avait fait sa conquête, l'avait arraché à la fête et transbahuté jusqu'à son petit appartement à une demi-heure de Langley, où il avait passé le reste de la soirée et toute la nuit perché au septième ciel: Angelina savait qui il était et pour qui il travaillait. Pas de légendes, pas de cachotteries, pas de «je suis technicien informatique pour la banque de financement Truc Bidule». Rien que la vérité, qui du reste ne valait même pas la peine qu'on en parle, car leurs expériences se ressemblaient trop.

Ils savaient tout l'un de l'autre, sauf leurs vrais noms. Les noms, c'était tabou. Même et surtout dans des situations pareilles. Lui Täschner, elle Espinoza. C'était sous ces noms qu'ils travaillaient pour leurs services respectifs et à l'extérieur. Les couvertures, les légendes, ils en avaient l'habitude. Toto avait déjà tellement intériorisé cette fausse identité qu'il se souvenait à peine encore de son nom véritable. Ou ne voulait pas s'en souvenir. Ce qui était le plus probable.

Comme leur histoire de plumard n'avait rien de sentimental, ils avaient laissé au hasard le soin d'organiser d'éventuelles retrouvailles. Le fait que le hasard s'en soit mêlé précisément lors de cette opération à Berlin avait tout pour plaire à Toto.

Elle s'était enregistrée sous le nom de Sandra Kerring, il s'était présenté à la réception sous celui d'Oliver Mayr. Aussi n'avait-il eu aucune idée de qui l'attendait là-haut. Sa mission était simple: récupérer à l'Hôtel de Rome les images prises en direct par la CCCam dans le studio d'Adlershof, retransmettre en streaming jusqu'à Kellermann et éviter autant que possible que le flux s'interrompe durant l'opération. Et bien entendu satisfaire au moindre désir de la spécialiste de la CIA que le BND avait recrutée pour cette mission spéciale, et rémunérait en tant que consultante.

Lorsque Angelina lui avait ouvert, il s'était senti sur-le-champ disposé à accomplir ses devoirs avec joie, d'autant plus s'il fallait payer physiquement de sa personne.

À l'inverse, elle ne pensait à rien d'autre qu'à sa mission. Elle prit un verre d'eau minérale, le but, et Toto, songeur, regarda la trace de rouge à lèvres laissée sur le bord par sa bouche. C'était sans doute tout ce qu'elle était prête à donner d'elle dans cette affaire. Elle paraissait concentrée, archiprofessionnelle.

— Retourne encore une fois sur la petite et lui.

Il actionna le joystick et stoppa l'enregistrement au début du dialogue. La CCCam était dotée d'un excellent micro directionnel. Il n'avait même pas besoin de pirater le signal radio du micro de Quirin.

« Préférez-vous de l'eau plate ou gazeuse ? »

« Gazeuse. »

Angelina hocha la tête et lança :

— Continue.

« Question idiote, mais avez-vous pris un ticket à l'horodateur ? »

Elle plissa les yeux et observa la réaction de Quirin. Puis elle demanda à repasser la séquence plusieurs fois au ralenti. D'un bref geste de la main, elle signifia enfin à Toto qu'il pouvait avancer.

« Ces anciens dépôts d'armes russes existent-ils encore ? »

« Non. »

Angelina sourit et regarda Toto.

— Il ment. Personne n'a pris la peine de les déterrer. Qui est cette fille ? Elle se débrouille bien.

— Aucune idée.

Toto était soulagé de voir qu'Angelina était concentrée sur les mensonges d'un autre. Car la petite, il le savait, était toute nouvelle sur le terrain. Elle faisait partie du cercle très fermé des chouchous de Kellermann, auquel Toto, selon l'humeur du chef, pouvait aussi s'enorgueillir d'appartenir. Si bons collègues et si proches qu'ils fussent, Angelina et lui, si intimes presque, assis là côte à côte, il ne devait jamais oublier qu'Angelina travaillait pour la concurrence. Et, un soir comme celui-là, surtout pour arrondir grassement ses fins de mois.

Un genre de pratique qui était devenu au fil des ans monnaie courante. On racontait même que les agents de la CIA formaient des courtiers de Wall Street à la manipulation et au camouflage, *via* ce qu'on appelait les *Research and Advisory Firms*. Ils enseignaient à leurs clients aussi bien l'art de proférer que de détecter les mensonges. Un certain nombre d'agents avaient leurs entrées chez Goldman Sachs ou SAC Capital Advisors et percevaient en qualité d'experts des honoraires exorbitants. Ce qui se présentait aux États-Unis comme une pratique absolument banale – à savoir enrôler à des fins privées des spécialistes travaillant au service de l'État – était impensable pour un brave fonctionnaire allemand. Toto ne voulait même pas savoir quelle somme astronomique allait atterrir sur le compte d'Angelina après un tel boulot. À l'évidence, la suite de l'hôtel était tous frais payés.

Il zooma un peu plus sur le visage du renégat. Voilà donc à quoi Kaiserley ressemblait quand il mentait. Le traître. L'homme qui souillait son propre nid. Pendant un bon quart d'heure, Angelina étudia, plan par plan, les mimiques de l'ex-agent. Toto suivit ses instructions sans l'interrompre une seule fois. Enfin, elle se renversa dans les coussins volumineux et ferma les yeux.

— Il ne cille pas. Il cligne des yeux.

Toto poussa le rack sur le côté pour poser ses pieds sur le bord de la table basse et se mettre à son tour un peu à l'aise.

— Où est la différence ?

— Ciller, c'est quelque chose que tu ne peux pas commander. Cligner des yeux, si. De plus...

Au grand dam de Toto, elle se releva.

— Ses pupilles se contractent. Pendant une fraction de seconde. Et puis il a cette particularité très rare. Il...

Elle retroussa le nez, ce ravissant petit nez qu'elle avait, portoricain, nicaraguayen ou mexicain – allez savoir.

— Quoi ?

Angelina posa la tête sur son épaule. Ses cheveux glissèrent sur son visage comme un rideau étincelant. Elle se pencha en avant, et Toto dut prendre sur lui pour empêcher ses yeux de se balader là où le décolleté du chemisier pouvait lui laisser entrevoir quelque chose qui l'empêcherait à tous les coups de continuer à travailler sérieusement.

— Voilà, dit-elle, ce qui fait la différence entre un tarif de fonctionnaire fédéral et 10 000 dollars. Nous avons vingt minutes.

Elle l'embrassa. L'adrénaline fusa dans les veines de Toto. C'était comme à Langley. Torride, rapide, presque spontané. Il se demanda si à l'époque il avait déjà mentionné dans son rapport écrit avec quelle facilité elle en venait aux choses sérieuses. Mais il n'eut pas le temps d'approfondir sa réflexion.

Quirin Kaiserley jeta un coup d'œil discret à la montre de son voisin de droite, vice-président d'un groupe parlementaire au *Landtag* de Brandebourg. Encore quinze minutes avant la fin de l'enregistrement. L'homme était en train d'exposer pourquoi, à son humble avis, il était normal de laisser son gouvernement régional continuer à faire son travail, quand bien même on savait qu'un quart au moins des députés du parti *Die Linke*, parmi lesquels le chef du groupe parlementaire et le président du parti, avaient entretenu des contacts réguliers avec la sécurité d'État de la RDA. Juliane lui coupa la parole.

— Dans d'autres Länder, les anciens informateurs de la Stasi sont exclus du parlement. Celui de Thuringe les a même déclarés « inéligibles ». À l'ouest de notre république, on ne connaît pas ce problème, et pourtant il existe. Car l'ancienne République fédérale pullulait aussi d'agents de la Stasi.

Un magnéto fut lancé ; la voix de Juliane retentit en off.

« Ce qui est certain, c'est que le MfS[1] *avait également recruté un grand nombre de citoyens ouest-allemands. La liste de leurs noms figure dans le fichier dit "Rosenholz". »*

Quirin eut un tressaillement quasi imperceptible. Il chercha le regard de Juliane. Les yeux baissés, elle triait ses fiches, tandis que le magnéto passait sur les écrans.

Le reportage revenait rapidement sur les dessous de l'affaire Rosenholz : une opération menée en 1993 par les services secrets. Certains fonctionnaires de l'Office fédéral de protection de la Constitution s'étaient envolés pour Washington, où la CIA leur avait donné la possibilité de consulter des microfilms provenant des archives du MfS. La restitution de ce fichier au gouvernement allemand

1. Le ministère de la Sécurité de l'État (*Ministerium für Staatssicherheit*), abrégé sous le nom de Stasi (*N.d.T.*).

et à l'administration chargée du traitement des dossiers de la Stasi avait été décidée au terme de longues et âpres négociations – et une fois seulement que l'ami américain eut procédé à sa propre analyse. La liste de noms ressemblait à un véritable gruyère. De deux choses l'une : soit certains agents de la CIA travaillaient eux aussi pour la Stasi, soit les Américains voulaient protéger certaines de leurs sources.

Rosenholz était un pétard mouillé.

Le film ne disait pas comment le fichier était arrivé en Virginie. Il passait sous silence le fait qu'il avait été caché pendant des semaines à Mahlsdorf, quartier périphérique de Berlin, dans une colonie de jardins ouvriers au bord de la B1, avant de quitter le pays. Quirin avait eu le tuyau et aussitôt informé ses collègues à Pullach.

Le bruit avait couru qu'un général du MfS et un officier du KGB avaient caché le document dans la cave d'une datcha. Mais le BND n'était pas allé le chercher. Pourquoi avait-on laissé échapper cette occasion unique et historique ? Cela faisait partie des questions lancinantes auxquelles Quirin n'avait jamais obtenu de réponse. Qui protégeait-on ? Qui cherchait à se protéger ? Et qui était assez haut placé pour avoir pu tenir cette planque secrète vis-à-vis de ses propres hommes ?

Le beau visage de Juliane réapparut en direct. Elle fixa un instant la caméra avant de se tourner vers Quirin.

— Il semblerait que plus de trois mille citoyens d'Allemagne de l'Ouest aient espionné pour la Stasi. Est-il vrai que le fichier Rosenholz les avait tous démasqués ? Quirin Kaiserley, vous êtes un ancien agent du BND et, disons-le franchement, vous n'y croyez pas une seconde.

Quirin se vit sur les moniteurs. Il était trop surpris pour répondre du tac au tac.

— Vous dites que Rosenholz n'était qu'une photographie prise à un moment T, et par là même incomplète. Est-ce vrai ?

Il se racla la gorge.

— Oui.

— Pourquoi incomplète ?

— Lorsque, au terme de ces âpres négociations, le fichier a été enfin restitué par la CIA, il en manquait une partie.

— Laquelle ?

— Entre autres, tout l'index alphabétique courant de « La » à « Li ».

— Les fichiers ont donc été manipulés ? Par qui ? La CIA, le KGB ou le MfS ?

Elle cherchait à l'acculer. Elle voulait une exécution publique. Et lui, il lui offrait sa tête sur le billot.

— Ce que je peux dire, c'est qu'on est loin d'avoir démasqué tous les anciens agents extérieurs du MfS. Ils courent toujours. Ils occupent des postes clés dans tout le pays. Et pas seulement dans notre pays. Leur position les rend vulnérables au chantage, car ils ne se sont jamais dévoilés, ni à leur famille ni à personne. À l'heure qu'il est, ils doivent craindre pour leur réputation politique et économique. Ils ont donc le plus grand intérêt à ce qu'on mette un point final à ce débat.

Un léger remous agita la salle.

Mais je ne le permettrai pas, poursuivit Quirin en pensée. *Ils ont déjà essayé à Sassnitz. Une famille entière a été éliminée. Elle m'avait été confiée, et je n'ai pas été à la hauteur. Et toutes les tentatives pour retrouver la taupe ont échoué. Depuis le temps, je suis probablement le seul à ne pas l'avoir oublié.*

Quelque part dans la nature se trouvait un fichier microfilmé complet, c'est-à-dire les originaux, qui aurait dû se trouver ici, sur cette table, devant les yeux de millions de téléspectateurs. Et lui, Quirin Kaiserley, aurait enfin pu découvrir qui les avait trahis. Il aurait enfin pu refermer ce chapitre de sa vie.

Au lieu de quoi, il était de nouveau les mains vides. Des murmures parcouraient les rangs du public.

— Monsieur Kaiserley ?

Quirin sursauta.

— Existe-t-il des preuves de ce que vous avancez ?

Les murmures se turent. Le regard de Juliane était comme un poignard. Il respira profondément.

— Oui, répondit-il.

Il fallait que tout le monde l'entende. En particulier celui qui s'était cru à l'abri pendant ces vingt-cinq années d'enfer.

— Oui. Il existe des preuves. J'ai vu les fichiers.

— Et où sont-ils à présent ?

Tous les regards étaient braqués sur lui. Sur le moniteur, Quirin se voyait lui-même se fixer du regard.

— Monsieur Kaiserley, quand les avez-vous vus ? Dans quelles circonstances ? Avez-vous des preuves ?

— Non, répondit-il. Pas encore. Mais je les fournirai en temps et en heure.

Angelina était allongée nue sur la couverture en satin du lit surdimensionné. Toto avait branché l'équipement dans la chambre de sorte qu'ils puissent suivre ensemble l'émission à l'horizontale. L'agente de la CIA n'avait pas quitté un seul instant l'écran des yeux. Elle donna ordre à Toto de repasser les trente dernières secondes.

— Split screen.

Les images sur l'écran se divisèrent, avec à gauche celles de l'AMC, à droite les prises de vue de la CCCam. Angelina remit les écouteurs, Toto l'imita.

— Passe-moi Kellermann.

Toto fit pivoter la caméra sur les rangées de spectateurs et l'immobilisa sur un homme assis à l'avant-dernier rang. Il zooma un peu sur lui. Kellermann était calé dans son siège, les bras croisés sur sa poitrine, pose typique d'un bateleur de foire réduit au silence et condamné à écouter. Il avait la soixantaine vigoureuse, il était bourru mais bel homme, avec un grand nez et des traits chiffonnés. Ses cheveux coupés ras et sa carrure de taureau lui donnaient l'air d'un lutteur affublé d'un complet sur mesure. Au demeurant, c'était l'un des chefs de division les plus gradés du BND – et il adorait se savoir sous-estimé par ses ennemis.

On en était à la désannonce, et déjà une ambiance de départ agitait les rangs devant lui.

— Kellermann ?

Elle prononça son nom à l'américaine, Killerman, et si le boss de Toto aimait ça, sa réaction n'en laissa rien paraître, à l'exception d'un vague sourire.

— Il dit la vérité.

Kellermann donna le signal du feu vert : il cliqua sur la pointe de son stylo-bille et le glissa dans la poche gauche de sa veste.

— Passe-moi le reste de l'équipe.

La CCCam pivota sur l'assistante de production, qui porta au même instant la main à son oreille, écouta attentivement, quitta son poste au pied de l'escalier et se dirigea vers la sortie. La caméra se tourna ensuite vers quatre autres places, toutes au premier rang. Les hommes qui s'y trouvaient peu auparavant s'étaient déjà discrètement fondus dans la foule qui refluait vers la sortie.

La moitié gauche du moniteur devint toute noire. L'enregistrement était terminé. Toto actionna le joystick et dirigea la CCCam sur Kaiserley qui tentait de se défaire du câble de son micro-cravate sans déchirer sa chemise.

— Vous l'auriez emmené direct, pas vrai ? demanda Angelina.

Toto poussa un soupir.

— J'en sais rien.

Angelina eut un petit rire.

— Ne me raconte pas de bobards. J'ai reconnu un type des Renseignements généraux et deux autres de la police criminelle. Sans compter les petits roquets de la presse. Ce ne serait pas la première fois que ce type… vous pisse dans les bottes.

—… chie dans les bottes, la reprit Toto, corrigeant son argot.

L'idée que Kaiserley s'en tire à si bon compte et puisse continuer de propager ses mensonges en toute impunité le mettait en rage. Cet homme foulait aux pieds l'honneur du service, celui de ses collègues comme le sien. Lui, l'ancien agent modèle. Son modèle. Et maintenant…

Angelina passa doucement la main dans les cheveux de Toto.

— Ne t'en fais pas, dit-elle. Des salauds comme lui, il y en a partout. Rosenholz, les premières générations… c'est de l'histoire ancienne. Tout comme le fait que vous nous fassiez toujours porter le chapeau… (Elle lui mordilla tendrement le lobe de l'oreille.) Vous qui aimez tant être les premiers en tout, si ce fichier existe, pourquoi ne l'avez-vous pas déniché depuis ce temps ?

Toto lui lança un regard étonné. Les relations entre les deux services secrets étaient proches, à certaines périodes presque fraternelles. Quant à savoir qui était le grand frère et qui le petit, cela n'avait jamais fait de doute pour personne. Dans les années 1990, les liens avaient été si étroits que des actions communes entre agents allemands et américains avaient été menées, que même à Pullach on n'avait apprises qu'après coup. Mais c'était il y a longtemps. Avant l'époque de Toto. Parfois, Kellermann en parlait, dans son bureau, tard le soir. C'étaient le genre d'histoires que se racontaient les cow-boys autour d'un bon feu de camp, ou les vétérans lors des commémorations du D-Day. De temps en temps, Kaiserley apparaissait au détour d'une de ces histoires. Alors les yeux de Kellermann s'illuminaient, jusqu'à ce qu'il se rappelle ce qu'était devenu son superhéros : un mercenaire de foire qui racontait à qui voulait l'entendre ses mensonges et ses boniments à propos du BND.

— Si vous ne les avez pas…, dit Toto en laissant à dessein la fin de la phrase en suspens.

— Les noms, les vrais noms des agents de la Stasi ?

Angelina se leva et alla dans la salle de bains, une pièce deux fois plus grande que le studio qu'occupait Toto à Neuried. Sans cesser de parler, elle s'enveloppa dans un peignoir ample et moelleux et ouvrit le robinet de la baignoire.

— Sincèrement, nous avons d'autres chats à fouetter. Je ne crois pas que ces originaux existent encore. Les fichiers en circulation sont des faux. On en ressort à tout bout de champ. Des prétendues copies des fichiers de la Stasi circulaient déjà au milieu des années 1990 et ont été proposées à plusieurs journaux. Mais aucun à l'époque n'a eu le courage de se mouiller. Alors, pourquoi toute cette agitation aujourd'hui ?

Elle revint dans la chambre et ajouta :

— Ces listes datent de Mathusalem. Qu'est-ce qu'elles ont de si important ?

Toto haussa les épaules.

— Je ne suis que technicien des télécoms. C'est pas à moi qu'il faut demander.

Elle défit la ceinture de son peignoir et s'approcha de lui.

— Alors à qui ? *Killerman* ?

Elle s'assit sur ses genoux, et Toto se sentit instantanément prêt à approfondir le dialogue transatlantique. Passant le bras au-dessus d'Angelina, il éteignit le moniteur. Elle ronronnait comme un petit chat.

— Ne me raconte pas de salades, dit-elle. Je sais que vous recherchez un *bastard* !

Elle l'embrassa.

— Alors tendez-lui un piège.

Elle l'embrassa de nouveau.

— Posez un appât.

Elle l'embrassa encore une fois. Le portable de Toto sonna. Il traînait sous le lit et Toto mit un bout de temps à le trouver. Il se demanda comment il était arrivé là. C'est alors qu'il vit le capharnaüm qui régnait autour d'eux, et son étonnement céda la place à un sourire en coin. Correspondant inconnu. La centrale avait dû faire suivre l'appel, vu que son numéro était secret.

Avec cette vague appréhension qui s'insinuait en lui chaque fois que quelqu'un l'appelait à cette heure, il décrocha.

— Oui ?

— Tout va bien ?

Toto reconnut la voix rauque de son chef, modulée sur la fréquence copain-copain.

— Au poil.

— Écoute, je sais qu'il est tard, mais j'ai besoin que tu me rendes encore un service.

Ça n'augurait rien de bon. Quand Kellermann passait au tutoiement, c'était qu'il y avait du stress dans l'air. Toto jeta un œil à Angelina qui sortait une bouteille de champagne du bar en acajou. Elle sentit qu'il venait d'y avoir un changement de programme, car Toto s'était assis et écoutait attentivement. Il finit par hocher la tête.

— C'est comme si c'était fait.

Il raccrocha et descendit du lit. Angelina leva la bouteille en lui lançant un regard interrogateur.

— Et qu'est-ce qu'on fait de ça ?

— Je suis de retour dans une heure. J'ai une petite affaire à régler.

— Professionnelle ou privée ?

Toto enfila son pantalon avec un rictus.

— Professionnelle. Le chasseur va contrôler ses pièges.

3

Dombrowski, Klaus. La cinquantaine bien tassée. La voix, la stature et la dégaine étaient toujours celles du déménageur qu'il avait été à ses débuts, trente ans plus tôt. Depuis, il avait fait son chemin, il avait monté sa propre entreprise et dirigeait à présent plus de trois cent cinquante employés plus ou moins en règle. Son empire comprenait quatorze camions de déménagement, trente et un chasse-neige et épandeurs, vingt-trois équipes de nettoyeurs en bâtiment, sans compter les innombrables journaliers zélés qu'il allait lui-même piocher, selon les besoins du jour, le matin à 5 heures dans la file d'attente à l'entrée de l'Agence pour l'emploi. Il connaissait chacun d'eux par son prénom. Il vous parlait sur un ton tel que, même à l'armée, on l'aurait suspendu de ses fonctions sur-le-champ. Il menait son entreprise d'une main de fer, mais ne renâclait pas non plus à la tâche. Il surgissait partout à l'improviste, contrôlait, jurait, gueulait, pestait contre Untel ou Untel mais, à côté de ça, il était allé en récupérer plus d'un au centre de rétention *in extremis*. Combien de fois avait-il fait prolonger des permis de séjour en suivant des voies hiérarchiques qu'on qualifiera par euphémisme de « raccourcis » ? Il lui arrivait d'oublier d'inscrire dans la compta un déménagement par-ci, un dépannage par-là, un petit service quelconque rendu dans les pavillons de fonctionnaires à l'orée de la ville. La rumeur courait, tenace, qu'il aurait même déposé parfois des cautions et se serait porté personnellement garant d'un employé.

Dombrowski lui-même restait discret sur le sujet. Pour commencer, il aurait fallu lui demander. Mais on ne parlait pas avec Dombrowski. On parlait de lui, à la rigueur. Ses cheveux frisés et grisonnants, déjà bien clairsemés, lui arrivaient jusqu'aux épaules. Il les portait toujours en catogan sauf pour les grandes occasions. Il entretenait soigneusement sa gloire d'ancien soixante-huitard qui avait monté les cartons des autres dans des bureaux toujours plus haut perchés au cours de leur longue ascension dans le monde des institutions, et qui passait la serpillière dans les arrière-boutiques des puissants. Peut-être même effaçait-il les traces d'autres sales affaires, mais là encore ce n'était qu'un bruit qui courait. Il ne payait jamais de treizième mois, rognait les *minima* de quelques centimes, mais une fois l'an, à Noël, tel un boyard aux idées prérévolutionnaires, il gratifiait ses gens d'une petite obole. À condition qu'on ait réussi à se traîner au turbin avec quarante de fièvre et qu'on ait bien pris soin de ne pas avoir réclamé ses heures supplémentaires, car après tout n'étaient-elles pas la preuve heureuse qu'on était utile à la société ? Quand il achetait de nouveaux équipements, ce n'était pas parce qu'ils étaient plus performants, mais parce que les anciens tombaient en miettes. Il avait fait une bonne affaire en achetant aux enchères son mobilier de bureau quand la déco intérieure du ministère du Commerce extérieur de la RDA avait été bazardée. Sa chaise, qui gémissait sous le poids de son corps massif, avait accueilli auparavant, disait-on, l'arrière-train du ministre Schalck-Golodkowski en personne.

L'écran d'ordinateur qui trônait sur son bureau éraflé était une véritable pièce de musée. Lorsqu'il le fit pivoter en direction de Judith – qui l'avait suivi, bien obligée d'écouter sa requête, dont l'impudence ne faisait aucun doute –, la charnière émit un grincement pitoyable.

— Regarde le tableau de service. J'ai personne.

— Dans ce cas, appelle quelqu'un.

— Un vendredi soir ? Personne ne va décrocher à moins d'avoir perdu le peu de jugeote qui lui reste.

— Tandis que moi je suis une débile.

Dombrowski la gratifia d'un sourire qui aurait glacé les sangs à n'importe qui d'autre, un sourire large comme celui du grand méchant loup qui vient de croquer mère-grand. Elle s'arrêta et attendit. Simple curiosité. Elle voulait savoir jusqu'où il était prêt à aller. Il n'y avait pas que ça. Elle était incapable de se poser des limites et de s'y tenir fermement.

— Judith. Ma chère Judith.

Non. Par mesure de précaution, elle se mit à visualiser le mot qui s'imposait. Un « N » bien net et tout en pointes, suivi d'un « O » gentiment rond mais ferme comme un point d'exclamation, puis d'un second « N » comme une tête secouée en signe de refus. NON.

— Un frileux. Tu sais ce que ça veut dire. Je ne peux pas envoyer n'importe qui.

Le terme provenait du petit monde très fermé des vendeurs de mazout. Il désignait les étourdis dont le chauffage tombait en panne en plein hiver après qu'ils ont épuisé toutes leurs réserves de combustible. Des cas d'urgence qui nécessitaient une livraison express avec une majoration tarifaire évidemment exorbitante. Pourquoi ce mot avait-il fait son nid chez Dombrowski ? Personne n'aurait pu le dire. Peut-être parce que ses frileux à lui rendaient eux aussi les lieux où ils gisaient peu accueillants. Parce qu'on avait besoin d'un spécialiste capable de mettre en veilleuse son cerveau, son cœur et son odorat dès l'instant où il se retrouvait face à quelque chose de bien pire qu'une mère qui venait de pourrir pendant six longues semaines. Ce genre de spécialistes se comptaient sur les doigts d'une main. Judith était l'un d'eux.

— Je n'ai personne d'autre. S'il te plaît, ne me crée pas d'emmerdes. Kastner est en congé. Josef est à la chambre de commerce avec son équipe.

— Et Dieter ?

— Dieter a la crève.

Il lui tendit la clé de la camionnette. Judith croisa les bras.

— Et si j'étais déjà prise ce soir ?

Un *dark spot* dans le Brandebourg n'était pas tout à fait ce que le commun des mortels appellerait un rendez-vous galant. N'empêche, elle avait des projets pour ce soir, quelque chose qui relevait de sa vie privée, terme que Dombrowski avait définitivement banni de son vocabulaire quotidien.

Il agita doucement le trousseau de clés telle une clochette annonçant la venue du père Noël.

— Tu n'es pas prise. Judith, tu sais comment fonctionne la branche. Si ça marche, on récupère toute la cité. Sinon, c'est encore pour MacClean.

L'année précédente, MacClean leur avait piqué la Friedrichstrasse. À la suite de quoi Dombrowski avait rogné pour la première fois les étrennes de Noël.

— S'il te plaît.

Le « non » fondit comme neige au soleil. Elle prit la clé de la camionnette avec un soupir exaspéré.

— Il s'agit de quoi ?

— Comme je te l'ai dit, d'un meurtre.

Il désigna devant son bureau une chaise en tubes d'acier, au siège en polyuréthane craquelé, oubliée au fond du camion lors d'un quelconque déménagement. Judith s'assit à contrecœur.

— L'enlèvement du corps a eu lieu peu de temps après le décès. Pas de désinsectisation, simple désinfection et nettoyage de routine, c'est tout. Sauf que, et c'est là que le bât blesse, les types de la police scientifique sont restés sur les lieux pendant des plombes. Ils ont tout mis sens dessus dessous. Lundi, c'est au tour des peintres. Mardi, c'est le premier du mois. Mercredi, les prochains locataires débarquent pour poser leur cul sur le nouveau canapé payé par l'aide sociale. Voilà la situation. Maintenant, à toi de jouer.

On aurait dit un échauffement à sec. Rien d'humide, rien qui colle, pas de trace noire, pas de matelas mouillé, pas de bestioles, vers ou insectes, se dispersant dans tous les sens dès qu'elle allumerait la lumière. Pas de puanteur. Peut-être un meurtre « propre », par empoisonnement, strangulation ou étouffement. Ou par un seul coup de feu – petit calibre, mort immédiate, peu de sang. Elle n'aurait qu'à effacer les contours de craie et faire le ménage à fond. Lundi, les peintres s'étonneraient tout au plus de quelques taches de jus de tomate pâlies sur le papier peint.

— Le meurtrier ?

La question avait son importance. Une fois, un nettoyeur avait été attaqué par un malade mental qui venait de poignarder sa femme dans une crise de démence avant de disparaître dans la nature. Le jour même où le nettoyeur avait libéré l'appartement, le meurtrier était revenu sur les lieux du crime. Le collègue avait survécu. Mais depuis cet incident, Dombrowski avait resserré ses liens avec la police.

— En fuite. Aucun indice jusqu'ici.

— Ça ne me plaît pas.

— Prends le flingue.

Dombrowski ouvrit le tiroir du bureau, en sortit un pistolet et le tendit à Judith.

— Ça ne me plaît pas non plus.

Il reposa le pistolet sans insister, comme s'il s'était attendu à cette réponse.

— C'est dans une tour. Le gardien te fera entrer, les voisins surveillent, et toi, tu as ton portable au cas où. La police est au courant qu'on envoie quelqu'un. Il ne t'arrivera rien.

— Sauf qu'il y est déjà arrivé quelque chose.

— D'accord. Je ne peux pas te forcer. Je ne peux que te supplier. Combien de temps faut-il encore que je le fasse ? Je n'ai pas le choix. Tu es la seule qui soit disponible. Judith…

Il baissa la tête sur son double menton, qui faisait office de coussinet, tout en fixant Judith d'un regard de teckel, auquel il n'avait recours qu'en de rares moments de sincère désarroi. Judith se demanda où était passé son « non ». Pourquoi disparaissait-il toujours au moment où elle en avait le plus besoin ?

— Et pour les meubles ?

— L'appartement est meublé, pour ce que j'en sais, mais là, c'est un certain…

Il fouilla dans son classeur et en sortit une fiche.

— … Fricke, c'est le gardien, qui s'en charge. Il t'attend dans exactement vingt minutes à l'entrée du 48, Marzahner Promenade.

Judith prit la fiche et s'exclama, stupéfaite :

— C'est à deux pas de chez moi !

Dombrowski se renversa sur sa chaise, soulagé, et ramassa dans le cendrier un cigarillo mâchouillé. Depuis son deuxième pontage cardiaque, il se contentait de s'en caler un de temps en temps entre les dents, sans l'allumer.

— Comme ça, tu seras plus vite rentrée après le boulot. La criminelle a libéré les lieux ce matin. Si tu laisses l'appart nickel, ils pourront relouer sans y perdre.

Il remarqua qu'elle hésitait.

— Ne me fais pas honte. Tu vas y arriver. Tu auras une petite rallonge à la fin du mois. Si on décroche la cité. Et mets la blouse à manches longues.

Il regarda les bras de Judith. Elle se leva et regagna la porte. Il grommela dans son dos :

— J'ai une caisse pour toi.

D'un signe de tête, il désigna un carton dans le coin de la pièce.

— Affaires personnelles d'un prof de Dahlem. C'est ton truc, à ce que m'a dit Josef.

Judith s'empara du carton et le porta dehors. À entendre Dombrowski, on aurait dit qu'ils avaient vidé le studio sadomaso d'une dominatrice. Tu parles ! Des livres, des restes de liquidations refusés par les antiquaires, difficiles à écouler au marché aux puces. Elle hissa le carton à l'arrière de la camionnette, l'ouvrit et jeta un bref coup d'œil à l'intérieur. Des livres de photographies et des guides de voyage, la plupart datant des années 1960. Elle en sortit un au hasard. Montagnes, mer, routes en lacets, maisons aux murs colorés. Costa amalfitana. Ce devait être en Italie. Judith n'en était pas complètement sûre.

Fricke était tout petit. Trépignant d'impatience, il faisait les cent pas devant l'entrée de la tour en épiant de tous côtés au lieu d'ouvrir la barrière du parking. Judith réprima un juron, passa devant l'accès barré et fit encore deux tours, mais sa grosse fourgonnette n'avait aucune chance de trouver la moindre place le long des trottoirs : 30 °C à l'ombre, match à domicile du Hertha de Berlin, week-end farniente. Tout le monde à la maison, barbecue sur le balcon.

En désespoir de cause, elle stoppa l'utilitaire une vingtaine de mètres plus loin, mit les warnings, se gara à cheval sur le trottoir et descendit. La Marzahner Promenade était l'exemple même de ce qu'avait pu produire la mégalomanie urbanistique des années 1980, une époque où le chauffage central, les ascenseurs ou les trois-pièces cuisine/salle d'eau étaient une denrée rare. La cité se prolongeait au-delà de la bretelle d'autoroute. Clapiers anonymes, rues venteuses, élevage en batterie. Mais par les nuits d'été, sur un balcon du dixième étage, avec une bouteille de blanc bien frais à côté de soi, quand le bras de l'électrophone s'abaissait sur le sillon avec un doux grésillement pour jouer le dernier des *American Recordings* de Johnny Cash, la Marzahner Promenade devenait l'endroit idéal pour les aliens comme elle. Il fallait aimer se sentir étranger dans le monde extérieur et chez soi dans la musique. Et l'on pouvait alors trouver du charme à ce panorama de façades scintillantes à perte de vue.

Judith ouvrit le coffre de la camionnette. Indécise, elle contempla son attirail. La caisse des produits toxiques, fermée à clé. Les seaux avec sablon, savon noir, brosses et balais. Le lourd marteau de forgeron dont ils se servaient parfois pour démonter les lits ou forcer les crémones rouillées. La caisse à outils, avec le casier des passe-partout auxquels aucune porte d'entrée au monde ne résistait.

Les gants de travail accrochés à des cordes tendues transversalement, mains flasques en caoutchouc jaune balançant doucement au bout de pinces à linge. La pile des blouses bleues avec *Dombrowski Facility Management* brodé en lettres blanches sur la poitrine et dans le dos. Deux blouses avaient été jetées en boule dans un seau. Judith avait oublié d'indiquer à Kevin où se trouvait le panier à linge sale. Elle essaya de se remémorer à quoi il ressemblait sous sa frange, mais elle l'avait déjà oublié. Il ne reviendrait pas lundi. Ça ne valait même pas le coup qu'elle retienne son nom.

Son regard balaya la barre d'immeubles. Le mur était marqué de rayures violettes qui permettaient de se repérer et de compter les étages. Le bâtiment d'en face avait des rayures jaunes, d'autres des bleues, des rouges, des vertes. Une sensation de nervosité oppressait sa poitrine. Une scène de crime. Rien à voir avec l'appartement solitaire et discret d'une Gerlinde Wachsmuth. Lentement, elle se retourna vers le coffre et prit une profonde inspiration. L'air de la ville. Sur la langue, ce léger goût métallique, mélange de caoutchouc cramé sous le soleil, de ciment et de compost pourri.

— Peppi ! cria une voix. Laisse ça !

Deux entrées d'immeuble plus loin, une mamie tirait désespérément son roquet par le col pour l'éloigner des parterres fleuris. L'animal, un bâtard au poil sombre et court sur pattes, s'affairait en grognant autour d'un tas d'ordures qu'on avait jetées dans les buissons. Si petit que fût le clébard, sa maîtresse paraissait débordée. Elle fusilla Judith du regard, à croire que celle-ci était responsable de toutes les saletés de la terre.

— Faites quelque chose, voyons ! Ici tout le monde balance ses ordures n'importe où. Et le syndic qui ne fait rien !

Elle remarqua le fourgon au coffre grand ouvert.

— Vous êtes de l'office HLM ?

— Non.

Soudain le chien démarra en trombe et déposa un petit paquet indéfinissable et visqueux devant les pieds de Judith, comme s'il avait été dressé pour ça.

— Hé ho ! cria Judith.

Considérant que son problème était réglé, la femme continua son chemin, l'air de rien. Le chien partit en flèche derrière elle, la dépassa en bondissant et tourna à l'angle suivant.

— Hé ho ! Ça ne va pas, non ?

Fricke jeta un coup d'œil dans sa direction. Si elle envoyait d'un coup de pied cette chose dans le caniveau, ça ferait mauvaise impression. Furieuse, Judith alla chercher un sac-poubelle dans la camionnette et ramassa le petit paquet du bout des doigts. Sans chercher à savoir ce que c'était, elle le jeta dans le sac et balança celui-ci à l'arrière du véhicule.

Elle enfila une blouse propre et se passa la main dans les cheveux. Puis elle se dirigea vers le gardien, qui agitait ses clés et reprenait son guet. L'allée qui menait au hall vitré était balayée dans les règles de l'art. Cet homme prenait son travail au sérieux.

Fricke ne remarqua sa présence qu'au moment où elle s'arrêta pile devant lui. Ses petits yeux dans son visage de chouette s'élargirent. Il s'était peut-être attendu à voir débarquer une armée de dix karatékas en tenue de combat. Ou une cohorte de femmes de ménage turques.

Habituée à ce genre de réaction, elle lui tendit la main, qu'il prit à reculons.

— Judith Kepler, dit-elle. Dombrowski Facility Management.

Fricke aussi avait sans doute eu d'autres projets pour ce début de soirée. Il eut du mal à dissimuler sa mauvaise humeur derrière un silence qui dura huit étages. Puis les portes de l'ascenseur s'ouvrirent et, sans gratifier Judith d'un regard, il s'engagea dans un couloir clair aux murs mauves avec un sol en PVC beige mat. Judith dénombra six appartements : trois à gauche et trois à droite. Au bout du couloir se trouvait une grande fenêtre sans poignée. Fricke s'arrêta devant la dernière porte côté gauche et d'un geste assuré coupa les scellés avec une clé, comme s'il faisait ça tous les jours. La plaque de la sonnette indiquait « Borg ». Quand il ouvrait la porte, ce Borg avait sur sa droite une vue dégagée sur la Landsberger Allee et sur la cité HLM d'en face. Et du même coup sur l'appartement de Judith.

Un tramway passa.

Vraisemblablement, le dénommé Borg n'ouvrirait plus jamais sa porte. C'était à Fricke de le faire. Il la tint ouverte en attendant que Judith entre dans l'appartement.

— Les poubelles, c'est votre boulot. (Il désigna deux sacs bleus posés l'un à côté de l'autre dans le couloir.) Ils s'imaginaient peut-être que j'allais m'en charger, mais ils se fourrent le doigt dans l'œil.

Debout dans l'encadrement de la porte, il tripota son trousseau puis glissa trois clés de sûreté dans la main de Judith.

— Celle-ci, c'est pour en bas, celle-ci, c'est pour ici. Et la troisième, c'est la boîte aux lettres. Les scellés sont encore dessus, il faudra les enlever. C'est vous qui faites tout ?

— Oui.

— Votre patron a la foi, dites donc.

Les portes de l'ascenseur s'ouvrirent. La mamie apparut, flanquée de son cabot, sursauta de frayeur et passa en trombe devant eux pour rejoindre la porte d'en face. C'était sans compter sur le chien qui, agile comme un lapin, fonça droit sur Fricke et Judith en reniflant et frétillant de la queue.

— Peppi ! cria la femme. Au pied !

Fricke saisit l'animal par le collier. Le toutou poussa des piaillements indignés et se mit à glapir.

— Les chiens doivent être tenus en laisse ! pesta le gardien.

La femme risqua trois pas en avant et attrapa son petit trésor. Elle prit encore le temps de glisser un œil curieux dans l'appartement où son voisin avait vécu jusqu'à tout récemment, puis déguerpit sans dire un mot.

— Bref. Tout ce bazar doit dégager. Tout ce qu'elle avait. Pas grand-chose. Vous faites place nette, compris ? D'autres questions ?

Une Mme Borg, donc.

— La famille est déjà passée ?

— Pas de famille. Pas d'héritier, à ce qu'il semble. Pour ce qu'elle possédait de toute façon… Elle avait l'air de passage. À peine arrivée et déjà morte. Bref, dépêchez-vous d'en finir. Il y a déjà des candidats pour reprendre l'appart.

Judith garda sa mine impassible. Rien de plus facile, il lui suffisait d'ériger un mur invisible entre elle et les autres.

— Oui.

— Et n'allez pas jeter les poubelles derrière l'immeuble. Vous avez vu, il y a des chiens partout. Compris ?

— Compris.

— Et que tout soit nickel pour lundi.

Judith ne répondit rien. Fricke lui jeta un regard courroucé. Judith opina du chef.

— Allez…

Fricke tapa du doigt sur sa tempe et retourna à l'ascenseur.

— Déposez les clés dans la boîte aux lettres.

— Oui, mon capitaine.

— Ménage à fond, hein ? Pas envie que les peintres aillent vomir partout. C'est des copains.

— À vos ordres, chef.

Fricke réfléchit mais, ne trouvant rien à ajouter, il appuya sur le bouton et les portes de l'ascenseur s'ouvrirent.

— Les sacs toujours par l'escalier, compris ?

Judith jeta un œil sur le parking par la fenêtre du couloir. De cette hauteur, les voitures ressemblaient à de petites Majorette.

— Compris.

Les portes de l'ascenseur se refermèrent, il y eut une secousse et la cabine entama sa descente. Judith accrocha les clés à son mousqueton et ôta du chambranle les restes de scellés. Le temps de s'armer contre ce qui l'attendait à l'intérieur. Elle savait que c'était inutile. C'était chaque fois différent. Comme chaque meurtre était différent de tous ceux qui l'avaient précédé.

4

Ça commence au salon. Le fauteuil en face du canapé d'angle est imbibé de sang noir.

La femme reste assise un bon moment, blessée, à pisser le sang, avant d'arriver à se lever. Rassemblant ses dernières forces, elle fait une ultime et vaine tentative pour conjurer l'inévitable et rejoint la fenêtre du balcon. Veut-elle sortir ? S'enfuir ? Sauter ? L'instinct de fuite est irrationnel. Le sol stratifié imitation chêne clair est maculé de traces de sang séché, étalé par des pieds nus et de grosses semelles. Il la rattrape, la tire en arrière et la balance à travers la pièce contre la baie vitrée.

Judith fit volte-face.

Il doit être en rage. Fou de rage. La situation lui échappe, il ne contrôle plus rien. Il n'obtient pas ce qu'il veut, si près du but. Il dirige l'arme sur sa victime, vise, appuie sur la détente, une fois, deux fois. Il y a un impact de balle dans la fenêtre. Et aussi dans le mur entre le rebord et le radiateur. Il la rate. Joue-t-il au chat et à la souris ?

Borg tombe à terre, se relève encore une fois, se traîne jusqu'à la porte qui mène à la chambre à coucher. Son ventre blessé effleure l'encadrement ; elle essaie de fermer la porte. En vain. D'un coup de pied, il fait voler la porte en éclats. Lève son arme. Tire. Une fois, deux fois. Épaule et bras. Éclaboussures de sang sur le papier peint. Mais Borg vit toujours. Pourquoi ne l'achève-t-il pas ? Lui parle-t-il ? Lui hurle-t-il dessus ? Elle s'effondre contre le mur, une large trace couleur rouille suit le mouvement de son corps. Elle n'abandonne pas, se remet à ramper. Il se tient au-dessus d'elle, le doigt sur la gâchette. La frappe. La roue de coups de pied. Elle se recroqueville, se tortille sur le tapis, chenille en direction du lit, paniquée, cherchant d'instinct un abri. Il la regarde agoniser, puis il lève son arme pour la dernière fois.

Une silhouette à la craie blanche marquait l'emplacement du cadavre entre l'armoire à glace et le lit double. Une mare de sang séché aux bords légèrement flous s'étalait à l'endroit de la tête. Judith s'agenouilla. Elle repéra l'impact du projectile et les écorchures causées par les instruments dont les policiers s'étaient servis pour extraire la balle du sol. Les miettes éparpillées par terre devaient être de la matière cervicale. Borg avait été abattue à bout portant.

Judith se releva en titubant. Elle chancela jusqu'à la fenêtre, l'ouvrit en grand, se pencha dehors et aspira l'air lourd et chaud à pleins poumons. Quelque chose crissa sous ses semelles. Pourvu qu'elle n'ait pas marché sur des éclats d'os ou des fragments du conduit auditif.

« Contente-toi de faire ton boulot. »

La voix de Dombrowski résonnait à ses oreilles comme s'il était à côté d'elle. Elle repensa au sang. Revoyait du sang partout, des torrents de sang, jusqu'à hauteur de genoux, clapotant, débordant, dans la baignoire, sur les carreaux, inondant le sol.

— Ce que ça part mal, cette cochonnerie.

Cette fois-là, ils avaient été quatre. Ils avaient quitté la pièce l'un après l'autre, et à la fin elle s'était retrouvée toute seule. L'après-midi, Dombrowski était revenu inspecter le travail. Une salle de bains étincelante de blancheur… avec des joints tout noirs.

— C'est poreux, ça, petite. Ça ne se récupère pas avec du sablon. Qu'est-ce qui vient à bout des composés protéiniques ?

— Le peroxyde d'hydrogène dilué à 5 % ou l'hypochlorite de sodium.

— Alors pourquoi tu n'utilises pas de l'eau de Javel ?

— Parce qu'il n'y en a plus.

Il avait eu un grognement irrité.

— Où sont passés les autres ?

Elle avait haussé les épaules et Dombrowski avait fait son tour de contrôle dans la salle de formation où il avait le matin même déversé du sang de porc à pleins seaux, ravi de son petit effet théâtral. C'était là qu'il les mettait à l'épreuve, là qu'il découvrait qui avait l'étoffe du désinfecteur, du désinsectiseur, du nettoyeur de scène de crime. La pièce était comme neuve. À part les joints.

— Ils n'ont pas supporté la vue du sang, hein ?

C'était avant que Dombrowski subisse ses pontages. Il lui avait proposé une cigarette sans filtre, et elle avait ôté ses lunettes protectrices, puis ils s'étaient assis côte à côte sur le bord de la baignoire et avaient fumé un moment sans rien dire.

— Et toi ? avait-il dit après un long silence. Pourquoi tu y arrives ?

Il avait été le premier à le lui demander. Judith avait poussé le seau devant elle un chouïa à droite, avait fait tomber d'une pichenette la cendre dans l'eau, puis haussé de nouveau les épaules.

Elle était *clean*. Au sortir de sa dernière cure de désintox, elle avait commencé le programme de réinsertion Synanon. Jetée sur le marché du travail comme tant d'autres sans aucune qualification, elle avait dû batailler pour retrouver tant bien que mal son chemin vers un monde peuplé de réveille-matin, d'horaires à respecter et de règlements admis par tous. Sauf que décrocher l'avait menée dans une impasse. Personne ne voulait d'elle sur le marché du travail régulier. Un simple coup d'œil à son CV suffisait pour reconnaître une longue série de débuts avortés, ses tentatives désespérées pour échapper à l'engrenage de l'échec. À trente ans passés, son crédit était à zéro. Lorsqu'elle avait eu vent que Dombrowski recrutait pour une formation spécialisée et ne trouvait personne, elle s'était inscrite à l'examen. Il avait expliqué en quelques mots de quoi il s'agissait : transformer l'enfer en petite maison dans la prairie.

Dombrowski avait baissé les yeux sur ses mains robustes de déménageur.

— La mort, c'est pas « Bonne nuit les petits ». Et encore moins cendre et poussière. La mort, c'est toujours crever, toujours flétrir, toujours pourrir. Ça se dissipe comme une brume et quelque chose de nouveau commence. Rien ne se perd vraiment sur cette terre. Une fois qu'on sait ça, ça devient même un boulot extra.

Il s'était levé en ajoutant :

— Tu commences quand tu veux.

Rien ne se perd.

C'était peut-être ça qu'elle aurait dû répondre à Kevin. Peut-être aurait-elle dû lui dire qu'entre sortir du lit et continuer de dormir la différence était aussi grande qu'entre le tout et le néant, et que chaque jour nouveau était pour elle un combat renouvelé contre ce néant, et qu'elle n'était toujours pas arrivée à comprendre pourquoi ce combat, au fond, valait la peine d'être livré.

De la chambre elle pouvait voir son appartement. La lune était déjà visible dans le ciel encore clair. Elle s'interdit de penser aux *dark spots* et examina la barre d'immeubles d'en face. Sur l'un des innombrables balcons jaunes, un homme arrosait ses fleurs. Deux étages plus bas, quelqu'un allumait son barbecue au milieu d'une fumée épaisse. Sur le parking, des enfants jouaient entre les voitures. Bouchons sur l'autoroute. Hertha avait gagné, ça klaxonnait de partout et agitait avec entrain des écharpes blanc et bleu par les fenêtres ouvertes.

Au huitième étage de la tour violette, un appartement devait être nettoyé afin de pouvoir accueillir deux jours plus tard de nouveaux locataires. Ainsi allait la vie : la guerre de Troie n'aura pas lieu.

Les sacs-poubelle, à moitié pleins, étaient posés au milieu du passage comme deux corps avachis. Les cintres dans la penderie étaient vides, pas de chaussures, pas de gratte-pieds. Fricke avait déjà dû fourrer toutes les affaires personnelles de Borg dans les sacs-poubelle – tout ce que la criminelle et le labo avaient laissé sur place.

Partout sur les chambranles, les murs, les interrupteurs, les boutons de porte restaient des traces ressemblant à de la suie. Contre ça, rien ne valait le savon noir. Elle leva la main et passa un doigt prudent sur une tache sombre à demi effacée. Sous la poudre noire se trouvait encore l'empreinte rouge d'une main.

Le fauteuil du salon était irrécupérable. Fricke se chargerait de s'en débarrasser. Pas besoin d'épaississant, car le sang avait séché depuis longtemps. Pour les murs et la moquette, le chlore, l'oxyde de magnésium et l'essence feraient parfaitement l'affaire. Pierre ponce, carbonate de sodium et nettoyant chrome pour la salle de bains et la cuisine. Prendre éventuellement l'huile de machine à coudre contre le noircissement des joints, pour être sûre d'obtenir un aspect extérieur homogène. Et puis l'huile viendrait facilement à bout des traces de colle laissées par les scellés. Peut-être aussi une bouteille de white spirit, autant prendre toutes les précautions. Elle aurait besoin du chariot pour éviter plusieurs allers-retours.

Une paire de chaussons était rangée sous le lit. Ils avaient dû échapper à l'attention de Fricke. Judith s'agenouilla et tendit la main pour les prendre, quand tout à coup elle s'arrêta. Des pantoufles en éponge rose, rangées côte à côte sous le matelas, parfaitement au centre. Elle les ramassa en secouant la tête et les porta jusqu'aux sacs-poubelle dans le couloir. Après quoi, elle inspecta encore une fois toutes les armoires. Elles étaient vides. Dans la salle de bains, une serviette était accrochée à la porte, des traces de poudre noire indiquant que les types du labo l'avaient utilisée pour s'essuyer les mains. Elle vit dans la poubelle des gants jetables ôtés à la hâte et des feuilles autocollantes. La petite armoire de toilette était scellée. Judith arracha l'adhésif et inspecta les étagères. Rien à signaler, à part quatre boîtes de Florena, barbouillées. Les types du labo avaient dû en touiller le fond. Elle prit la poubelle et y jeta le tout, avec les deux rouleaux de papier toilette empilés sur la chasse d'eau. De nouveau elle s'arrêta, interdite. Le dérouleur était vide. Au lieu de quoi, quelqu'un avait détaché une à une toutes les feuilles du rouleau et les avait disposées consciencieusement l'une sur l'autre sur le couvercle de la chasse d'eau. Bord contre bord. Une lubie qui ne devait rien au sens de l'économie.

Judith regarda l'heure. Fini pour aujourd'hui. Demain était un autre jour. Elle attrapa la poubelle et la vida dans l'un des sacs. Puis elle appela l'ascenseur, traîna les sacs à l'intérieur et appuya sur le bouton du rez-de-chaussée. Que Fricke aille se faire voir. À tous les coups, il était déjà tranquillement assis devant son apéro. Une bière sans doute. Elle avait la gorge toute sèche, et l'idée de quelque chose de frais lui donna soif. Un sac se renversa. Une petite pile de linge de corps soigneusement pliée dégringola par terre. Coton côtelé, repassé, lavable à 90 °C. Un effluve de lavande lui monta aux narines. L'ascenseur s'ébranla.

Elle contempla les deux sacs bleus comme s'ils étaient près de se métamorphoser sous ses yeux… ou plutôt, comme si cette vision soudaine devait la conduire ailleurs, telle une image cachée par une autre image, une porte derrière une autre porte. Et soudain cette vision lui apparut, et l'odeur de lavande et d'encaustique lui emplit les narines : le soleil se déversait par une grande fenêtre, dont l'ombre des battants dessinait une immense croix sur le sol.

Les portes de l'ascenseur s'ouvrirent devant Judith comme un rideau d'acier.

— Hé ho ?

Elle sursauta. La mamie au clébard se tenait devant elle. Le chien tirait sur sa laisse en jappant.

— Vous allez me dégager ce foutoir, j'espère ?

Derrière la femme, Judith aperçut un coursier qui contemplait le mur de boîtes aux lettres. Intimidé par le ton belliqueux de la vieille, il renonça à demander de l'aide. Il fronça les sourcils, poussa un profond soupir et se mit à étudier les noms un à un.

Judith regarda le sac-poubelle renversé, puis finit par s'accroupir et ramasser le tout : torchons, taies d'oreiller, pull-overs, un programme télé plié, ouvert à la page du jour, des produits de beauté entamés. La maîtresse de Peppi tint le doigt pressé sur le bouton d'arrêt tout en la regardant faire d'un œil sévère. Si seulement la vieille nettoyait aussi bien derrière son chien. Il devait avoir la diarrhée vu le nombre de fois qu'elle le sortait.

Judith traîna les sacs dans le hall d'entrée. Elle sortit son canif et entreprit de décoller les scellés de la boîte aux lettres de Mme Borg.

— Excusez-moi, dit le coursier.

Il était tout de vert vêtu, transpirait à grosses gouttes et paraissait pressé.

— Je cherche Christina Borg.

Judith baissa son couteau.

— Ah oui ?

— C'est vous ?

Soulagé, il se retourna vers elle et sortit de sa sacoche une enveloppe format A4. Elle leva la main d'un geste de refus.

— Christina Borg ne vit…

Elle s'interrompit. C'était une grande enveloppe beige.

— … plus ici.

— C'est une livraison express.

Il lui tendit la lettre afin qu'elle se convainque elle-même de l'urgence de l'affaire. Judith la prit en hésitant. L'adresse était écrite à la plume, dans une belle écriture à l'ancienne qui rappelait les comptoirs commerciaux d'antan. Elle retourna l'enveloppe et eut le souffle coupé. Ahurie, elle fixa l'adresse de l'expéditeur. *Foyer éducatif Youri Gagarine, 14, Strasse der Jugend, 2355 Sassnitz.* Cachet authentique. Document original. Elle se serait presque attendue à trouver des timbres de la RDA. Mais les tampons et les timbres étaient récents. La lettre avait voyagé pendant trois jours, plutôt long pour une livraison express.

— Pour Christina Borg ?

C'était impossible. Impensable.

— Oui. Elle n'est pas là ?

Le coursier tenait apparemment Judith pour une connaissance de Borg, ce qui en un sens n'était pas faux.

— Non. Et elle ne reviendra plus.

— Alors retour à l'envoyeur.

Il tendit la main, mais Judith hésita.

— L'envoyeur n'existe plus. Ce foyer a été fermé après la chute du Mur, dit-elle.

Ce qui, du reste, n'était pas un mal. Ce foyer n'existait plus, ni pour Judith ni pour personne. Jusqu'à ce que cette lettre atterrisse entre ses mains. Tout à coup, elle comprit ce qui l'avait interpellée dans l'appartement et l'ascenseur. La paire de pantoufles. Le papier toilette. Le linge empilé militairement.

— Mais je peux faire suivre la lettre à son destinataire.

Le coursier se gratta la tête et objecta :

— Recommandé.

— Avec accusé de réception ? demanda Judith. Dans ce cas, vous avez l'expéditeur.

— Non, simple recommandé.

L'homme regarda sa montre.

— Je dois continuer ma tournée. Qu'est-ce qu'on fait ?

Ce « on » était engageant. Judith détacha le trousseau de sa ceinture et ouvrit la boîte aux lettres de Borg. Elle était vide.

— Donnez-la-moi. Je m'en occupe.

Le coursier jeta un œil sur la plaque de la boîte aux lettres. Le fait que Judith en ait la clé semblait le rassurer.

— Entendu. Veuillez signer là, s'il vous plaît.

Il sortit un porte-bloc de sa sacoche. Judith gribouilla un nom illisible dans la colonne des signatures.

— Bonne soirée, lança-t-elle.

L'homme hocha la tête et quitta l'immeuble en faisant couiner ses semelles de crêpe. Judith contempla l'enveloppe. Sassnitz. Mouettes. Bateaux. Le grand large et l'étroitesse provinciale. Une ville portuaire perdue tout là-haut, au bout du monde. Les ferries pour Malmö, Ystad et Trelleborg. Ruelles étroites, maisons menaçant ruine. L'Hôtel du Banquet de la mer. Conserverie de poisson. Train interzones. Gare. Cave. Obscurité. Enfer glacé.

Une éternité.

Une bande de jeunes braillaient et shootaient dans des bouteilles de bière vides. Deux filles marchaient en gloussant vers la Landsberger Allee, juchées sur des chaussures aussi hautes que bas de gamme. Vendredi soir. Judith sentait son jean et son tee-shirt lui coller à la peau. Tout son corps réclamait à grands cris une bonne douche, un grand verre de vin bien frais, et son lit. Elle hissa avec effort les sacs en plastique à l'arrière de la fourgonnette à côté de la caisse de livres et s'assit sur le bord du coffre, l'enveloppe à la main. Sassnitz – le mot lui martelait les tempes. Aux émanations de la ville écrasée de chaleur se mêlaient des odeurs de lavande et de poussière. Elle s'alluma une cigarette. La fumée lui piqua la gorge, elle l'inhala si fort que la tête lui tourna.

Elle ouvrit l'enveloppe d'un geste brusque et découvrit un dossier du foyer éducatif. D'abord elle ne comprit pas. Une chemise vert pâle en carton fin et ligneux.

Inscrit dessus, un nom : Judith Kepler. Elle comprit encore moins. Ses mains se mirent à trembler. Des duplicatas en papier carbone, copies d'un original tapé à la machine à écrire mécanique. Sur la première feuille était collée une photo. Une fillette d'environ cinq ans, avec de longues boucles blondes qui lui faisaient un visage d'ange et des yeux bleus, si grands qu'ils paraissaient irréels. La photo devait provenir d'une carte d'identité, car on distinguait encore la trace d'un tampon dans le coin inférieur gauche. Judith garda les yeux fixés sur elle jusqu'à ce qu'ils lui brûlent. Puis elle lut les premières lignes inscrites sur la fiche d'admission.

... logement familial laissé à l'abandon... vêtements de l'enfant négligés et malpropres... mère attardée et alcoolique... placement en foyer... pour une durée de deux ans... avant réexamen...

Les mots se brouillèrent, se liquéfièrent. Judith cligna des yeux. Ses joues étaient en feu, elle avait l'impression d'avoir reçu une violente paire de claques. Comme à l'époque, quand elle plongeait une fois de trop la cuiller dans le pot de confiture, qu'un lacet se dénouait ou qu'elle se faisait pincer en train de courir à la gare plutôt que de rentrer directement au foyer après l'école. À la gare, pas au port ! Le port, à la rigueur, on aurait pu comprendre, la nostalgie de la mer et du lointain, mais la gare ? Toujours la gare. Les années passant, Judith avait fini par oublier ce qui l'attirait là-bas. Mais ça finissait toujours de la même façon : la joie mauvaise de Trenkner, qui jubilait ouvertement lorsqu'elle poussait Judith dans l'escalier de la cave, la jetait dans la pièce humide et sombre et laissait l'enfant enfermée jusqu'à ce qu'elle ne soit plus qu'une pauvre petite chose recroquevillée et gémissante. « Tu es sale et négligée. Asociale et dépravée. » Ces phrases, elle les avait si souvent entendues qu'un jour elle avait commencé à y croire pour de bon.

Avait-elle de la haine ? Oui. Avait-elle des questions ? Des milliers. Des réponses ? Aucune. Rien qu'une tombe à Sassnitz, mais personne pour vouloir, ou pouvoir, se souvenir de celle qui était enterrée là. Marianne Kepler. Morte peu après que sa fille eut été placée en foyer. Une petite stèle de granit, que la mousse avait fini par recouvrir entièrement.

La dernière fois que Judith était allée se recueillir sur sa tombe remontait à plus de dix ans. Elle avait désespérément cherché en elle un sentiment de tendresse, autre chose que ce mélange de vide, de douleur et d'indifférence. Mais elle n'avait rien trouvé et s'était fait l'effet d'un monstre. À l'époque, elle avait déposé une demande pour consulter ses dossiers. Elle voulait en savoir un peu plus sur elle-même que sa date de naissance, le jour de son placement et le nom de sa mère avec la croix derrière. Mais à part quelques fichiers retraçant au pas de charge les grandes étapes de son existence, elle ne découvrit rien. « 1989 », lui avait-on simplement rétorqué en haussant les épaules. La chute du Mur. Les broyeurs avaient fonctionné jour et nuit sans discontinuer, non seulement dans les centrales de la Stasi, mais aussi dans les foyers éducatifs de la RDA. « Nous sommes désolés, madame Kepler, mais nous n'avons rien pu trouver dans les archives de l'ancien conseil municipal hormis les dates de vos admission et départ. » Elle avait fait le tour de la Bachstrasse, du côté du port, mais là-bas les maisons tombaient en ruine et les gens ne connaissaient plus personne. Elle avait demandé partout autour d'elle, mais n'avait récolté pour toute réponse que de vagues indications aimables et indifférentes. Marianne Kepler. Un nom oublié. Et elle, Judith. Une enfant oubliée.

Pour s'en sortir, il aurait fallu devenir cosmonaute. Ou, à défaut, marcher dans la nature pour fuir son propre vide, avec pour seules amies les étoiles. Judith leva la tête. Les cris rauques de la bande de jeunes se répercutaient en écho sur les murs des immeubles. On aurait dit les brames d'une espèce inconnue de cerfs, carnivore. Son appartement se trouvait quelque part de l'autre côté de la Landsberger Allee. Elle avait besoin de vin. Elle avait besoin de musique. Et surtout, elle avait besoin de savoir quel était le lien entre Borg et le monstre qui sommeillait en elle.

Judith poussa le tapis sur le côté et vida les sacs-poubelle par terre. Après quoi, un verre de vin blanc frais à la main, elle enjamba les deux tas de hauteur sensiblement égale et s'assit sur le canapé. Le dossier d'admission était posé à côté d'elle. Elle se retenait de le lire et relire sans cesse. Elle devait d'abord découvrir qui était cette Borg. Elle prit une grande gorgée et contempla les piles d'affaires auxquelles elle voulait arracher leur secret.

Fricke avait raison. Il n'y avait pas grand-chose. Le premier tas était constitué de vêtements. Fringues bon marché et passe-partout. H & M, Zara, Mango, marques internationales que Borg aurait pu acheter n'importe où dans le monde. Branchée, revenus moyens, discrète. Pas de famille, avait dit Fricke. C'était donc tout ce que Borg avait possédé. Il y avait peut-être encore deux-trois bricoles au dépôt de la Crim, mais en général on ne saisissait que les téléphones portables, les ordinateurs et autres objets de ce genre. Tous les biens personnels qui ne constituaient pas des pièces à conviction étaient laissés sur place après perquisition minutieuse.

L'autre tas se composait d'objets d'usage courant et de déchets ménagers. Des paquets de gâteaux, quelques pots de yaourt vides. Des essuie-mains, des articles de toilette. Un flacon de lotion pour le corps négligemment fermé s'était renversé. L'odeur de lavande venait peut-être de là. De la vaisselle – deux tasses de café, dont l'une était sale, un bol à céréales, des assiettes, des couverts. Des livres. L'atlas de Berlin, un livre de photographies sur l'île de Rügen. Dan Brown, *Da Vinci Code*. Anna Bovaller, *Svärmaren*. Pia Hagmar, *Som i en dröm*. Judith feuilleta les pages des romans. Le copyright du *Da Vinci Code* était suivi de la mention Sverige. Suède.

Judith refourra le tout dans les sacs. Quand elle souleva les livres, le magazine télé tomba à ses pieds. Programme pour deux semaines, ouvert à la page du dernier jour : vendredi, aujourd'hui. Elle survola les photos en couleurs et les horaires d'émissions, et son regard s'arrêta sur le tiers inférieur de la page. *Trois contre un*, le talk-show de Juliane Westerhoff.

Les invités : Machin et Chose. Un nom et une photo entourés au stylo-bille : Quirin Kaiserley. Ancien espion. Judith alla chercher la bouteille de vin dans le frigo, se resservit un verre et se laissa retomber sur le canapé. Elle feuilleta le magazine de la première à la dernière page. Borg n'avait coché que cette émission.

Elle devait aimer les talk-shows, ou alors c'était une fan de Westerhoff. L'Oprah Winfrey de la télévision allemande. Ponctuelle comme une horloge suisse, elle revenait toutes les semaines à heure fixe pour annoncer à la République tout entière, le sourire impeccable et la mine résolue, les obscures machinations qu'elle avait découvertes. À la longue, les émissions et les sujets finissaient par se ressembler et donner la vague impression qu'on les avait tous vus ou entendus au moins une fois. Pourquoi alors cocher une émission de Westerhoff?

Elle contempla encore une fois la photo de Kaiserley. Il avait une bonne tête et faisait plutôt penser à un motard intello qu'à un espion. Elle n'avait aucune idée de ce à quoi pouvait bien ressembler un espion, ce qui, tout bien réfléchi, prouvait l'efficacité de leur camouflage, et elle finit par jeter le magazine dans le sac-poubelle. Regardant d'un air songeur le peu d'affaires que Borg avait rapportées de Suède, elle fut soudain traversée d'un éclair : une Suédoise n'avait *a priori* aucune raison de s'intéresser à un talk-show allemand. Judith attrapa la télécommande.

« Vous dites que Rosenholz n'était qu'une photographie prise à un moment T, et par là même incomplète. Est-ce vrai ? »

Juliane Westerhoff, maquillée comme un mannequin du musée Grévin, était en train de passer sur le gril un quinqua plutôt bel homme. Kaiserley. Il racontait une histoire de microfilms et d'indics. Ah oui, l'éternel débat sur la prescription. Judith se rassit. Un type franchement désagréable fit une remarque. La présentatrice sonda plus avant. Kaiserley semblait expliquer à des gamins de quatre ans les raisons pour lesquelles de méchants garçons avaient piétiné leurs châteaux de sable.

« Avez-vous des preuves ? »

« Non. Pas encore. Mais je les fournirai en temps et en heure. »

La caméra pivota sur le public. Judith monta le son. La Stasi : un marronnier qu'on resservait chaque année pendant les vacances d'été. Quirin Kaiserley. Ex-agent du BND. Expert en services secrets. Quelques années plus tôt, un scandale avait éclaté lorsqu'un membre de cette organisation au fonctionnement opaque s'était rangé des voitures et avait déballé en place publique les coups tordus qui se trafiquaient dans l'arrière-boutique. Était-ce lui ? Elle se resservit du vin et regarda avec intérêt Kaiserley se faire hacher menu. Il semblait bon perdant : tandis que Westerhoff prenait congé des auditeurs à coups de quelques formules toutes faites et que le générique défilait sur l'écran, elle le vit saluer les autres invités d'une poignée de main.

Elle éteignit la télévision et reprit son dossier d'admission. Elle contempla longuement la photo de l'enfant qu'elle avait été. Asociale. Attardée. Les vieilles blessures s'étaient rouvertes.

Elle prit la bouteille presque vide, ouvrit la porte-fenêtre de son minuscule balcon et sortit. Une brise légère passa dans ses cheveux. Il faisait encore très chaud. Une nuit tropicale, répétait à l'envi le bulletin météo, comme si le pays tout entier allait se muer en serre botanique où s'ébattraient des cacatoès à la place des merles. Elle porta la bouteille à sa bouche et but une gorgée. Borg, la Suédoise, avait débarqué en Allemagne et mis la main sur le dossier de Judith. Pourquoi ? Là-dessus, elle s'était fait assassiner. Et ce, à moins de cinq cents mètres de ce balcon.

L'évidence frappa Judith comme un coup dans l'estomac, et pour un peu la bouteille aurait dégringolé dix étages en chute libre. C'était aussi clair que de l'eau de roche. Aussi net que les étiquettes cousues sur le linge et le numéro qui vous collait à la peau comme un tatouage. *Borg*, répéta-t-elle mentalement, et elle plissa les yeux pour repérer, dans l'océan de barres et de tours qui s'étendait devant elle, l'appartement de l'autre. *Mon Dieu. Pourquoi es-tu venue ici ?*

Elle retrouva l'étage et les fenêtres de Borg, de l'autre côté de la rue. La lumière était allumée. Une ombre noire passait d'une pièce à l'autre.

5

Toto avait gardé le passe dans la voiture. Il n'y avait pas longtemps qu'il avait câblé l'appartement et il était certain que personne, pas même la police, n'avait trouvé les caméras et les micros.

Il prit une chaise dans la cuisine et la posa prudemment sur la table basse. Construction branlante, mais seul moyen d'accéder à la caméra. Il n'allait quand même pas trimbaler une échelle dans l'appartement. Toutes les autres *units* étaient déjà démontées et rangées bien au chaud dans les poches latérales de son pantalon de travail. Toutes, sauf celle-là. C'était une petite caméra infrarouge, cachée dans le détecteur de fumée, capable de fonctionner dans l'obscurité comme en contre-jour. Il n'avait pas la moindre idée de qui recevait ces images. Et à bien y réfléchir, il n'avait pas non plus la moindre envie de le savoir. Tout ce qu'il voulait, c'était repartir le plus vite possible.

« Évite les complications, avait dit Kellermann. Qui sait, lors de la remise en état de l'appartement, les prises électriques seront peut-être changées, et le plus nul des électriciens comprendra alors que cet endroit ressemble moins à un banal logement qu'à un plateau de tournage. »

Pour *snuff movie*, ajouta Toto, dont les mains ruisselantes de sueur tremblaient toujours. Il s'efforça de ne pas regarder le fauteuil maculé de taches noires. Tout compte fait, il ne pouvait pas y avoir dans cet appartement plus de complications qu'il n'y en avait déjà eu.

Il grimpa sur la chaise et dévissa le boîtier du détecteur de fumée. La caméra était là, exactement à la place où il l'avait installée. Il essaya en vain de repousser le domino pour lui donner du jeu. La sueur perla sur son front. Soudain il eut très chaud et se sentit pris de nausée. S'il n'arrivait pas rapidement à décoincer ce machin, il finirait par vomir sur ses chaussures. Personne ne parlait de ça, quand on disait que c'était un boulot où l'on ne s'ennuyait pas.

Un courant d'air l'effleura. Avant même de pouvoir se retourner, il sut que quelqu'un était entré dans la pièce. Il aperçut une ombre du coin de l'œil, puis entendit une voix claire et glaciale :

— Qu'est-ce que vous faites là ?

Il sursauta et faillit perdre l'équilibre. Ses yeux s'écarquillèrent de surprise : une femme se tenait dans l'encadrement de la porte, vêtue d'une combinaison blanche, un masque à gaz pendant sur sa poitrine. Le réservoir d'une sorte de pulvérisateur coincé sous son bras gauche, elle tenait dans sa main droite le tuyau, braqué sur lui comme une arme.

— C'est le syndic qui m'envoie. Et vous ?

— Qu'est-ce que vous faites là ?

L'échafaudage se mit à tanguer sous ses pieds. Toto avait parfaitement conscience que, des deux, il était dans la plus mauvaise posture. Il voulut descendre de la chaise, mais la femme s'approcha comme une flèche et se campa à moins de trois pas, l'embout du tuyau pointé sur lui.

— Répondez !

— Je peux le prouver. Appelez-les si vous voulez.

Il réfléchit fiévreusement à la personne qu'il pourrait joindre au beau milieu de la nuit pour lui demander de confirmer sa couverture. Il existait à coup sûr un numéro direct pour les opérations de ce genre, avec des types assis à toute heure du jour et de la nuit devant leur téléphone, prêts à authentifier les histoires les plus abracadabrantes que racontaient leurs collègues lâchés dans la nature. Mais ce genre de service était réservé aux agents en opération. Lui bossait à la division de l'équipement électronique, sa mission n'était qu'une opération de récup' à zéro risque. Même si pour l'heure tout tendait à prouver le contraire.

Elle regarda le plafond :

— Qu'est-ce que c'est ?

— Un détecteur de fumée.

— Arrêtez de me prendre pour une idiote.

Elle agita le tuyau dans sa direction.

— J'ai ici un litre de phosphure de magnésium, un composé d'hydrogène et de phosphore. Je n'aimerais pas respirer un truc pareil. Effet létal en quelques secondes sur un homme de constitution moyenne. On s'en sert pour les rats.

Elle avança d'un pas. Il parut évident à Toto que, lorsqu'elle parlait de rats, elle ne pensait pas forcément aux rongeurs. Il essaya de retenir son souffle. Il n'avait encore jamais entendu parler de phosphure de magnésium.

— Ceci est peut-être le boîtier d'un détecteur de fumée, dit-elle, mais qu'est-ce qu'il y a à l'intérieur ?

Toto ne put émettre le moindre mot. Il se mit à trembler de tous ses membres. Il n'avait pas la plus petite idée de ce qui s'était passé dans cet appartement. Mais il savait une chose : l'histoire était loin d'être terminée. Et peu importait qui avait envoyé cette fille, elle employait des armes proscrites depuis au moins 1918.

— Alors ?

Elle pointa le tuyau sur lui comme le canon d'un fusil. Ses doigts effleurèrent la valve. Pendant une fraction de seconde, un peu de gaz s'échappa en sifflant. Elle recula d'un pas.

— Oups. Pardon. Si peu, c'est sans danger. Enfin, je crois.

Toto sentit sa gorge se contracter. Il manqua d'air, le sol vacilla sous ses pieds, revint, se retira de nouveau, et il n'eut plus qu'une seule idée en tête : *se tirer d'ici*. À Londres, ils avaient empoisonné un agent des renseignements russe avec de la bouffe radioactive. Ce machin-là venait peut-être d'Irak ou de Turquie. En tout cas, la femme avait l'air de savoir manier son pulvérisateur.

— C'est quoi ?

— Une caméra, répondit-il.

Leçon numéro 1 : « Mentir le moins possible. »

— Une caméra ? Pour quoi faire ?

Leçon numéro 2 : « Et quand on n'a pas le choix, rester au plus près des faits, des lieux, des données personnelles et des motifs de l'action. »

— Pour surveiller.

— Vous êtes un petit malin, hein ?

Elle se remit à tapoter la valve. Toto tressaillit. Elle brassa l'air de sa main libre, et si ses sens ne lui jouaient pas un sale tour, il sentit une bouffée d'amande amère flotter soudain dans l'air. Son estomac se souleva. Trop de crackers au chèvre à l'Hôtel de Rome. Il essaya de se concentrer sur un baratin un tant soit peu crédible.

— Cet appartement était un repaire du crime organisé. Voilà pourquoi. Je peux descendre maintenant ?

— Pas question !

Elle avait l'air toquée. Et paraissait sans états d'âme. Elle se déplaçait comme un soldat sur le champ de bataille, et en même temps sa tenue de protection lui donnait l'allure d'un extraterrestre égaré dans une station de lavage automobile.

— Crime organisé ?

De toute évidence, elle en savait aussi peu que lui. Conclusion : elle ne travaillait pas pour un autre service. Voilà qui simplifiait considérablement l'affaire.

— Trafic de cigarettes, expliqua-t-il.

Ça ne mangeait pas de pain, et puis les différentes bandes avaient la fâcheuse tendance de s'entre-décimer tous les quatre matins…

— Il y a une tribu de Vietnamiens qui habite ici.

Elle enfila son masque à gaz. Pas bon signe, ça. Elle dirigea la valve sur le visage de Toto. Pas bon du tout. Sa voix sortait étouffée de derrière le filtre et n'en était que plus désagréable.

— Vous n'avez pas lu le nom écrit sur la sonnette avant de vous introduire ici ? Il n'est pas plus vietnamien que votre histoire de syndic. Qui êtes-vous ?

Un comble : il avait oublié jusqu'au nom d'emprunt sous lequel il s'était procuré l'accès à l'appartement. Günther Leibrecht ? Gerd Schultze ? Il avait pénétré dans tellement d'endroits sous tellement d'identités différentes qu'il s'emmêlait les pinceaux. La dernière fois qu'il s'était trouvé ici, c'était avec des papiers de la société privée de surveillance qui patrouillait dans le quartier.

— Les mains en l'air ! Votre nom !

Ses mains fusèrent comme deux flèches. *In extremis*, le nom lui revint.

— Karsten Drillich.

— C'est vous qui avez fait ça ?

Elle pointa la valve vers les traces de sang sur le fauteuil.

— Non !

Il s'efforça d'avoir l'air aussi amène et inoffensif qu'il était humainement possible de l'être dans une situation pareille.

— Mais votre bidule là-haut a tout enregistré.

— Je suis là seulement pour la démonter. Pour le reste, demandez à mon chef. Attendez.

Il voulut mettre la main dans la poche de son pantalon pour sortir sa fausse carte, mais un *pschitt* s'échappait déjà de la valve. Ses yeux commencèrent à pleurer. Il émit un râle et essaya de reprendre son souffle.

— Contre le mur. Plus vite que ça !

Il descendit et recula en trébuchant, les mains toujours en l'air.

— Écoutez, c'est un malentendu. Je n'ai rien à voir avec cette affaire.

Elle le fouilla au corps, trouva les caméras démontées et les câbles enroulés et les laissa retomber dans le fond des poches de Toto avec un *pfff* méprisant. Après quoi, elle dénicha les clés de la voiture, les différentes cartes d'identité et, pour couronner le tout, la pochette en papier cuve contenant le badge d'entrée de la suite d'hôtel. Elle releva son masque et étudia les papiers d'identité avec grand intérêt.

— Bien sûr, bien sûr. Parlez-moi de cette affaire, mon cher… Karsten, Michael, Tobias ou Oliver ?

Il la dévisagea avec effroi. Il avait pris toutes ses cartes. Erreur de débutant. À l'Hôtel de Rome, il était Oliver Mayr. Karsten Drillich avait trafiqué la ligne téléphonique d'un chauffeur du Bundestag. Et c'est en tant que

Michael Scheller qu'il avait pénétré dans cet immeuble. Mais à cet instant, il n'était plus que Tobias Täschner : un type dans la mouise. Le dernier document était son laissez-passer pour « l'Administration fédérale des biens » sise à Munich. La carte maison du BND.

— J'appelle la police. On ne sait jamais, il y a peut-être une récompense à la clé.

En tant que technicien, Toto n'avait jamais été formé au corps à corps. Il évalua ses chances de la neutraliser d'un coup bien placé avant que le gaz le mette hors jeu, et conclut à soixante contre quarante. Il virevolta, leva une jambe et, d'un mouvement alliant force centrifuge et tonus musculaire, atteignit sa cible en plein dans le mille. Le coup la catapulta en arrière, les cartes d'identité et le trousseau de clés voletèrent autour d'elle, le masque à gaz glissa, la valve siffla, et la fille tomba à la renverse au milieu de la table basse. Le pulvérisateur s'écroula sur le plateau en verre qui vola en éclats dans un bruit tonitruant. Le tuyau, soudain libre, s'agita comme un fou, le gaz s'échappa de la valve et se répandit dans l'air. Retenant son souffle, Toto rafla les clés de voiture et bondit vers la sortie. Il se précipita sur le palier, atteignit la porte à côté de l'ascenseur et plongea dans la cage d'escalier.

Il déboula dans sa voiture, démarra et s'engouffra dans la première rue à quatre-vingts à l'heure. Une fois seulement sur la bretelle d'autoroute, après que des coups d'œil répétés dans le rétroviseur lui eurent assuré qu'il n'était pas suivi, son cerveau se remit peu à peu à fonctionner.

Son portable. Par chance, il l'avait rangé dans la poche de sa chemise. Il le sortit et composa un numéro. *Allez*, supplia-t-il. *Décroche*. Il entendit enfin la voix de

Kellermann. Toto respira un grand coup. Air infect, empesté par les pots d'échappement. Délicieux.

— Chef, dit-il. On a un problème.

Judith se redressa en gémissant, toucha prudemment son visage et laissa échapper un petit cri de douleur. Elle se dégagea du cadre en bois de la table basse et tituba jusqu'à la salle de bains.

Un bris de verre lui avait éraflé la joue. La plaie était peu profonde mais saignait abondamment. Comme il n'y avait plus de papier nulle part, elle la rinça à l'eau avec beaucoup de précaution. Sa lèvre inférieure n'avait pas fière allure et commençait à enfler. Le pulvérisateur l'avait heurtée à la mâchoire, une sorte d'uppercut de force moyenne qui l'avait mise K.-O. pendant quelques précieuses secondes dont le salopard avait profité pour se faire la malle.

Judith retourna dans le salon. L'oxygène continuait à sortir de la valve. Elle la referma et ouvrit la fenêtre pour évacuer le gaz, car, s'il n'était pas dangereux, à forte concentration le risque d'explosion était réel. Après quoi, elle rassembla les cartes d'identité dispersées aux quatre coins de la pièce. Karsten Michael Oliver Connard. La fureur la rongeait, lui brûlant l'estomac. Comment avait-elle pu se laisser pigeonner par ce type après avoir réussi à le mettre dos au mur ? C'était impardonnable. Niveau 1, grand débutant.

Une goutte de sang tomba par terre, pile sur la trace laissée par Borg dans sa tentative désespérée d'échapper à la mort. Judith la frotta du pied pour la faire disparaître.

Elle ramassa la bouteille et passa la sangle à son épaule. L'œil noir de la caméra semblait suivre tous ses mouvements. Elle grimpa sur ce qui restait de table basse et planta ses yeux dans l'objectif. Quelque part dans ce pays, une ombre anonyme lui rendait son regard. Cette ombre avait tout vu sans bouger quand Borg s'était fait assassiner. Et voilà qu'en ce moment même elle observait Judith, de très haut, de très loin, protégée par les câbles et les canaux électroniques, les signaux codés et les liaisons haute sécurité. Cachée derrière son écran, l'ombre la regardait dans le blanc des yeux, anonyme et lâche.

— Passez le bonjour à Karsten Michael Oliver Machin Chose de ma part. Et dites-lui de bien se couvrir pour l'hiver. Et vous autres aussi. Parce que je ne suis pas près de vous lâcher.

Elle visa et envoya sur la caméra une salve sifflante de gaz à – 200 °C. Une couche de givre recouvrit instantanément l'objectif. Elle tint la valve jusqu'à ce que la bouteille soit vide, que le sifflement faiblisse et finisse par s'éteindre. Alors seulement elle baissa le bras et contempla l'épaisse couche de glace qui s'était formée autour du détecteur de fumée.

C'était au moins du niveau 2. Et pour ce qui était de passer aux niveaux supérieurs, elle avait bien l'intention de se faire rancarder par l'homme au visage entouré d'un cercle au stylo-bille et au nom le plus ridicule qu'elle ait entendu depuis l'invention du Muppet Show : Quirin Kaiserley.

Dans une voiture filant sur l'A9 en direction de Nuremberg, Kellermann regarda l'image s'effacer sur son smartphone. Il entendit encore un claquement de verre et de métal, puis plus rien. Il appuya sur la touche rouge. Une fenêtre s'ouvrit sur l'écran.

Are you sure to interrupt the record ?

Yes.

Il copia le contenu du dossier sur un disque dur externe 2 TB posé derrière lui sur la banquette arrière. Cela fait, il activa le renvoi de sa ligne vers le bureau et ôta les écouteurs de ses oreilles.

Ils passèrent la gigantesque zone commerciale de Merseburg. Les lumières des magasins de meubles et des stations-service, sur sa droite, disparurent aussi vite qu'elles avaient surgi de la nuit. La voiture glissait sur la six-voies comme un fantôme, nageant incognito dans le flot continu qu'ils auraient normalement dû quitter bien des heures plus tard à la sortie Munich-Schwabing, pour rejoindre Garmisch-Partenkirchen. Si tout s'était déroulé comme prévu.

L'énorme échangeur Leipzig-Ouest apparut droit devant.

— Je dois retourner à Berlin. Conduis-moi à la gare de Leipzig.

Peter Winkler, qui venait de mettre le clignotant pour se déporter sur sa gauche, jeta un bref regard en biais à Kellermann et son portable, et interrompit la manœuvre.

C'était un homme discret, proche de la soixantaine. Il s'était trouvé au premier rang chez Juliane Westerhoff. Chef du service 11 F, missions spéciales. Coordination et collaboration entre services partenaires. En réalité, il était chargé de piloter la communication entre les divers services secrets nationaux, mais aux yeux de Kellermann il était plus un bureaucrate qu'un coordinateur, ce qui faisait de lui surtout un obstacle. Kellermann n'avait aucun respect pour les bureaucrates. Il n'en avait jamais eu.

Comme les renseignements généraux s'intéressaient à Kaiserley à peu près aussi régulièrement que le BND, Kellermann avait embarqué Winkler dans ce voyage à

Berlin pour une raison très simple : Winkler devait garder un œil sur les collègues. Et puis, accessoirement, faire office de chauffeur. Mais surtout, Kellermann lui avait offert cette petite excursion parce qu'il avait besoin de chaque voix s'il ne voulait pas être relégué au bas de la *shortlist* des candidats à la présidence du BND. Ça faisait vingt ans qu'il était le chef de Winkler. Et il entendait bien le rester.

— Maintenant ? Pourquoi ?

Kellermann ferma les yeux.

— Une opération a été démasquée.

— Pas bon, ça. Quelqu'un des services extérieurs ?

— Non, un technicien. Pris en train de démonter les caméras.

— Par qui ?

Kellermann pensa aux images sur son smartphone. Chaque fois que quelqu'un était entré dans l'appartement, le détecteur de mouvements avait déclenché la caméra. Il revoyait encore les images du meurtre, un meurtre épouvantable qui n'en finissait plus. D'autres images s'étaient ajoutées depuis : une femme pistant les taches de sang, comme un Peau-Rouge un animal blessé, véritable coureur des bois qui semblait suivre à la trace les événements passés, futurs ou présents. Quand cette femme avait pris Toto la main dans le sac, il s'était demandé par qui elle avait été formée et pour qui elle travaillait. Il se le demandait toujours. Même s'il savait que les explications les plus absurdes étaient souvent les plus justes.

— Une femme de ménage.

— Arrête ton char.

Winkler jeta un bref regard du côté de Kellermann, mais celui-ci se contenta de tordre ses lèvres épaisses en faisant disparaître son portable dans la poche de son costard.

— Qui a-t-elle pincé ?

— Täschner.

Winkler laissa échapper un son qui ressemblait de loin à un rire.

— Täschner. Évidemment, qui d'autre ! Honnêtement, je ne comprends pas pourquoi vous laissez ce danger public continuer à faire des ravages. Une femme de ménage !

Kellermann resta muet. Une pancarte bleue indiquant « Weissenfels » passa devant eux comme une flèche. Son chauffeur, qu'il n'appellerait jamais ainsi ouvertement, ralentit l'allure. Il comprenait très bien la réaction de Winkler. Mais il avait ses raisons de garder Täschner. De le protéger. De le chouchouter en lui confiant ce genre de missions. D'expliquer par téléphone à Angelina Espinoza pourquoi le boulot lui rapporterait quasiment le double si elle continuait à se montrer gentille avec Täschner.

« Pas autant que tu l'es avec moi », avait-il ajouté.

Ils se voyaient de temps en temps, et il osait espérer que son rire et ses gémissements de plaisir quand il était sur elle étaient sincères. Foi et espérance. Ajoutez-y l'amour et vous avez les trois piliers de la faiblesse. Kellermann considéra son alliance.

— Tu sais très bien pourquoi il compte tant pour nous. Un jour ou l'autre, Kaiserley entrera en contact avec lui. Pour reprendre contact avec nous.

— Oui, grogna Winkler. Mais pas pour une poignée de vieux microfilms.

— Tu as du nouveau sur lui ?

Winkler secoua la tête.

— Non. Et toi ?

— Non plus. Il n'avait pas l'air dans son assiette ce soir.

— Non. Pas vraiment.

— Je crois que c'est là qu'il faut sortir.

Winkler prit la sortie d'autoroute et s'engagea sur la B48, direction Leipzig-centre. Kellermann se cala dans son siège capitonné en se demandant quel imbécile avait eu l'idée de construire côte à côte des hôtels et des silos à fourrage au bord de l'autoroute.

6

Quirin Kaiserley était un homme vaniteux. Sinon il n'aurait jamais accédé à une telle notoriété. Ébahie, Judith épluchait les innombrables interviews qu'il avait données à l'occasion de la parution de ses livres. Sans savoir comment, elle était complètement passée à côté de l'existence de ce type. Depuis que les collègues la couvraient de caisses de livres, elle ne lisait presque plus les journaux, et l'image qu'elle se faisait du monde des services secrets correspondait peu ou prou à celle que le producteur A. R. Broccoli – le nom même était trop beau pour être vrai – avait créée pour les James Bond des années 1970. Le fait que ces films aient bel et bien servi autrefois de matériel pédagogique au KGB faisait partie des petites anecdotes kitsch dont Kaiserley farcissait son propos.

Ce que vous révélez aujourd'hui sur vos amis via *Facebook s'obtenait autrefois au prix de longues séances de torture.*

Judith n'avait pas d'amis. Ni sur Facebook ni ailleurs. Depuis deux heures elle ne faisait que surfer sur Internet à la recherche d'articles de et sur Kaiserley.

Les questions des journalistes lui en apprenaient presque davantage que les réponses de Kaiserley. Son mariage était parti à vau-l'eau, car le secret professionnel était comme un virus mortel qui contaminait la vie privée et finissait un jour par la détruire. Il n'avait plus aucun contact avec son fils, qui refusait d'assumer l'image publique d'un tel père. La méfiance, consciente ou non, qu'on éprouvait à son égard compliquait les amitiés et ôtait à toute rencontre l'enthousiasme insouciant d'un nouveau départ. Quirin Kaiserley jouait son rôle tout en veillant à cacher son jeu. Mais ses réponses étaient émaillées d'indications géographiques. Et qui savait les lire en apprenait bien plus sur son compte qu'il ne l'aurait voulu.

Judith avait déjà rempli deux pleines pages d'un bloc-notes. À côté des sacs-poubelle étaient posés un plan déplié de la ville, une boussole et son GPS, grâce auquel elle pouvait localiser n'importe quel *dark spot* répertorié sur cette terre.

La construction du siège du BND dans la Chausseestrasse, soit en plein centre de Berlin, est censée suggérer une forme de proximité nouvelle avec la population. En réalité, c'est un quartier de haute sécurité implanté au milieu d'une zone d'habitations. Chaque fois que je passe devant pour aller au bureau…

L'adresse du bureau de Kaiserley : Hausvogteiplatz, dans le quartier Mitte. Or elle avait besoin de son adresse personnelle. Pour ce faire, elle devait accumuler le plus d'indices possible ; en les croisant, elle finirait par situer sa cible.

Judith chercha sur la carte l'ancien stade du Weltjugend, un terrain grand comme quinze stades de football, où le nouveau siège des services secrets voulait se frotter gentiment à la population. Clair, moderne, accueillant, doté d'une cafétéria et d'une boutique de souvenirs. Avec son propre internat – pour qui au juste ? –, sa propre université, son propre réseau d'alimentation électrique, et probablement son propre bunker, même si cette ville dans la ville, à ce qu'on disait, était bâtie sans sous-sols. Moyennant quoi, le rez-de-chaussée du bâtiment principal disparaissait tout entier dans une dépression de terrain de cinq mètres de profondeur, censée empêcher toute intrusion des forces du mal, au cas improbable où celles-ci ne se seraient pas déjà cassé le nez contre la clôture de métal.

— *Le travail des services secrets a profondément changé de nature au cours de ces dix dernières années. L'observation a marqué le pas au profit du filtrage d'un gigantesque flux d'informations. L'indexation est venue remplacer l'expérience et l'évaluation personnelles.*

— *Où voulez-vous en venir ?*

— *Un être humain est faillible et très coûteux à entretenir. Mais il est le seul qui puisse s'adapter à l'imprévu. On a tort de miser sur un tri de données hautement sélectif quand on sait qu'un certain nombre de terroristes sont revenus depuis quelque temps au pigeon voyageur et aux signaux de fumée. Sans compter que ce ne sont jamais les bons qui se font prendre par les coups de filet du Net.*

— *Il y a des lois contre ça. Voyez le scandale des écoutes téléphoniques.*

— *Là où il y a une loi, il y a d'abord un crime. Sinon pourquoi s'embêterait-on à en promulguer, n'est-ce pas ?*

Judith sourit. Pas étonnant que Kaiserley ne soit pas en odeur de sainteté auprès de ses anciens collègues. Elle fit défiler la page jusqu'en bas, sachant par expérience que les interviews se concluaient souvent par une ou deux questions personnelles.

J'aime le quartier autour du Mauerpark. C'est vrai que chaque année, la nuit du 1er mai, j'ai intérêt à garer ma voiture dans un autre coin si je ne veux pas qu'elle finisse carbonisée après les inévitables émeutes…

Mauerpark. Judith inscrivit le nom sur sa liste. Elle avait déjà récolté plus de vingt indications sur ses trajets et les petites habitudes qu'il avait dans son quartier. Kaiserley faisait son marché le samedi sur la Kollwitzplatz, fréquentait les cafés autour du Château d'eau, se déplaçait en tramway et adorait regarder le coucher de soleil. Pas mal. Comme espionne de la vieille école, elle aurait eu toutes ses chances.

Elle ouvrit son ordinateur portable et rentra les localisations sur Google Maps. La carte lui indiqua en gros le coin de Berlin que Kaiserley fréquentait le plus souvent. Si elle ajoutait le fait que son appartement était orienté à l'ouest et qu'il pratiquait pour tout sport, de son propre aveu, la « montée d'escaliers », elle pouvait en déduire qu'il vivait au quatrième ou cinquième étage d'un immeuble ancien sans ascenseur, à proximité d'un arrêt de tramway. Et en face d'un caviste où il s'approvisionnait de son cher fendant du Valais.

Bingo. Marienburger Strasse, Prenzlauer Berg.

Elle alla dans le couloir et prit la clé de la camionnette. Il était 4 h 30 du matin. L'heure où le sommeil est le plus profond.

Quirin Kaiserley se réveilla. Ce léger grattement ne faisait pas partie des bruits qui lui étaient familiers, et la nuit était si chaude qu'il n'avait fait que somnoler. Derrière les stores, l'aube pâle pointait déjà. Quirin pouvait distinguer les contours des objets dans la pénombre. Il entendit de nouveau le grattement. On aurait dit un chat qui s'affairait sur la serrure de sa porte.

Quirin savait que les chats cherchaient rarement à s'introduire dans les appartements des autres au petit jour. Il se leva et alla dans le couloir, pieds nus, seulement vêtu d'un large pantalon de pyjama. Aucun doute. Quelqu'un essayait de forcer sa serrure de sécurité. Et à la grande surprise de Quirin, cette personne avait l'air d'y arriver.

Posséder une arme, c'est pouvoir en faire usage – raison pour laquelle Quirin n'en avait pas chez lui. Il avait appris leur maniement lors de son service militaire, puis suivi quelques entraînements avec les derniers modèles pour ne pas perdre la main, mais il avait préféré renoncer au fallacieux sentiment de sécurité qu'elles suscitaient. Il faisait confiance à l'effet de surprise, et à sa porte blindée.

Elle s'ouvrait sur la gauche. Il se posta de telle sorte qu'elle le cache en s'ouvrant, et attendit. Une chose était sûre, l'inconnu n'était pas un professionnel. Il entendit le léger cliquetis d'un trousseau de clés ou de passe-partout tombant par terre, suivi d'un juron étouffé. Amateur. Peut-être un jeune en quête d'un peu d'argent liquide. Quant à savoir pourquoi il préférait monter cinq étages plutôt que de faire sa petite visite de courtoisie au jeune couple de l'entresol qui prenait plaisir à faire partager son goût musical douteux à tout le voisinage en mettant sa chaîne Bose à fond, le jeune gars allait probablement pouvoir bientôt le lui apprendre de vive voix.

Cric. Crac. Clic. Contact.

Le cylindre tourna, la porte s'ouvrit sans bruit. Une silhouette, mince et de taille moyenne, se faufila dans l'entrebâillement. Quirin se jeta contre le bois. En une fraction de seconde, le cambrioleur fut pris au piège et laissa échapper un cri.

Quirin appuya sur l'interrupteur avant même de s'être rendu compte qu'il venait de capturer une femme. Il l'avait immobilisée par l'épaule gauche. Elle gémit et tenta de repousser le battant de la porte, en vain.

— Tiens, tiens, à qui ai-je l'honneur ? s'écria-t-il, éberlué et, s'entendant, il se fit immédiatement l'effet d'un barbon ridicule.

— Lâchez-moi !

Elle faisait une tête de moins que lui et devait être sacrément sportive, car il dut déployer une certaine force pour la maîtriser. Il lui prit le bras droit et la traîna sans ménagement dans le couloir. Elle se dégagea avec un cri de douleur ulcéré et se frotta l'épaule.

— Ça va pas la tête ? siffla-t-elle.

Le reproche venait du fond du cœur et semblait si spontané que Quirin faillit éclater de rire. Elle n'était pas jolie au sens courant du terme, ni de la toute première jeunesse, mais ses yeux étincelaient de fureur et la peur devait lui être un mot inconnu. Elle sortait visiblement d'une bagarre, car une profonde éraflure balafrait sa joue et ses lèvres paraissaient affreusement gonflées. Pourtant elle ne donnait pas l'impression d'être une cambrioleuse. Plutôt une… Son regard tomba sur les mains de la femme. Elles étaient gercées et rougies, comme des mains qui auraient été en contact fréquent avec des produits chimiques. Malgré son air passablement esquinté, il était clair qu'elle était bien entraînée.

— Qui êtes-vous ? demanda-t-il.

Il referma la porte et se planta, bras croisés, au milieu du couloir pour lui barrer le chemin. Si elle voulait se tirer maintenant, elle devrait d'abord le neutraliser. Quirin ne doutait pas qu'elle en fût capable. Un instant même, il se prit à souhaiter qu'elle essaie. Il y avait bien longtemps qu'il ne s'était plus battu corps à corps, et il avait la nette impression qu'elle aurait ses chances d'avoir le dessus.

— On s'en fiche, répliqua-t-elle.

Au lieu de chercher à s'échapper, elle observa attentivement autour d'elle, puis progressa de quelques pas dans le couloir en glissant des regards furtifs par les portes ouvertes, tout en gardant Quirin à l'œil. Elle passa devant le salon. Bon gré mal gré, Quirin fut bien obligé de la suivre.

— Façon de parler. Vous oubliez les circonstances dans lesquelles vous vous êtes introduite dans mon appartement.

— Vous croyez ?

Elle se retourna en un éclair et disparut dans la chambre à coucher. Le plafonnier s'alluma. Elle revint.

— Vous êtes seul ?

— Oui, répondit Quirin, à peine maître de lui-même, tant la stupéfaction causée par cette visite importune laissait place peu à peu à la colère. Il n'y a que nous deux. Êtes-vous sûre que c'est chez moi que vous vouliez entrer ? Vous êtes ici, comme on dit, dans la gueule du loup.

Elle revint sur ses pas. Ses yeux se promenèrent sur le pantalon de pyjama. Elle réprima tant bien que mal un sourire moqueur, qui exaspéra Quirin. Quand même, il n'était pas si mal que ça.

— C'est sûr. Ça fait peur. Quirin Kaiserley ?

— Que voulez-vous ?

— Vous êtes le seul à l'ouvrir à propos de cette bande de salauds du BND. Vous connaissez Karsten Michael Oliver Connard ?

— Qui ça ?

En un éclair, elle sortit plusieurs cartes d'identité et les lui tendit. Avant même qu'il n'ait eu le temps de s'en saisir, elle les avait déjà replongées dans sa poche.

— Je parie que de toute façon tous ces noms sont bidons. Vous pouvez m'expliquer à quel jeu se livre un type qui démonte des caméras dans un appartement tout en ayant oublié son propre nom ?

— Mon petit doigt me dit que vous l'avez pris en flagrant délit.

Elle hocha lentement la tête.

— Et que votre appartement était sans doute mis sous surveillance.

— Pourquoi ?

Quirin passa la main dans ses cheveux. Une conversation pareille n'avait pas sa place dans le couloir.

— Suivez-moi.

Il la précéda dans le salon où il lui proposa un fauteuil scandinave en cuir et bois de cerisier aux courbes audacieuses.

— Asseyez-vous. Je nous fais un café. Et la prochaine fois, prenez rendez-vous.

Elle hocha la tête et jeta un regard autour d'elle. Quirin alla dans la cuisine et alluma la cafetière électrique. En attendant qu'elle chauffe, il fit un saut dans la chambre et enfila un léger pull en lin. Toujours pieds nus, il regagna la cuisine, prépara deux tasses de café et revint vers son étrange visiteuse.

La femme s'était assise et semblait épuisée. À l'évidence, ce n'était pas que de la fatigue physique. Elle était mince, nerveuse et souple à la fois. Elle paraissait s'être calmée, et lorsqu'elle leva la tête vers lui, ses yeux le frappèrent. Bleus, d'un bleu profond… et ombrageux. Ses cheveux bouclés étaient noués en un chignon très lâche. Un genre de blond un peu terne. Quelques mèches hirsutes lui tombaient sur le visage et les épaules. Son corps possédait une sorte d'élasticité, et son visage fin, même dans la lumière grise du petit jour, avait la sévérité classique d'un ange de Gustav Klimt. La première impression l'avait trompé. Elle n'était pas jolie. Elle était belle. D'une beauté particulière, qui semblait s'ignorer.

— Sucre ? Lait ?

— Non, merci.

Négligeant l'anse, elle prit la tasse dans ses deux mains comme pour se réchauffer. Pourtant, malgré l'air matinal un peu plus frais, il faisait encore lourd. La chaleur s'accumulait sous le toit qui, ainsi que dans tout le quartier, était mal isolé.

— Donc, votre appartement était sous surveillance.

— Pas le mien. Celui où je travaille en ce moment.

Il se demanda quel boulot elle pouvait bien faire. Elle n'était pas journaliste, ses manières étaient trop rustres, trop impulsives. Il paria sur quelque chose entre troufion de la Bundeswehr et coursier à bicyclette. Guérilla urbaine. Combat de rues. Boxe amateur.

— D'accord. Et alors vous vous êtes dit : « Et si j'allais entrer par effraction chez ce type, ce Kaiserley, pour lui poser la question, vu qu'il en connaît un rayon sur tous les coups tordus qui se passent dans le monde. » Pourquoi ne pas m'avoir appelé ?

Elle leva son nez de la tasse.

— Je n'avais pas votre numéro.

— Alors comment avez-vous eu mon adresse ?

Un sourire furtif passa sur son visage, illuminant un instant ses traits tirés.

— Par vous.

Elle remarqua sa surprise, posa la tasse et leva les mains.

— Rien de plus facile. Vous révélez beaucoup de choses sur vous-même. Entre autres, l'endroit où vous habitez.

— Ah bon ?

— Vous vivez seul, vous voyez peu de monde, mais avez gardé de bons contacts avec vos anciens collègues, sinon vous ne seriez pas si bien informé. Vous aimez la bonne chère, car vous faites vos courses au marché. Vous détestez cette malédiction de Cassandre qui vous condamne à mettre les autres en garde et vous vaut pour tout salaire d'être couvert de boue. Vous avez peu d'amis, voire aucun. Et votre famille vous manque. De temps en temps, vous vous torchez la gueule. Sans doute quand vous songez à votre âge et que vous vous demandez si tout ça en valait bien la peine.

Elle reprit sa tasse et avala une gorgée, le temps pour Quirin de digérer ce qu'il venait d'entendre. Chacun de ses foutus mots avait visé juste.

— Vous êtes le seul de l'immeuble qui n'ait pas son nom à la sonnette. Et une vieille affaire vous a brisé les reins. C'était quoi ?

— Une vieille affaire.

Elle attendit encore un moment, puis comprit qu'il n'en dirait pas plus.

— Que voulez-vous ? demanda-t-il.

— Pour quelles raisons met-on quelqu'un sous surveillance ?

— Soit ce quelqu'un détient quelque chose qu'on aimerait avoir, soit il sait quelque chose qu'on aimerait savoir.

— Qui surveille ?

— Légalement et officiellement : la police, le renseignement intérieur, le service de contre-espionnage militaire, le BND. Officieusement : les services de sécurité, les entreprises de protection. Votre voisin, votre propriétaire, votre ex.

— Et comment expliquez-vous que quelqu'un ait quatre noms différents ?

— Ça laisse à penser qu'il s'agit d'un professionnel.

Un sifflement de mépris lui échappa, qui en disait assez long sur le professionnalisme du bonhomme en question.

— Remontrez-moi les cartes d'identité.

Elle les sortit de la poche de son pantalon et les lui tendit d'une main hésitante. Lorsqu'il vit la photo à côté du nom Karsten Drillich, ses yeux s'écarquillèrent un instant. Il le reconnut immédiatement, bien qu'il y eût plus de dix ans qu'ils ne s'étaient plus vus. Toto. Bachelor of Engineering, étudiant médiocre, diplômé de l'École supérieure de la Bundeswehr à Munich-Neubiberg, double cursus avec formation pratique au BND. Moyenne correcte, technique OK, totalement inapte à un poste à responsabilités, arrivé dans le Service après deux prolongations de la période d'essai, et à vrai dire uniquement grâce à son intercession à lui, Quirin. Le garçon ne lui avait jamais pardonné d'avoir coupé les ponts. Ils ne s'étaient jamais revus depuis.

Il examina les autres documents. Il s'attarda un instant devant la carte du BND, secoua la tête et rendit le tout à la femme.

— Vous ne vous êtes même pas encore présentée.

— Judith Kepler, nettoyeuse de bâtiments.

Il ne dit rien et attendit qu'elle lui explique la blague. Il en fut pour ses frais et conclut que ce n'en était pas une. Une femme de ménage. Il n'y aurait jamais pensé. Quirin se sentit gagné par une certaine hilarité mais prit bien soin de ne rien laisser paraître. Ce n'était pas tous les jours qu'on se faisait attaquer par une femme de ménage. Mieux valait ne pas relever, toute remarque à ce sujet aurait été politiquement incorrecte. D'un geste impatient, elle tapota l'accoudoir avec les papiers d'identité puis les jeta sur la table basse.

— Vous connaissez ce type. Il travaille pour le BND ?

Quirin acquiesça d'un signe de tête.

— Le BND est un service de renseignements extérieurs. S'il surveillait un appartement à Berlin, c'est que votre client venait de l'étranger, ou alors il avait des contacts là-bas, qui étaient dignes d'intérêt.

— Elle venait de Suède.

De Suède.

Al-Qaïda. Extrême droite. Le premier réseau par lequel passaient les agents russes. Transfert de technologies et trafic d'armes. Un officier des services secrets russes sur quatre choisissait désormais le suédois comme première langue étrangère. La Suède, ça voulait dire : tiens-toi à l'écart si tu n'es pas au top. S'ils veulent t'y envoyer, fais-toi porter pâle ou débrouille-toi pour que ta grand-mère meure, mais n'y va surtout pas. Trimbale-toi dans le métro coiffé d'une casquette marquée « I love BND » ou, mieux, inscris-toi à l'académie catholique pour devenir séminariste et déclare que Dieu aime aussi les Russes. Si ça ne suffit pas et que tu dois quand même y aller, n'oublie pas de brancher le compteur Geiger avant de prendre tes repas. Évite les chocolats belges. Fais ton testament. Tiens-toi prêt. Pour tout.

C'était ça, la Suède.

Judith Kepler avait tout intérêt à balancer ces cartes d'identité dans la première poubelle venue et à ne plus jamais croiser la route de Täschner. Le morceau était beaucoup trop gros pour une... femme de ménage.

— Je suis vraiment désolé, mais je ne peux pas vous aider. Vous avez mis le pied par hasard dans une opération d'observation. Ce n'est pas joli, mais ce sont des choses qui arrivent. Le mieux à faire, c'est d'oublier toute cette histoire.

— C'est tout ? Je croyais que vous aviez une dent contre l'État espion.

— Contre les méfaits causés par les services de renseignements et le ministère de l'Intérieur. Contre le règne de la peur et le soupçon généralisé. Mais vous avez croisé la route d'un technicien informatique du BND opérant dans un appartement allemand. En d'autres termes, sans vous en douter, vous avez mis les deux pieds dans une opération des services extérieurs. Je m'étonne que vous ayez pu entrer en possession de ces pièces d'identité. Pour être honnête… (il se pencha en avant et la dévisagea)… je me demande comment vous avez fait pour vous en sortir vivante.

Elle dilatait ses narines quand elle était furieuse. C'était léger mais suffisant pour lui donner l'expression d'une guerrière offensée de se voir sous-estimée.

— Vous vous foutez de ma gueule.

— Pas le moins du monde, répliqua-t-il à voix basse.

Elle dégagea une boucle de son front et parut désarçonnée. L'instant suivant, elle s'était déjà ressaisie.

— Alors c'étaient donc eux.

Elle se leva et prit la direction du couloir. Quirin la suivit à grand-peine.

— Qui était quoi ? cria-t-il dans son dos.

— Ce sont eux qui l'ont tuée.

Elle était presque arrivée à la porte quand il la rattrapa et réussit à la retenir. Furieuse, elle pivota comme une toupie.

— Attendez, attendez, fit-il, tentant de radoucir sa voix.

Il avait forcé le trait pour la protéger d'elle-même, car elle semblait prendre trop à cœur cette affaire qui ne la concernait en rien.

— Qui aurait tué qui ?

— Le BND. Une femme.

Un pressentiment le saisit, si invraisemblable qu'il s'efforça de l'étouffer. Elle voulut ouvrir la porte. Mais Quirin la saisit de nouveau par les épaules et la colla contre le mur.

— Qui selon vous le BND aurait-il tué ?

— Une Suédoise.

— Quel âge ?

— Mon âge.

— Quand ?

— Il y a deux semaines, à peu près.

Et dire qu'il pensait être un vieux de la vieille, qu'il s'était cru blindé par sa formation et ces longues années au cours desquelles le mensonge était devenu sa seconde nature. Il s'était lourdement trompé.

— Elle s'appelait Christina Borg.

C'était impossible. Impensable. Quirin la relâcha. Borg. Christina Borg.

La femme de ménage resta immobile, comme un colis qu'on aurait oublié dans un coin. Ou une statue. Il se cacha le visage dans les mains, incapable de supporter le regard qu'elle dirigeait sur lui comme un rayon X.

— Non, dit-il. Non… je…

Il se souvint de l'accent rugueux de Christina Borg, et du fait qu'elle était au courant pour Sassnitz. Les assassins de l'époque couraient toujours. Et s'étaient remis à tuer.

Judith continuait de le fixer comme s'il était une grande vedette de théâtre. Et pourtant le rideau était tombé depuis longtemps.

— Pourquoi voulez-vous savoir tout ça ? demanda-t-il. Pourquoi ne vous contentez-vous pas de faire votre boulot et de rentrer chez vous ?

— Parce que Borg était une enfant placée. Comme moi.

— Vous la connaissiez ?

— Non.

— Alors comment le savez-vous ?

Elle détourna enfin les yeux. Elle chercha quelque chose dans ses poches. Un paquet de tabac apparut. Elle en sortit une cigarette roulée et l'alluma sans demander l'autorisation.

— Peu importe. Quels rapports aviez-vous avec la morte ?

— Nous nous sommes rencontrés une fois. Elle détenait quelque chose qu'elle voulait me donner.

— Quoi ?

— Rien. Rien d'intéressant. Pour vous, je veux dire.

Une idée absurde traversa l'esprit de Quirin.

— Avez-vous trouvé quelque chose en faisant le ménage ? Des boîtes de Florena, par exemple ?

— Oui. Quatre.

Quirin crut avoir mal entendu.

— Où sont-elles ?

— À la poubelle.

— Quoi ? Qu'est-ce qu'il y avait à l'intérieur ? Vous avez regardé ?

Elle se rapprocha à tâtons de la porte, centimètre par centimètre. Elle devait le prendre pour un cinglé. Mais le monde était ainsi fait qu'on ne pouvait pas toujours l'expliquer d'une simple phrase. Les choses les plus étranges arrivaient de la façon la plus mystérieuse et aboutissaient par des voies tortueuses entre les mains d'une femme de ménage qui était loin de se douter dans quoi elle avait mis les pieds.

— Le labo médico-légal s'en est chargé.

— Et ?

— De la crème. Dans les quatre. Rien d'autre. Est-ce que tout ça a à voir avec moi ? (Elle souffla la fumée lentement et inhala tout aussi lentement la bouffée suivante.) Avec mon passé ?

C'était absurde. Tout se mettait à dérailler. Christina Borg était morte. Les microfilms étaient peut-être détruits depuis longtemps ou ne réapparaîtraient peut-être jamais. Et voilà que dans son appartement, à 5 heures du matin, une femme de ménage fumait des cigarettes en se demandant si cette catastrophe pouvait avoir un quelconque rapport avec son existence ratée.

— Non. Rentrez tranquillement chez vous. Vous êtes trop jeune. Les tenants et aboutissants de cette affaire vous échappent.

— Évidemment, je n'ai pas tous les éléments.

La cendre de sa cigarette tomba par terre.

Quirin se frotta le visage des deux mains.

— Écoutez, madame Kepler, je ne veux pas paraître impoli. Tout cela est un grand choc pour moi. Vous comprenez ? Je ne la connaissais que vaguement, mais malgré tout, je souhaiterais rester un peu seul à présent.

— Oui, bien sûr.

Elle alla à la porte et posa la main sur la poignée. Puis elle se retourna une dernière fois vers lui.

— Vous êtes un acteur épouvantable. Et pas seulement à la télé.

Elle partit sans dire au revoir et referma doucement la porte derrière elle.

Les cartes d'identité de Täschner traînaient encore sur la table basse. Il prit celle qui était orange et contempla la photo. Tobias. Il sentit remuer quelque chose en lui, enfoui au plus profond, quelque chose qu'il s'efforça de ne surtout pas transformer en un sentiment paternel.

Täschner avait toujours été un parfait imbécile. Kellermann était-il encore son patron ? Toto aurait à lui rendre des comptes sur les circonstances de cette invraisemblable bavure. Kellermann causerait avec la femme de ménage. Lui proposerait un peu d'argent pour qu'elle oublie l'affaire. Et peut-être un boulot dans les locaux flambant neufs du nouveau siège à Berlin. Clause de confidentialité dans le contrat de travail comprise.

Mais une femme comme Judith Kepler y consentirait-elle ? Il reposa les cartes sur la table d'un air songeur.

Il alla à la fenêtre, qui était grande ouverte, et regarda la rue déserte en contrebas. La lumière des réverbères vacilla une dernière fois puis s'éteignit. Un tramway passa avec fracas dans la Prenzlauer Allee. Quelques fenêtres étaient allumées. Une ombre disparut à l'angle de la rue. Silencieuse, se fondant dans le décor, un caméléon revêtu des couleurs de la ville qui s'éveillait. Sitôt passée, déjà oubliée.

Il faisait grand jour quand Judith rentra dans son appartement. Cette fois-ci, elle avait monté la caisse de livres et l'avait déposée dans le salon. Elle fourra une fois pour toutes les affaires de Borg dans les sacs-poubelle, qu'elle porta dans le couloir. Elle prit une douche et enfila des vêtements propres. Debout devant sa collection de disques, elle hésita : le 33 tours de Dean Martin, vieux comme Hérode et tout rayé, que Josef lui avait apporté un jour en lui lançant un radieux «Je l'ai sauvé pour toi ! », ou le dernier Antony and the Johnsons, qu'elle avait acheté la semaine précédente ? Judith n'écoutait plus de CD depuis qu'elle avait découvert les vinyles. Qu'importe que tout le monde la prenne pour une folle, elle entendait une différence. Et puis, elle aimait le moment où la galette, sortant de sa pochette, glissait sur le bout des doigts, le moment où elle soufflait délicatement dessus puis l'installait sur la platine. Les vinyles, c'était une affaire de dévouement et de durée ; les CD et les MP3, de consommation immédiate.

Elle se décida pour *The Crying Light*, parce que après ce cocktail explosif de violence, de mensonges, d'indifférence et de condescendance, il lui fallait une voix comme celle d'Hegarty. Musique où l'on se perdait comme dans le silence succédant à une discussion entre amis. Elle mit le disque, alla chercher une nouvelle bouteille de vin dans le réfrigérateur et trébucha devant la cuisine sur ses blouses de travail jetées en tas. Elle revint, fourra les affaires dans le tambour du lave-linge et, en retournant son jean sale, retomba sur la photo de famille de Gerlinde Wachsmuth.

Elle la sortit avec soin de la poche et la défroissa. Elle y vit un rêve échoué qui lui laissa un arrière-goût amer. *Tu pensais qu'il finirait par venir. Qu'un jour ou l'autre il reviendrait. Et qu'alors tout serait comme avant, quand on s'aimait et puis c'est tout. Après tout, c'était ton fils, ton seul enfant.*

Elle rangea la photo et le dossier d'admission dans le tiroir de son bureau, parmi les autres photos. Judith se souvenait de chacune d'elles. Elle se rappelait les noms des gens et la hâte avec laquelle leurs logements avaient été vidés et leurs affaires débarrassées. C'était extravagant. Zinzin. Mais c'était sa façon à elle d'opposer un carton rouge à la mort, de refuser que ce soit la dernière amie des défunts.

Elle se donna deux heures et s'allongea sur son lit. Quelques secondes plus tard, elle dormait. Hegarty chantait une histoire de lumière qui pleurait.

7

Le dimanche après-midi, Judith avait fini sa mission. L'appartement embaumait le chlore et le savon noir. Les peintres n'auraient plus qu'à reboucher les impacts de balles et passer une bonne couche de peinture sur les murs. Avant de partir, elle inspecta chaque lampe, chaque prise électrique, chaque recoin et chaque fissure dans les meubles, sans rien trouver, ni micro ni autre caméra. Elle n'avait sans doute pas la technique. Ne restait plus qu'à espérer pour le prochain locataire que Karsten Michael Oliver Connard avait fini son boulot avant qu'elle déboule pour l'interrompre.

Au moment de rendre les lieux, elle avait indiqué la caméra à Fricke, qui était allé chercher une échelle en ronchonnant dans sa barbe, avait démonté l'engin et l'avait glissé dans la poche de son pantalon. Il semblait si sincèrement exaspéré par ce travail supplémentaire que Judith se dit qu'il n'était sans doute pas au courant pour les écoutes. Quand elle lui avait demandé s'il avait l'intention de prévenir les policiers, elle avait récolté pour toute réponse un grognement irrité :

— À quoi bon puisque la caméra venait sûrement d'eux ?

— Qui les a appelés au juste ? avait demandé Judith. Je veux dire, les flics.

— Aucune idée.

Fricke était pressé de s'en aller. Il aimait aussi peu travailler le dimanche que quiconque en ce bas monde.

— Les clés dans la boîte aux lettres. La facture à l'office HLM de Berlin-centre.

Judith hocha la tête. Fricke lui faussa compagnie, le tintement de l'échelle en guise de point d'exclamation sonore concluant son intervention héroïque. Judith jeta une éponge oubliée dans un seau posé sur son chariot, qu'elle poussa hors de l'appartement dans un doux cliquetis.

Comme sur commande, la porte d'en face s'ouvrit et Peppi bondit au-dehors. La chienne fonça sur Judith, renifla, jappa et voulut la contourner pour entrer dans l'appartement. Judith lui barra le passage d'un genou, prête à la saisir par le col, mais déjà mamie arrivait, s'arrêtant net à la vue du chariot.

— Déjà fini ?

Sa voix était tranchante comme un couteau de cuisine affûté.

— Il n'y avait pas grand-chose à faire.

Judith écarta le bâtard et ferma soigneusement la porte à clé. Puis, sans se presser, elle poussa son chariot derrière mamie et toutou, qui avaient déjà rejoint l'ascenseur. Elle lut au passage le nom sur la sonnette. Schneider. La langue de Peppi pendait, frétillant comme un poisson hors de l'eau.

— Au fait, vous savez ce qui s'est passé ? demanda Judith.

Mme Schneider fixait les portes métalliques comme si la réponse devait s'y inscrire d'un instant à l'autre en lettres de feu. Judith arrêta son chariot.

— Après tout, vous étiez voisins. On doit bien entendre un peu, non ?

— Ils sont venus la nuit. Je dors toujours avec des bouchons d'oreilles, à cause de l'autoroute. Et des cas sociaux qui traînent dehors.

L'expression « cas sociaux » fit tressaillir Judith. L'ascenseur arriva. Elle laissa ces deux-là passer devant, puis poussa le chariot derrière eux en rentrant son ventre pour permettre aux portes de se fermer dans son dos.

— Et sinon ? demanda-t-elle. Elle était comment, Mme Borg ?

La voisine haussa vaguement les épaules.

— Aucune idée. Elle n'a pas vécu longtemps ici… je veux dire, habité.

— Elle était suédoise.

— Oui.

L'ascenseur s'arrêta au troisième. Un monsieur d'un certain âge jaugea la situation d'un coup d'œil et le laissa repartir. Peppi aboya.

— Est-ce qu'elle a dit ce qu'elle était venue faire ici ?

— Non. Mais dites-moi, où avez-vous mis les ordures et encombrants ?

— Aux services de propreté de Berlin.

La femme parut rassurée. Lorsqu'elles arrivèrent au rez-de-chaussée, elle passa la laisse à son toutou chéri, bouscula Judith sans un salut et se laissa entraîner dans la rue par Peppi.

De retour au siège de la boîte, Judith étudia le planning et constata avec fureur que Dombrowski ne lui avait même pas accordé un jour de congé en échange de son week-end foutu. Elle devait remettre le couvert dès le lendemain matin à 6 heures dans un hôpital de

Wilmersdorf. Autrement dit, une petite douche, une pizza sur le pouce et au dodo pour quelques heures. Merci encore.

— Tout s'est bien passé ?

Comme d'habitude, Dombrowski s'était approché si doucement qu'elle n'avait rien entendu. Elle hésita un instant à éclairer sa lanterne sur tout ce qui avait déraillé dans sa mission, et la liste était longue.

— Oui. Tout s'est bien passé, finit-elle par répondre.

Dombrowski plissa les yeux et la toisa du regard, puis rejoignit son bureau et laissa la porte grande ouverte, signe qu'elle devait le suivre. Il éprouvait parfois le besoin de parler avec ses employés après ce genre d'intervention. Une sorte de débriefing spécial pour nettoyeurs de scènes de crime. Judith n'en avait ni le temps ni l'envie, et le suivit avec un soupir exaspéré.

— Regarde ça, lança-t-il.

Un gigantesque bouquet de roses jaunes de presque un mètre de diamètre faisait ressortir jusqu'à la caricature l'équipement spartiate du bureau. Une trentaine de fleurs au bas mot, grosses comme des pommes, dont la beauté cireuse éclipsait tout par son éclat. Une chose pareille avait plus sa place au milieu d'une vaste salle de bal que dans ce cagibi défraîchi. Dombrowski paraissait aussi écrasé par cette présence florale que l'était le mobilier de la pièce. Il se plaça devant le bouquet et l'examina d'un regard qu'il réservait d'habitude aux nuisibles. Judith ne l'avait encore jamais vu avec des fleurs. Elle nota avec amusement qu'elles lui faisaient perdre tous ses moyens.

— Pour toi ? demanda-t-elle. Ouah !

— Pas plus pour moi que venant de moi. Un homme l'a déposé tout à l'heure, il te demandait et voulait ton numéro.

— Et ?

— Je ne le lui ai pas donné, tu penses bien.

Dombrowski désigna une petite enveloppe plantée au milieu des fleurs. Judith la prit et la décacheta. L'enveloppe s'ouvrit comme un rien, et elle en conclut que Dombrowski avait déjà dû passer par là. Elle lut à haute voix :

« Nous sommes sincèrement désolés pour tous ces désagréments. Veuillez nous contacter au numéro ci-dessous. »

Sous le mot était écrit un numéro de portable. Elle pensa immédiatement à Karsten Michael Oliver Connard, mais avec la meilleure volonté du monde elle ne pouvait pas s'imaginer une seconde que ce type sache seulement épeler le mot fleurs.

— À quoi ressemblait-il ?

— J'en sais rien. Taille moyenne, plutôt âgé, croisement de conducteur de bulldozer et de fonctionnaire du Bureau d'hygiène.

Dombrowski se gratta la tête et regarda les roses comme si elles représentaient une menace mystérieuse.

— Bon : il y a eu un problème avec la camionnette ?

— Non.

— J'aimerais savoir ce que c'est que cette histoire. Si c'est un admirateur, je veux bien. Mais là, ce n'est pas juste un gentil petit bouquet. C'est un argument massue.

— Donne-les à ta femme. Peu importe laquelle.

— Tu me prends pour un taré ? Comme si j'étais capable de faire des conneries qui justifieraient ce genre de dépense délirante ! Qui est ce type ?

— Je n'en sais rien. Tu dois me croire. Je n'en sais vraiment rien.

Le Bocca di Bacco, dans la Friedrichstrasse, était surtout pris d'assaut les jours de semaine à l'heure du déjeuner. Le dimanche soir vers 19 heures, les dirigeants, politiciens, journalistes et mondains en tout genre préféraient rentrer chez eux, fourbus après leur golf ou autres activités de détente. Certains passaient juste en coup de vent retrouver ici leurs épouses, mises sur leur trente et un pour une sortie à l'opéra ou un vernissage réservé aux amis du Musée d'art moderne. Le Bocca di Bacco était donc encore assez vide. Plus tard, au cours de la soirée, il se remplirait peu à peu du beau linge venu après les réjouissances se sustenter de gnocchis aux amandes, de scampi à la cannelle et de suprême de faisan.

L'homme était assis près de la fenêtre. Cinquante ans, cinquante-cinq peut-être, bien bâti, calvitie avancée et couronne de cheveux coupés ras. Costume élégant, montre onéreuse. La tête d'un ancien boxeur de foire, affichant les manières de celui qui serait passé patron. Il aimait visiblement prendre beaucoup de place. Smartphone, iPad, trousseau de clés et journal s'étalaient sur la table, et la personne qu'il attendait – car de toute évidence il attendait quelqu'un – n'aurait qu'à se faire toute petite.

S'il savait qu'il était observé, du moins n'en laissait-il rien paraître. Il était arrivé une demi-heure avant son rendez-vous, avait commandé une bouteille de vin rouge et passé quelques coups de fil. Il contemplait de temps à autre la rue avec ennui. Quand la demi-heure fut passée, il regarda régulièrement sa montre. Il mangea une tranche de pain blanc trempée dans une coupelle d'huile d'olive, et son corps changea imperceptiblement de langage. De détendu il devint attentif et d'attentif, irrité. Lorsqu'il fut certain qu'on lui avait posé un lapin, il sembla gagné par la nervosité. Au bout d'une heure, il héla le serveur et paya, quitta le restaurant et se dirigea vers la station de métro la plus proche. Il devait faire dans les un mètre quatre-vingts, sa démarche était droite et assurée. Ses traits vigoureux se tordirent en une grimace maussade quand il fut contraint de s'arrêter pour laisser passer les voitures – ce qu'il prenait à n'en pas douter pour un crime de lèse-majesté –, sur quoi il allongea le pas et fit cap vers la bouche de métro sur le terre-plein central.

19 h 42. La rame suivante était annoncée dans quatre minutes. Judith s'éloigna discrètement du mannequin drapé d'une large robe en viscose et rangea sans hâte ses jumelles dans sa poche. Les immenses vitrines se trouvaient juste de l'autre côté de la rue et appartenaient à une chaîne de vêtements à bas prix, sur laquelle MacClean avait mis le grappin. Au premier étage, un ancien collègue faisait les sols avec une polisseuse. Elle gravit quelques marches sur l'escalator arrêté et lui fit un signe de la main. Il prit acte de son départ d'un bref hochement de tête. Puis elle quitta le bâtiment par l'escalier de service.

Au milieu des marches de la station Französische Strasse, elle s'immobilisa et attendit. Bientôt les vibrations du sol annoncèrent l'approche du train et son entrée dans la station. Le crissement des freins et le puissant courant d'air captèrent l'attention des quelques rares personnes présentes sur le quai. Judith vit l'homme monter à l'avant du train sans même se retourner. L'annonce du départ retentit, elle avança d'un pas, les portes se refermèrent derrière son dos et la rame s'ébranla.

L'homme était assis seul sur une banquette côté fenêtre, dans le sens de la marche. Quand Judith se laissa tomber sur le siège à côté de lui, il leva la tête d'un air irrité, car à part deux étudiants et une touriste asiatique visiblement paumée avec son plan plié en dépit du bon sens, le wagon était vide. L'homme vit son jean fatigué, ses vieilles chaussures de sport et son tee-shirt défraîchi.

— Pardon pour le retard, dit-elle.

Il leva les sourcils, seul signe extérieur de surprise qu'il voulut bien s'autoriser.

— Madame Kepler ?

Elle acquiesça. Il lui tendit la main, que Judith ignora.

— Jürgen Weckerle. Ravi de vous rencontrer. Vous êtes bien mieux au naturel.

Si c'était un compliment, il avait encore des progrès à faire. Mais au moins elle était fixée : c'était bien à lui qu'elle avait susurré ses mots doux avant de givrer la caméra.

Le train quitta le tunnel et entra dans la station Stadtmitte. Le changement d'aiguillage secoua la rame. Judith se recroquevilla sur le bord du siège pour éviter tout contact avec cet homme dont elle doutait fortement qu'il soit venu au monde sous le nom de Jürgen Weckerle.

— C'était quoi ce clown dans l'appartement de Borg ?

Weckerle regarda à la ronde, mais les rares passagers étaient assis trop loin pour pouvoir entendre le moindre mot de leur conversation.

— Une question pour une autre : pourquoi avez-vous détourné des biens de l'État ?

— La caméra ? Le gardien la revendra aux puces, j'imagine.

La bouche charnue de l'homme se tordit en une grimace. Il voulait sans doute esquisser un sourire, mais son visage se crispa très vite et le sourire resta coincé quelque part à l'état d'ébauche.

— Eh bien, nous espérons qu'il pourra en tirer quelque chose.

— Qui est « nous » ?

La rame démarra.

— Nous sommes une entreprise de sécurité aux compétences et champs d'intervention très diversifiés.

— Vous avez enregistré un meurtre.

Weckerle se tourna vers la fenêtre et regarda défiler les murs noirs de suie du boyau souterrain.

— Vous avez tout vu en restant les bras croisés. Vous savez qui est le meurtrier et ce qu'il cherchait. Hé ho, je vous parle.

Weckerle se retourna vers elle avec un soupir désolé, aussi peu crédible que son histoire d'entreprise de sécurité.

— Nous n'en savons rien.

Il avait des yeux marron clair, aux cernes sombres, presque violets. À la lumière des néons du wagon, il avait l'air tout sauf en forme.

— Il était masqué. Comme vous.

Son demi-sourire avait quelque chose d'inquiétant.

— Bien tenté, dit Judith. Mais vous pouvez laisser tomber votre numéro. Tant qu'il n'y a officiellement ni meurtre ni meurtrier, je suis à l'abri de tout soupçon.

— Je me réjouis que vous voyiez les choses ainsi. C'est du reste une erreur très répandue que de penser que la police crie la nouvelle sur tous les toits dès qu'il y a un mort quelque part. Les analyses de la police scientifique mettent parfois des semaines avant de conclure s'il y a homicide. Et je ne me rappelle pas avoir jamais vu la police rameuter la presse après des mois pour annoncer :

« Hé, les gars, cette chute dans l'escalier ou ce suicide présumé, eh bien, finalement, c'était un meurtre. » Non. Si l'on devait alerter l'opinion publique sur tous les crimes, ce serait panique à bord. Ou pas loin.

— Ne prenez pas les flics pour plus bêtes qu'ils ne sont.

— Vous êtes une femme hors du commun.

Judith renâcla. Elle connaissait la chanson et ne lui avait pas demandé de faire des commentaires sur ses traits de caractère.

— Personne n'avait encore réussi à mettre en déroute un de nos techniciens. Qu'est-ce qu'il y avait dans cette bouteille ? Il est en arrêt maladie depuis.

— De l'oxygène. À vrai dire, il devrait plutôt être requinqué.

Ils gardèrent le silence jusqu'à la station Kochstrasse-Checkpoint Charlie.

— Cartes sur table, reprit Weckerle, une fois passé le chassé-croisé des voyageurs. Vous avez quelque chose que nous recherchons. Donnez-le-nous.

— Les cartes d'identité de Karsten Michael Oliver Machin Chose ? Elles sont chez Quirin Kaiserley.

Judith guetta sa réaction. Il garda le contrôle de lui-même, seule une ombre passa sur son visage, trahissant sa perplexité.

Il jouait son rôle quasiment à la perfection.

— Qui est-ce ?

— Là, vous vous ridiculisez. Je n'ai quand même pas besoin de vous le dire.

— Vous parlez de cet écrivain ?

— Si vous voulez, oui.

— Et pourquoi avoir laissé ces documents précisément chez lui ?

Parce que crétine comme je suis, je les ai oubliés, pensa Judith. *Mais je peux aller les rechercher quand je veux*.

— M. Kaiserley saura quoi en faire, répondit-elle. J'ai cru comprendre qu'il était spécialisé dans « les entreprises de sécurité internationales ».

Weckerle croisa les bras sur sa poitrine. Elle s'était attendue à le voir monter dans une berline, et elle avait prévu de l'intercepter à ce moment-là. Le fait qu'il voyage en métro ne collait pas avec le personnage qu'elle avait observé au Bocca di Bacco.

— Je dois vous mettre en garde, dit-il. Kaiserley n'est pas un type sérieux. Je ne sais pas ce qu'il vous a raconté, mais à votre place je vérifierais plusieurs fois ses propos.

— C'est ce que je suis en train de faire.

Le regard de Weckerle changea. Il semblait la passer aux rayons X. Peut-être se disait-il qu'elle ne se laisserait pas si facilement renvoyer dans les cordes. Elle soutint son regard.

— Qu'avez-vous trouvé d'autre ? demanda-t-il.

— Rien.

— Madame Kepler, pourquoi n'êtes-vous pas honnête avec moi ?

— Retournez-vous la question et vous aurez la réponse.

— La victime et vous, vous vous connaissiez ?

Judith fixa le plan du métro affiché dans la rame.

— Je serais tenté de croire que vous vous connaissiez, poursuivit-il, et que Kaiserley est le chaînon manquant. Que lui vouliez-vous ? La même chose que Borg ?

Surprise, elle tourna la tête et le considéra avec méfiance.

Il eut un sourire débonnaire.

— Un conseil d'ami : apportez-moi ce que vous avez. À moi et à personne d'autre.

— Car sinon ?

Il se leva. Station suivante : Hallesches Tor. Elle le suivit jusqu'à la porte. Il se tint à la barre et attendit que le train s'immobilise.

— Nous vivons dans un pays libre. Vous avez le choix. Personne ne peut vous forcer à quoi que ce soit.

— Car sinon ? répéta-t-elle.

Les portes s'ouvrirent dans un sifflement d'air comprimé. Weckerle lâcha la barre et lui tendit la main en guise d'au revoir, mais Judith l'ignora de nouveau. Il se détourna avec un haussement d'épaules et sortit sur le quai.

« Attention à la fermeture des portes. »

Weckerle leva la tête en fronçant le nez, comme s'il flairait un courant d'air.

— La malédiction de Sassnitz vous rattrapera à votre tour.

— Sassnitz ? Hé ho !

Les portes se refermèrent. Judith se jeta contre elles, secoua la poignée, tapa des paumes sur la vitre rayée. Weckerle montait déjà l'escalier. Le train repartit, l'éloignant de lui toujours plus vite, et les murs du tunnel engloutirent le regard de Judith, emportée dans l'obscur labyrinthe des sous-sols de Berlin.

8

Couché sur son lit, Kevin glissait à travers les souvenirs et les voix comme un surfeur, hésitant entre l'envie de replonger dans le limon de ses rêves et la tentative de se réveiller pour de bon. Son corps était léger, presque flottant, comme dissous, et se métamorphosait en une mer jaune tendre, parsemée de petits points blancs frétillants qui le mangeaient avec voracité.

Il se redressa en sursaut et, les yeux écarquillés, fixa le bout de son lit. Il remua les jambes, les pieds, leva les bras, renifla son tee-shirt, puis bondit hors du lit et se précipita dans la salle de bains, où il resta sous la douche pendant une bonne demi-heure. Il n'était pas sorti de chez lui de tout le week-end. Il avait renoncé à traîner dans la cité avec les autres, paniqué à l'idée qu'ils puissent sentir cette odeur qui semblait lui coller à la peau comme de la poix.

C'était le boulot le plus barré dont il ait jamais entendu parler. Tout en se savonnant frénétiquement, il pensa à ce qu'il dirait à sa conseillère de l'Agence pour l'emploi et se demanda sérieusement s'il n'allait pas l'assigner en justice. Indemnités. Arrêt de travail. Traumatisme. Ce qu'il avait vu, senti et ressenti allait bien au-delà de ce que la psyché délicate d'un jeune homme de vingt et un ans était capable de supporter. Pourquoi une femme comme Judith faisait-elle un job pareil ?

Parce que je sais le faire. Contrairement à beaucoup d'autres.

Mais il avait tenu le coup. Il s'était attendu à un petit compliment, au moins ça, qu'elle l'encourage à revenir et à continuer. Au lieu de quoi, elle ne lui avait même pas dit au revoir. Comme s'il était clair pour elle qu'après une telle journée il avait eu sa dose. Pour qui elle se prenait ? Non mais ! Il se sécha, puis alla dans la cuisine, la serviette nouée autour des hanches. Il chercha dans la poubelle le planning qu'un géant en bleu de travail du nom de « Josef » brodé sur la poche lui avait remis vendredi. Hôpital Sainte-Gertrude. Début de service à 5 h 30, rendez-vous devant le portail chez Dombrowski. Départ à 6 heures. Fin de service à 15 heures. Ils étaient cinglés. Et tout ça pour 6 malheureux euros l'heure. Il fallait être complètement débile pour y aller.

Mais Judith n'était pas complètement débile. Elle le prenait pour un *loser*, un pauvre type qui n'arrivait même pas à décrocher un match nul dans son combat quotidien avec le réveille-matin. Kevin avait du mal à se faire à l'idée qu'elle pouvait avoir raison.

Une heure plus tard, juste avant midi, il se trouvait à l'arrière de l'hôpital, devant la porte où se donnaient rendez-vous tous les fumeurs incapables de tenir plus d'une heure sans en griller une. Il n'eut pas à attendre longtemps. Un essaim jacassant de blouses bleues – des femmes de diverses nationalités – franchit la porte-tambour et se chercha une petite place à l'ombre. La dernière, en retrait et silencieuse, était Judith. Elle consulta son portable puis le rempocha sans passer d'appel. Kevin était curieux de voir la tête qu'elle ferait quand il se pointerait devant elle. Si elle voulait lui faire la peau, elle n'avait qu'à lui dire en face. Kevin avait été suffisamment de fois flanqué à la porte pour pouvoir classer les modes de renvoi en deux catégories : la manière douce, du genre : « Je compatis mais tu comprends, je ne peux vraiment pas faire autrement, tu sais les affaires vont mal en ce moment, avec la crise et tout ça. » Et la sèche, économe en salive : « Tes papiers sont dans la pile du courrier, prends-les, va pointer tout de suite, ça te fera deux jours de gagnés. » Judith n'appartenait pas à la catégorie Bisounours. Bien décidé à lui tenir tête, il ravala avec peine la colère qu'il éprouvait chaque fois qu'on le prenait pour un raté.

S'approchant d'elle, il remarqua soudain qu'elle semblait épier quelque chose. La cigarette à la main, l'air de rien, elle traversa l'accès d'entrée d'un pas traînant, sortit dans la rue, puis gagna à grandes enjambées son minibus Dombrowski. Kevin piqua un sprint et la rejoignit au moment où elle ouvrait la portière.

— T'as déjà fini ta journée ?

S'il l'avait surprise, elle n'en laissa rien paraître. Elle se détourna et ouvrit la portière côté conducteur.

— Ou bien tu désertes ? dit-il.

Elle monta. Kevin se mit en travers de la portière pour l'empêcher de la fermer. Elle daigna enfin remarquer sa présence, et il comprit à son regard qu'il avait dû y avoir un problème. Son excuse jaillit tout d'un coup, sans même qu'il ait pu la retenir.

— Je suis en retard, j'ai dû me doucher pendant quatre heures.

— Seulement quatre heures ?

Elle eut un faible sourire. Il s'était attendu à un tas de réactions, mais sûrement pas à la trouver sur la défensive. Il était déçu et soulagé en même temps. Pour la première fois, il remarqua qu'elle avait les yeux bleu foncé, soulignés d'ombres noires et profondes. De deux choses l'une, ou bien elle n'avait pas fermé l'œil de la nuit ou bien elle avait une gueule de bois carabinée. Elle tira une dernière bouffée de sa cigarette puis la jeta par terre et, glissant à moitié du siège, l'écrasa du talon.

— T'as fini de me mater ?

En une seconde, elle était passée à l'attaque.

— Monte. Je n'ai pas l'éternité devant moi.

Le trajet jusqu'à la gare centrale dura à peine un quart d'heure, pendant lequel ils ne dirent pas un mot. Kevin se demandait si elle allait chercher quelqu'un ou voulait sauter dans le prochain train, lorsqu'elle laissa l'immense édifice à sa droite et s'engagea dans la Invalidenstrasse.

— On va où ? demanda-t-il, rompant le silence. Tu as une autre mission ? Encore un truc que personne d'autre n'est capable de faire ?

Avec une manœuvre hasardeuse, frisant l'accident, elle changea de file, parvint à un carrefour chaotique et, sous les Klaxon indignés des autres automobilistes, franchit la ligne blanche pour faire demi-tour.

— L.V.P.P.A., dit-elle, la vie privée passe avant. Le type avec qui j'ai rendez-vous a été un bleu comme toi. Alors ne te bile pas pour ta carrière, et fais simplement ce que je te dis. Reste dans la voiture. Si un crétin te demande ce que tu fiches là, fais le tour du bâtiment.

Elle arriva devant une barrière et appuya sur le bouton de l'Interphone.

Kevin examina l'édifice gris à la façade en béton délavé. Une pancarte au mur indiquait : CENTRE BERLINOIS DES AFFAIRES SANITAIRES. La barrière se leva. Judith s'engagea dans une cour avec parking réservé, se gara sur la place d'un certain professeur Weihrich, descendit et fit un signe de tête vers Kevin qui se glissa sur le siège conducteur.

Judith se dirigea vers un pavillon attenant et s'enfonça dans une entrée réservée aux voitures. Kevin la suivit du regard. Affaires privées. Sauf que cette affaire-là ne ressemblait pas franchement à un rendez-vous galant. Une femme comme Judith savait-elle au moins ce que c'était ?

Il avait du mal à lui donner un âge. Pour Kevin, les relations entre les sexes se jouaient essentiellement en dessous de la ceinture. Passé la trentaine, les femmes ne rentraient plus dans sa vision du monde. Elles étaient à ses yeux à peu près aussi désirables que des bas de contention ou des jardinières de géraniums. Mais Judith restait un mystère. Un vrai casse-tête. Elle avait en elle quelque chose de provocateur. Elle n'attendait rien. Ni ponctualité ni sens de l'ordre. Et elle ne l'avait pas viré.

Il descendit du véhicule et lui emboîta discrètement le pas. Il découvrit une cour plus large où stationnaient quelques camionnettes sur lesquelles il lut en lettres blanches : MÉDECINE LÉGALE. Une deuxième plaque : AUTOPSIES. Kevin mit un petit moment à faire le lien entre les deux énoncés. Arrivé sur le perron, il finit par comprendre : il se trouvait sur le parking d'une morgue.

Judith était décidément une *freak*. Kevin fit demi-tour et retourna au minibus. Le boulot et les rancards de cette fille étaient un tantinet trop morbides à son goût.

— Ce type est avec toi ?

Judith jeta un œil par-dessus l'épaule d'Olaf Liepelt, ce qui n'était pas une mince affaire car il faisait une bonne tête de plus qu'elle. Tout chez cet homme était un peu trop long – les bras, les jambes, le nez, le torse –, sans compter qu'il était incapable de tenir en place et se balançait constamment sur ses pieds d'avant en arrière. Il portait la blouse blanche réglementaire pour la zone de protection 1. Ses cheveux blond-roux coupés ras faisaient penser au pelage d'un phoque. Sa grosse moustache et sa manie de plisser le front à la manière d'un penseur inspiré, même quand il ne pensait à rien de spécial, accentuaient par moments son petit air d'éléphant de mer. Il sortit un paquet de chewing-gums de la poche de sa blouse et en proposa un à Judith. Elle déclina, tout en suivant du regard Kevin qui s'en allait dare-dare.

— Un nouveau. Bleu de chez bleu. Soit il dégobille, soit il fourre son nez partout. Je ne sais pas encore quoi penser de lui.

— Fais comme d'habitude. Vire-le.

— Justement. Pourquoi tu crois que je ne trouve jamais personne ?

Olaf la gratifia d'un regard de bébé phoque, qui pouvait tout aussi bien s'interpréter comme un signe de compassion envers des stagiaires menacés. Après tout, lui-même en avait été un autrefois.

Elle se détourna de la fenêtre et s'approcha du panier à dossiers suspendus qui trônait sur la table. Liepelt l'avait apporté dans cette pièce située à l'arrière de la chambre froide où étaient entreposés les nouveaux arrivants. Il s'agissait du bureau du Pr Weihrich, qui dans moins d'un quart d'heure rentrerait de son cours à l'hôpital de la Charité et serait très moyennement ravi de surprendre son assistant la main dans les dossiers en compagnie d'une inconnue. Sans parler de la place de parking occupée. Olaf se mit à côté de Judith et, après une brève recherche, pêcha une chemise à pinces qu'il soumit, les yeux plissés, à son examen minutieux.

— Christina Borg. Effectivement chez nous. Admise il y a deux semaines, autopsiée le soir même et…

— Donne.

Judith lui arracha le dossier des mains, l'ouvrit et feuilleta les photos de la scène du crime. Une femme en tee-shirt et culotte, étendue par terre, dans une pose peu naturelle, contorsionnée, le visage cireux, un trou rond et rouge sombre au milieu du front. La bouche entrouverte, les traits détendus, les yeux fermés. Après le meurtre, le repos éternel.

— Rends-le-moi !

Elle tourna le dos à Liepelt et examina les clichés de l'autopsie. Poitrine. Épaules. Impacts de balle. Gros plans. Constats du labo. Résultats de l'autopsie. Olaf contourna le bureau et voulut lui reprendre la chemise des mains. Elle esquiva.

— Qu'est-ce qui t'intéresse tant que ça chez elle ?

— Tout.

— Pourquoi ?

Elle releva brièvement les yeux.

— J'étais le cleaneur.

— Oh ! merde, murmura Liepelt. Faut pas prendre ces histoires trop à cœur, tu sais.

Elle secoua la tête d'un air exaspéré et survola le rapport d'autopsie.

— Judith, on n'a pas le temps !

— On lui a trouvé quelque chose de particulier ?

— Elle a été abattue.

— Très drôle. Pas de signes distinctifs ? Rien de frappant ?

— Des traces de maltraitance datant de son enfance, je crois. Deux fractures pas soignées et mal réduites. Simple supposition.

Oh ! non. Bien plus qu'une supposition.

— Je veux la voir, dit-elle tout à coup.

— Qui ?
— Borg.
— Ça va pas la tête ?
Mais Judith avait déjà regagné la porte. Les photos relataient les faits, le crime. Ce qu'elle voulait, elle, c'était voir de ses propres yeux la victime, l'être humain, la femme que Borg avait été et qui, enfant, avait subi le même sort qu'elle. C'était une chose qu'on ne pouvait pas comprendre quand on n'avait pas connu le foyer. Une pour toutes, toutes pour une. Dans la vie, et *a fortiori* dans une morgue.
— Elle est encore chez vous. Montre-la-moi.
Olaf leva ses longs bras dans une tentative désespérée pour la dissuader. Rien n'y fit. Judith glissa le dossier dans la ceinture de son pantalon.
— Tu sais bien que je n'ai pas le droit de faire ça. Profanation des morts. Weihrich va me tuer !
— Weihrich n'en saura rien. Et quand bien même. (Elle eut un ricanement.) Tu reviendras bosser avec moi, et voilà.
— Ton boulot de merde, je m'en passe, merci bien. Comment ai-je été assez stupide pour te laisser entrer ? Rends-moi ce dossier !
— Après. C'est par là ?
Elle ouvrit la porte, scruta le couloir et disparut.
— Et merde, murmura Olaf. Et merde.

Quirin Kaiserley se tenait devant l'entrée du bâtiment de la PJ, dans la Keithstrasse, quartier de Schöneberg. Ses chances de découvrir quelque chose sur l'affaire Borg avoisinaient zéro. Il le savait. Pendant tout le week-end, il avait procédé à des recherches sans trouver la moindre mention du meurtre présumé. Il fallait donc commencer par savoir si cette Judith Kepler avait dit la vérité. Si oui – et Quirin, après deux nuits presque blanches à passer en revue toutes les alternatives possibles, partait du principe que oui –, la police devait au moins détenir quelque part une trace écrite de cette affaire. Un numéro de dossier. Une adresse. Un déroulé des faits. Un journal des appels, l'adresse d'un voisin, les pompiers, la médecine légale. Le labo. Des témoignages. Et même si dans les hautes sphères tout avait été aussitôt mis sous clé, une petite main avait bien dû traiter l'affaire au départ. Borg avait été tuée dans un appartement berlinois. Même si la criminelle, le BND et les renseignements intérieurs se disputaient le dossier, il devait bien y avoir des témoins. Témoins de la suite des événements, à défaut du crime lui-même.

L'hôtesse d'accueil, la cinquantaine bien sonnée, hurlait au téléphone à quelqu'un qui était manifestement incapable de réparer un lave-linge. Sans prendre la peine d'éloigner l'écouteur, elle se tourna vers Quirin et ouvrit une petite fenêtre ovale dans la paroi vitrée.

— C'est à quel sujet ?

— Il s'agit du meurtre de Christina Borg.

— Oui, et alors ?

— Je souhaiterais parler à la personne en charge du dossier.

— Un instant, s'il vous plaît.

Elle soupira avec un agacement à peine dissimulé et poursuivit dans le combiné :

— Pas la pompe. Ça ne peut pas être la pompe. Je rappelle plus tard.

Elle raccrocha.

— Quel nom déjà ?

— Borg. Christina Borg.

— C'est bon, j'ai compris. De la part de qui ?

— Mon nom est Quirin Kaiserley.

— Pardon ? Qui… quoi ?

Il épela patiemment.

— C'est pour une plainte ?

— Non. Je souhaiterais parler à la personne qui enquête sur ce meurtre.

— Un témoignage, donc.

— Je souhaite…

Quirin s'interrompit. La femme le toisa avec la même méfiance que celle qu'elle manifestait à l'égard des installateurs de lave-linge.

— Nous ne délivrons aucun renseignement. Pour cela, adressez-vous aux services des relations publiques. Ici c'est pour les plaintes ou les témoignages. Alors ? C'est pour ?

— Un témoignage, répondit Quirin.

— Déclaration aux fins d'enquête, donc. Quelle affaire ?

— Borg. Christina Borg.

— Veuillez vous asseoir et attendre un instant, s'il vous plaît.

Sur ce, la dame désigna une banquette en bois dans le couloir et referma son hublot, sans le quitter des yeux. Quirin s'assit sous le portrait-robot d'un braqueur de banque et observa la femme qui décrochait le combiné et composait un numéro. Il ne pouvait pas l'entendre, mais il vit qu'elle changeait soudain d'attitude. Elle hocha brièvement la tête, raccrocha et, derrière sa vitre, le scruta comme s'il était assis sous son propre avis de recherche.

D'une démarche aérienne, Olaf s'élança à la poursuite de Judith, les pans de sa blouse voletant dans son dos. Il la rattrapa au bout du couloir, là où arrivaient les corps.

— Pas par là. Ici c'est le coin des nouveaux venus.

Judith se laissa manœuvrer à travers les couloirs, marchant un demi-pas derrière son guide, baissant la tête dès que quelqu'un venait en sens inverse. Deux êtres en blouse de travail cheminant vers une banale petite catastrophe à faire disparaître au plus vite. Les lieux sentaient le désinfectant chauffé par le soleil. Et l'après-rasage d'Olaf, dont il devait verser des litres dans son col de chemise.

— À charge de revanche ! lança-t-il.

Ils atteignirent une lourde porte en acier brossé. Olaf inspecta les alentours. Personne à la ronde.

— Par là.

Il actionna la poignée du coude et pénétra le premier dans une pièce carrelée horriblement froide.

— Zone de protection maximale.

Il pointa du doigt une blouse bleu ciel accrochée au mur à côté du lavabo. Judith l'enfila. Olaf attendit qu'elle soit prête, prit une profonde inspiration, jeta un œil à sa montre et ouvrit la seconde porte.

— Tu es sûre que c'est ce que tu veux ?

Pour toute réponse, Judith se faufila devant lui. La première chose qu'elle sentit fut l'air polaire. Le grand thermomètre posé sur l'étagère indiquait – 6 °C. C'est là qu'étaient stockés les corps, en quatre rangées superposées, chacun remisé dans un compartiment sur une civière à roulettes, et empaqueté dans une housse en plastique blanc. Olaf ferma la porte derrière lui. Deux vivants dans l'entre-monde, parmi une bonne quarantaine de morts.

— Maintenant rends-le-moi, grogna-t-il.

Elle lui passa le dossier. Olaf le jeta sur un long chariot à sa gauche et se mit à comparer le matricule de Borg avec les écriteaux des rayonnages. Il se baissa, examina la rangée inférieure, puis avança vers la gauche tout en poursuivant son opération. Au bout de quelques pas, il s'arrêta. Il rendit le dossier à Judith, car il avait besoin du chariot, qu'il devait arrêter devant le rayon. Profitant de l'occasion, Judith fit disparaître le dossier sous sa blouse. Olaf tira du compartiment une civière métallique. Le cadavre d'une femme était couché dessus. Taille moyenne, empaquetée, immatriculée, remisée dans un tiroir sans états d'âme ni larmes.

Judith sentit des frissons parcourir tout son corps. Ce devait être le froid, ou bien ses nerfs qui lui jouaient un sale tour. Elle allait enfin voir la femme qui avait bravé le BND et mis la main sur son dossier d'admission. Elle fit un signe à Olaf, qui ouvrit la fermeture Éclair de la housse mortuaire.

Une longue chevelure brune en jaillit. Le regard de Judith tomba en premier sur l'impact au milieu du front, sorte de tatouage exotique qui donnait à la morte l'aspect d'une divinité étrangère et sévère. Borg n'était pas une belle femme. D'épais sourcils bruns, de larges pommettes, une bouche fine et dure. Judith se demanda si cette femme avait ri parfois, et à quoi elle avait dû ressembler dans ces moments-là. Le rire vous transforme. Le rire dévoile votre âme pendant une fraction de seconde. Franc et généreux, gloussant et puéril, sardonique et abject, le rire vous révèle. Voilà pourquoi Judith ne riait pas souvent.

Elle ne l'avait jamais vue auparavant. Elle se serait souvenue de quelqu'un comme Borg, car son visage, même dans la mort, trahissait quelque chose de cette force et de cette droiture inflexibles qu'elle avait dû avoir vivante. Une femme pareille, ça ne s'oubliait pas. Dangereuse pour qui n'était pas de son côté. Judith eut un pincement au cœur à l'idée qu'elles étaient et resteraient pour toujours étrangères l'une à l'autre.

— Tu veux en voir un peu plus ?

La voix d'Olaf trahissait l'impatience. Apercevant la suture qui commençait juste sous le menton, Judith fit non de la tête. Toutes les informations importantes étaient consignées dans le rapport d'autopsie. Judith leva la main et la posa sur le front de Borg, au-dessus de l'impact de balle et des paupières fermées. Olaf siffla d'indignation.

— Tu es folle ? Il est formellement interdit de toucher les corps !

Froid. Comme du marbre dans un palais de glace. Judith caressa le visage de Borg du bout des doigts.

— Elle ira où ?

— Aucune idée. Personne ne s'est manifesté. Dès que les flics la libèrent, on contacte Schneider.

Obsèques Gerhard Schneider. Le requin des pompes funèbres, leader incontesté du marché. À croire qu'il avait conclu un pacte avec la totalité des hôpitaux et des procureurs de Berlin : Schneider et son escadre étaient partout, et toujours les premiers.

— Crématorium, j'imagine. C'est ce qu'il y a de moins cher. Pas de famille. Du moins personne ne s'est signalé. Ah non, hein, tu ne vas pas tourner de l'œil ! Qu'est-ce qui t'arrive tout d'un coup ?

— Rien, chuchota Judith.

Rien. Olaf remonta la fermeture Éclair. Elle repoussa les cheveux de Borg pour éviter qu'ils ne se coincent. Et parce qu'il fallait bien que quelqu'un caresse une dernière fois ce visage qui disparaissait sous le plastique blanc. Pas de famille. Et son dernier voyage était pour le crématorium, parce que c'était ce qu'il y avait de moins cher.

Olaf rangea Borg dans son compartiment. Judith attendit qu'il ait bloqué la civière, puis le suivit en silence vers la sortie. Rien, non, vraiment rien. À part cette douleur soudaine qui lui serrait le cœur. Elle qui ne savait même pas qu'elle en avait encore un.

— Monsieur Kaiserley ?

Un jeune homme d'à peine trente ans, corps sec et nerveux, douché de frais – à moins que l'effet mouillé de ses cheveux ne fût dû à une tonne de gel –, vint dans sa direction, les semelles de ses baskets crissant sous ses pas. Quirin se leva et serra la main tendue.

— Enchanté. Franz Ferdinand Maike. Mon nom m'en fait baver à peu près autant que le vôtre.

Quirin grimaça un sourire.

— Je suis commissaire divisionnaire de la brigade criminelle. Suivez-moi, je vous prie. Vous souhaitez faire une déposition ?

Quirin laissa Franz Ferdinand Maike croire ce qu'il voulait. Maike était un peu plus petit que lui. Un homme preste et agile, à l'énergie d'un adolescent, qui sans demander son avis à Quirin laissa l'ascenseur sur sa gauche et grimpa les trois étages au pas de course. Maike avait déjà atteint son bureau quand Quirin était encore une demi-volée de marches en arrière. Toujours frais comme un gardon, Maike ouvrit à son visiteur la porte d'un petit bureau impeccablement rangé et le pria de prendre place.

— Monsieur Kaiserley. Qu'est-ce qui vous amène exactement ?

— Est-ce vous qui instruisez l'affaire Borg ?

— Mmm… oui.

Maike croisa les mains et les posa sur le sous-main vert olive de son bureau de petit serviteur de l'État.

— Pourquoi cette affaire n'est-elle pas rendue publique ? Je connaissais Christina Borg. J'aurais aimé être informé de son décès.

Quirin bouillait encore d'une colère sourde. Il s'était fait hara-kiri en direct chez Westerhoff. Et voilà que Borg avait été assassinée et que personne dans cette ville ne semblait en avoir officiellement connaissance.

— Je suis désolé. Vous la connaissiez ? (Maike se pencha en avant.) D'où ? Et depuis quand ?

— Christina Borg m'a contacté *via* mon éditeur. J'écris des ouvrages spécialisés.

— Ah oui.

Maike ne broncha pas. Soit il n'avait jamais entendu parler de Kaiserley, soit il était en train de le ranger dans la catégorie des journalistes fouineurs.

— Nous nous étions rencontrés ici, à Berlin, poursuivit Quirin. Elle s'intéressait aux mêmes sujets que moi et m'avait proposé de m'aider dans mes recherches.

— Ah bon ? Quels sujets ?

— Sécurité intérieure, débats sur la prescription, BND, Stasi, division centrale A. XIIe section.

Maike hocha la tête. Il ne comprenait probablement que le mot « Stasi ».

— Et alors ? Elle a pu vous aider ?

— Malheureusement non. Elle n'est pas venue à notre dernier rendez-vous. C'est pourquoi j'aimerais savoir ce qui s'est passé.

— Comme nous tous.

Maike se renversa sur son siège. Le bureau donnait sur la cour intérieure. Il n'y avait rien d'autre à voir que la façade grise du bâtiment d'en face.

— Vous comprendrez certainement que nous ne pouvons vous fournir aucun renseignement sur une enquête en cours. Mais n'hésitez pas à nous laisser vos nom et coordonnées (Maike ouvrit un tiroir et en sortit un formulaire), et nous vous contacterons en temps utile, si nous avons des questions.

Il poussa la feuille vers Quirin, qui la saisit puis, sans se hâter, la déchira en petits bouts.

— Et vous, vous comprendrez certainement que je n'en crois pas un traître mot. Dites-moi : qui est en charge du dossier au bureau de la sécurité publique de la mairie de Berlin ? À moins que l'affaire n'ait déjà atterri au ministère fédéral de la Justice ?

Maike avança la mâchoire inférieure, et son visage juvénile, où les déceptions de la vie n'avaient encore laissé aucune trace, prit l'expression d'un chiot pitbull abandonné.

— Et avant de vous précipiter sur le téléphone pour prévenir votre supérieur, songez que cette affaire n'est plus entre ses mains depuis un moment déjà. Je vous l'ai dit : les questions de sécurité intérieure, je m'y connais.

— Je suis désolé, je ne peux rien faire pour vous.

— Alors laissez-moi vous expliquer ce que, moi, je peux faire pour vous. Je vais commencer par lâcher la meute des journalistes afin de chauffer l'opinion publique de ce pays. La presse viendra défoncer vos portes. Le meurtre non élucidé d'une jeune femme dissimulé au public ? Quel manque de professionnalisme. Qui donc a ordonné une telle procédure ? Et pourquoi ?

— Vous n'espérez tout de même pas…

— Je veux savoir qui a repris le dossier.

Maike décrocha le téléphone. Véloce, Quirin se pencha en avant et coupa la connexion.

— Est-ce encore un simple meurtre, est-ce déjà beaucoup plus ? Des têtes tombent-elles déjà ?

— Calmez-vous, monsieur.

Maike raccrocha. Sa belle assurance commençait à vaciller.

— Si vous espérez obtenir des informations de notre part, c'est que vous êtes complètement fou.

— Et vous naïf, Maike. Monsieur le commissaire divisionnaire Maike. Alors, c'est agréable de se laisser conduire en laisse comme un gentil chien-chien ?

La main de Maike se jeta de nouveau sur le combiné.

— Dites-moi qui traite l'affaire et je ne vous embêterai plus, dit Quirin. Et je vous laisserai à ce que vous appelez votre travail.

Maike avança de nouveau sa mâchoire inférieure. Encore quelques années, et il ressemblerait à un vieux bouledogue.

— Je ne devrais pas écouter ces conneries.

— Mais vous le faites.

Quirin sentit le mur du refus s'effriter peu à peu.

— Pourquoi appeler votre chef, alors qu'il a été castré comme vous ? Pour laisser à un autre eunuque le soin de me virer d'ici ?

— Les dossiers sont partis en copie à Schwerin. Demandez là-bas. Si on vous laisse faire.

— Schwerin ?

— Au ministère de l'Intérieur du Brandebourg.

Maike était assez futé pour éviter de prononcer les mots renseignements intérieurs. Le dossier Borg avait changé de direction d'enquête et atterri dans un service pour lequel Quirin aurait à sortir une artillerie d'un tout autre calibre. Réactiver de vieux, très vieux contacts.

Qui connaissait-il encore ? Qui pouvait-il mettre dans la confidence pour obtenir de l'aide ?

— Mais je ne vous ai rien dit. Nos services se sont limités à l'enquête criminelle.

— Avec quel résultat ?

— Bien tenté. Tenez, puisque vous êtes ici, connaissez-vous cette personne ?

Maike sortit une photo d'une pile de dossiers. Quirin y jeta un œil. Elle montrait Judith Kepler marchant dans une pièce avec des gants de travail et un seau à la main. Sur sa blouse bleue figurait le nom Dombrowski. La firme, connue dans toute la ville, devait être depuis un moment dans le collimateur des enquêteurs.

— Non. Qui est-ce ?

— Si je comprends bien, vous ne savez pas où elle se trouve ? Vous n'avez aucun contact avec cette personne ?

— Non.

— Monsieur Kaiserley, si jamais il en allait autrement, prévenez-moi immédiatement. Et au cas où vous seriez adepte des théories du complot, dites-vous bien ceci : nous sommes du bon côté.

Maike reposa la photo.

Quirin se leva et lança :

— Prouvez-le au lieu de le dire.

Dombrowski. Au moins il savait maintenant où trouver Judith Kepler. Elle possédait quelque chose, et elle savait quelque chose. Et il n'était pas question qu'elle reste toute seule avec ces deux choses-là.

Judith suivit Olaf dans le vestibule carrelé. Après ces quelques minutes de froid glacial, la pièce paraissait chaude comme un four. Elle retira la blouse, qu'elle plia et posa sur l'étagère. Puis ils retournèrent en toute hâte dans le bureau de Weihrich par l'enfilade de couloirs.

— On a eu de la chance. Mais ne me demande plus jamais une chose pareille. À moins que…

Judith s'approcha de la fenêtre et regarda dans la cour. Une BMW noire franchissait l'entrée et se dirigeait vers le parking réservé.

— Quoi ?

— … qu'on prenne un verre un de ces jours. Ma proposition n'est pas nouvelle, je crois.

Judith plissa les yeux et observa la scène : le Pr Weihrich venait de garer son véhicule sur la place d'un collègue et en sortait avec humeur, foudroyant du regard la camionnette de Dombrowski. Elle se demanda ce que pouvait bien fabriquer Kevin.

— Ton chef arrive.

— Merde. Tire-toi, et vite.

Olaf ouvrit la porte à toute volée et courut dans le couloir.

— Grouille-toi !

Dans le hall d'entrée, Olaf poussa Judith par la porte tourniquet au moment précis où Weihrich l'abordait par l'autre côté. Olaf la raccompagna dans la cour.

— C'était moins une, dit-il, soulagé de savoir Judith enfin dehors.

— Alors ? Tu dis quoi ?

Olaf avait une petite trentaine d'années. C'était un gentil. Il éveillait des instincts protecteurs. Autant dire qu'il n'était pas du tout le genre de Judith. Il avait besoin d'une femme aux petits soins, tandis qu'avec elle, même les cactus mouraient de soif.

— Vendredi soir ? Juste pour une bière ?

— J'aime pas la bière.

— T'aimes autre chose ?

— Désolée, faut que j'y aille.

Elle avait pour lui trop d'affection pour continuer à lui faire perdre son temps. En s'éloignant vers la sortie, elle se retourna une dernière fois. Olaf se tenait au milieu de la cour, droit comme le point d'exclamation derrière les mots « j'ai pris une veste ». Il s'en fallait d'un cheveu qu'elle ait pitié de lui. Mais un assistant en médecine légale était à peu près aussi sexy qu'un nettoyeur de scènes de crime. Et aucun des deux n'aimait le boulot de l'autre.

Quand Judith ouvrit la portière côté conducteur, Kevin faillit s'effondrer sur elle. Surpris, il se frotta les yeux. Un vrai narcoleptique, décidément.

— Tout va bien ? demanda-t-il en bâillant avant de se pousser sur son siège.

— Tout baigne.

Judith sentit les feuilles de papier contre sa peau. Ça grattait. Il fallait qu'elle se débarrasse au plus vite de ce boulet de Kevin pour pouvoir enfin jeter un œil au rapport d'autopsie. Mauvais traitements. Fractures. Et pour finir, abattue comme un chien. Elle attendit que la barrière se lève, puis, virant serré à faire tanguer le véhicule, lança la camionnette sur les chapeaux de roues. Elle repensa au flingue de Dombrowski et regretta d'avoir décliné son offre.

— Attention ! cria Kevin.

Elle eut tout juste le temps de braquer le volant. Klaxon à fond du poids lourd, choc, craquement hideux, adieu rétroviseur. Elle zigzagua pour retrouver la file. À l'arrière, les seaux et les outils s'entrechoquèrent et le marteau roula d'un bout à l'autre du porte-charges. Elle regarda dans le rétroviseur intérieur : le conducteur du poids lourd semblait n'avoir rien remarqué.

— Putain !

Kevin était enfin réveillé.

Au feu rouge suivant, Judith baissa la vitre et inspecta les dégâts. Le rétro était un modèle datant de Mathusalem, sans aucune valeur. Dombrowski enverrait le soir même quelqu'un à la casse pour se procurer une pièce de rechange. Kevin se tortillait nerveusement sur son siège. Il aurait sans doute préféré descendre.

Elle donna une tape sur la carrosserie, à la manière d'une cavalière claquant le flanc d'un cheval, lança un sourire carnassier à Kevin et appuya sur le champignon.

— Fais pas ta chochotte. Il ne s'est rien passé.

Elle lui fila son paquet de tabac. Il en sortit deux préroulées, les alluma et lui en tendit une.

— Écoute, dit-elle. Tu veux travailler ou tu préfères continuer à vivre de mes impôts ?

— J'ai pas envie de m'embarquer dans ce genre de discussion débile.

— D'accord.

Elle se concentra sur la circulation et décida de rentrer par le tunnel de Tiergarten. Deux kilomètres quatre en ligne droite. Reprendre ses esprits, réfléchir. Le visage de Borg surgit devant ses yeux. *Qui es-tu ? Tu vis en Suède et tu viens à Berlin. Avec mon dossier d'admission. Je ne suis jamais allée en Suède. Mais nos chemins ont déjà dû se croiser quelque part. Tu le savais. Pas moi.*

Le déclic fut si soudain qu'elle faillit se prendre le mur. L'enveloppe. L'expéditeur. Courrier sauvé des cendres du purgatoire. Entre la Suède et Berlin, il y avait Sassnitz. Tous les fils convergeaient. L'expéditeur vivait quelque part là-bas. Elle devait aller à Sassnitz.

Judith s'arrêta à l'arrière de l'hôpital, où quelques patients étaient regroupés autour d'un cendrier sur pied. Son portable se mit à vibrer. Pas besoin de regarder pour savoir que c'était Dombrowski.

— Qu'est-ce que je dois faire ? demanda Kevin.

Muet pendant le reste du trajet, il avait fini par se calmer.

Judith coupa le moteur.

— Laver les sols. Vider les seaux. En équipe. C'est peinard.

Si Dombrowski avait entendu ça, il se serait mis en pétard. Parfois il passait avec un chronomètre et, tout en secouant la tête et grommelant dans sa barbe, il notait dans un tableau le temps mis pour faire un couloir. Quelques jours plus tard, on recevait l'instruction écrite d'économiser une seconde par mètre carré. Jusqu'ici de telles consignes avaient toujours été ignorées par une sorte d'accord tacite.

— Et on s'arrête à 15 heures ?

Judith jeta un œil à l'horloge du tableau de bord. 13 h 02.

— Oui.

— Mais ça compte comme un jour plein, pas vrai ? Il me faut une semaine complète pour l'aide sociale.

— Ne tire pas sur la corde.

Il voulut descendre.

— Attends.

Judith porta la main à sa poche intérieure.

— Tiens, prends ma carte de pointage. Entre et présente-toi à Josef. Dis-lui que j'ai encore une affaire à régler. Une fois de retour à la boîte, passe-la dans la machine.

Kevin fixa la petite carte en plastique.

— Tu ne viens pas ?

— Je parle chinois ? Fais ce que je te demande et boucle-la.

Il prit la carte et la mit dans sa poche.

— Mais c'est donnant-donnant, dit-il.

Judith haussa les épaules. Elle attendit qu'il ait disparu dans l'entrée du bâtiment pour sortir son portable. Dombrowski avait essayé de la joindre une demi-douzaine de fois. Elle appuya sur la touche rouge jusqu'à ce que l'écran s'éteigne. Il était grand temps de retourner en enfer. Pleins gaz.

9

Klaus Dombrowski nourrissait des sentiments paternels. Rien de comparable, certes, avec ce qu'il avait ressenti à l'égard de ses trois enfants, nés de trois lits différents. Mais c'était ainsi, faute de mieux, qu'il qualifiait cet élan diffus de responsabilité vis-à-vis de Judith.

Debout dans son bureau, il observait le retour de ses employés comme un général romain observe l'entrée de ses cohortes victorieuses. Les camions faisaient des manœuvres dans la cour, les minibus se succédaient, déversant les équipes du matin à l'entrée des vestiaires. Il regarda la pendule – 15 heures tout juste passées. Josef fut le premier à descendre, suivi de ce stagiaire manchot dont Dombrowski ne donnait pas cher. Il avait su au premier coup d'œil qu'il faudrait à ce gamin un service militaire à la dure ou une formation avec un patron de la trempe de Judith pour avoir ne serait-ce qu'une vague chance de ne pas rater complètement sa vie. Six autres employés suivaient. Le dernier claqua la portière, le bus était vide. Judith manquait à l'appel. Ainsi qu'une camionnette.

Dombrowski fronça les sourcils. Trônant toujours dans son bureau, le bouquet de roses lui rappelait en permanence qu'il avait dû se passer quelque chose dans la vie de Judith, quelque chose qui justifiait qu'on ne lésine pas sur les moyens. Il sortit et se rendit au baraquement, où il surprit le stagiaire en train de glisser dans la pointeuse une carte qui ne pouvait pas être la sienne puisqu'il n'en avait pas. Dombrowski s'approcha par-derrière et la lui arracha des mains. Il étudia la photo sur la carte, puis le visage buté du gamin.

— Je ne vois aucune ressemblance, même vague, grogna-t-il en brandissant sous son nez la carte de Judith. Josef? (Aucune réponse.) Josef!

Le deuxième appel retentit à travers les salles carrelées comme la sonnerie du clairon. L'appelé, blouse déjà à moitié ouverte, passa la tête par la porte et regarda dans le couloir.

— Oui, patron?

— Suivez-moi. Tous les deux.

Ils passèrent dans son bureau et se postèrent devant lui, têtes baissées. Dombrowski arpentait la pièce comme un fauve en cage, avalant presque, de rage, son cigarillo.

— Où est-elle?

Josef leva la tête.

— Aucune idée, patron. L'autre là, il s'est pointé en me disant qu'il devait la remplacer. C'est elle qui l'aurait dit.

L'autre mordilla sa lèvre inférieure, s'adossa au mur à la manière d'un James Dean, les deux paluches dans les poches, et regarda par la fenêtre, le front plissé. Dombrowski se campa devant lui et resta ainsi jusqu'à ce que le gamin daigne le regarder dans les yeux.

— Pas de quoi en faire un plat, dit ce dernier. De toute façon, je me casse.

Il se décolla du mur et voulut partir. Mais Dombrowski le saisit par l'épaule et le remit brutalement dans la position initiale.

— Bouge pas. On n'a pas encore terminé.

— Hé ho !

Le gamin se frotta l'épaule comme si Dombrowski la lui avait déboîtée.

— Je lui ai juste rendu service.

— Où est-elle allée ?

— Elle ne me l'a pas dit.

— Et la camionnette ? Il y a un problème avec la camionnette ?

— J'en sais rien !

Le regard de Dombrowski se fixa sur Josef.

— D'un seul coup, elle a disparu dans la nature, fit remarquer le contremaître. Moi, je ne demande pas *qui* fait le travail, du moment qu'il est fait.

Dombrowski fulminait. Il savait qu'il se passait certaines choses dans sa boîte qu'un patron préférait ignorer. Jusqu'ici, il avait toujours fermé les yeux. Faire pointer quelqu'un d'autre à sa place était un coup aussi ancien que l'invention de la pointeuse. Il jeta le petit rectangle en plastique sur la table et se fit l'effet d'un idiot en s'écoutant prononcer ces mots :

— C'est une faute grave. Tu es viré sans préavis.

— Chuis même pas embauché, grogna, finaud, le stagiaire en posant les yeux sur l'énorme bouquet de roses.

Sa mine doucereuse en disait long sur ce qu'il pensait des types qui décoraient leur bureau avec de gigantesques gerbes de fleurs couleur cire d'abeille. Dombrowski bouillait. Il était à deux doigts de lui flanquer une torgnole. Et si ce petit con s'avisait de demander pourquoi, deux autres dans la foulée. Mais il refréna le boxeur qui sommeillait en lui et se contenta de hocher la tête.

— Justement, on va rattraper le coup. Josef ? Le gamin prend la place de Judith jusqu'à son retour. Et si tu n'es pas sur le pont demain matin à 5 h 30 pile, mon petit gars, je défonce ta porte et te tire personnellement du plumard.

— Nan. (Dos au mur, le garçon s'approcha de la porte à pas lents, bien parti pour s'éclipser.) Je ne marche pas. Je lui ai juste rendu un petit service. Vous ne pouvez pas me forcer à rester pour ça.

Il se rua sur la porte et l'ouvrit à toute volée. Sur un signe de Dombrowski, Josef se jeta sur le fuyard, l'empoigna et le ramena sans ménagement à sa place.

— Hé !

Josef se planta bras croisés devant la porte. Il faisait au moins une tête de plus que ce jeune morveux, dont les chances de devenir un jour membre attitré d'une bonne équipe étaient en train de fondre comme neige au soleil.

— Je crois qu'il faut qu'on t'explique deux trois petites choses, dit Dombrowski. Notamment comment ça se passe chez nous. Le commun des mortels appelle ça « assumer ses bêtises ». Chez nous on dit « tenir parole ».

Dombrowski brandit la carte de pointage sous le nez du gamin.

— Tu viens de remplacer Judith, pas vrai ?

Le gamin jeta un rapide coup d'œil vers la porte, où Josef balançait son poids d'un pied sur l'autre.

— Oui.

— Alors tu le fais. Jusqu'à ce qu'elle soit revenue. Tu signaleras ton arrivée le matin et ton départ le soir avec cette carte. Josef s'occupera de toi.

Josef acquiesça d'un signe de tête qui avait tout d'une menace.

Le gamin prit la carte et demanda :

— Combien de temps ?

— Tu as les oreilles bouchées ? Jusqu'à ce qu'elle soit revenue. Ou alors jusqu'à ce que tu te rappelles où elle a foutu le camp.

— C'est bon, j'ai compris. (Il empocha la carte.) Je ne sais pas où elle voulait aller. Elle est allée à la morgue et après elle s'est barrée.

Liepelt.

Dombrowski cracha une miette de tabac.

— Dehors !

Ils disparurent en un clin d'œil. Dombrowski alla à son bureau et se laissa choir dans le fauteuil de Schalck-Golodkowski. Olaf Liepelt. Encore un protégé de Judith. Elle l'avait sorti du caniveau et lui avait trouvé au bout d'un an ce boulot à la médecine légale.

Dombrowski ouvrit le tiroir. Le flingue y était encore.

Il donnait un jour à Judith, pas un de plus. Si d'ici là elle n'était pas revenue, il irait faire un tour chez Liepelt pour lui tirer les vers du nez.

Le téléphone sonna. Il décrocha. Encore ce type qui l'avait enquiquiné toute la matinée.

— Non ! Elle n'est pas là. Elle vous rappellera ! brailla-t-il, et il raccrocha.

Il donna un coup de pied dans le tiroir, qui claqua d'un coup sec. Sentiments paternels. Des emmerdes, oui. Elle avait foutu le camp. Ça ne lui était encore jamais arrivé. Après tout, il y avait peut-être un gars dans le coup. Pas celui qui appelait tout le temps et avait déjà laissé x fois son numéro. Mais un autre qui offrait des roses jaunes et jouait à l'homme mystère. Qui, plutôt que d'appeler, envoyait des billets doux dans des fleurs. Soufflant comme un bœuf, Dombrowski s'approcha de la fenêtre, l'ouvrit brutalement, porta deux doigts à sa bouche et lança un sifflement strident dans la cour.

— Josef!

Le contremaître, déjà presque aux vestiaires, tressauta et fit demi-tour.

De deux choses l'une : un type qui envoyait un tel bouquet de fleurs à une femme était soit gay, soit coureur de dot. Judith n'était la cible idéale pour aucune des deux catégories. Mais lui, Dombrowski, ne pouvait rien faire tant qu'elle était dans la nature. Il baissa les yeux vers son bloc-notes, où il avait noté trois numéros. Le premier était celui du chevalier à la rose. Le deuxième du casse-pieds, Kaiser Machin Chose, qui le matraquait de questions. Et le troisième, d'un flic nommé Franz Ferdinand Maike. Il approcha le Rododex et le tourna jusqu'à la lettre L. Liepelt. Bingo. Il recopia soigneusement le numéro sur la liste, en quatrième place. Il prit son cigarillo froid et le suçota d'un air songeur. Le quatrième en quarante-huit heures.

— Patron ?

Dombrowski désigna du doigt le bouquet.

— Jette-moi ça.

Josef hocha la tête. Son bureau ayant enfin retrouvé un air de bureau et cessé de ressembler à une loge de la cage aux folles, Dombrowski se renversa dans son fauteuil. Il fixa les numéros des yeux. Il allait les cuisiner. Gentiment, l'un après l'autre. Et s'il s'avérait que Judith était dans de sales draps à cause de l'un d'entre eux, il irait le trouver et lui briserait les os un à un.

Josef traversa la cour, le bouquet à la main, ignorant les vannes qui fusaient dans son dos. Il jeta les fleurs dans l'une des bennes destinées à partir dans la semaine pour la déchetterie.

Devant la benne étaient empilés deux matelas à ressorts rouillés et du petit mobilier cassé, vestiges d'appartements que la brigade des encombrants venait de déposer provisoirement dans la cour. Josef en profita pour jeter le tout comme il faut. Le bouquet fut écrabouillé, la tête d'une rose arrachée dégringola dans le fond de la benne. S'il y avait prêté attention, Josef aurait peut-être remarqué le bout de fil d'argent long de deux millimètres qui dépassait du moignon de la tige. Ce fil était encore quelques secondes plus tôt relié au noyau de bobine qui alimentait, par une pile bouton, le micro en cristal d'une charge de 0,6 à 6 volts caché dans la fleur. La puissance était suffisante pour une portée de cinquante à cent mètres.

Le kit valait dans les 80 centimes et était à installer soi-même, ce qui ne dénotait en rien l'œuvre d'un bricoleur du dimanche. La plupart des services secrets montaient leurs micros espions eux-mêmes. D'abord pour des questions de coût, car les firmes spécialisées demandaient au bas mot le centuple et l'achat laissait des traces dans les rapports financiers. Ensuite, parce que la paternité d'un micro espion bricolé pouvait être facilement niée selon le principe de *plausible deniability* – le démenti plausible.

Josef considéra son œuvre avec satisfaction. Il ignorait tout de cette théorie, et il se fichait probablement du Watergate comme de l'Irangate. Traduit dans son vocabulaire, démenti plausible voulait dire ni plus ni moins : « Tu mens, tu as été pris la main dans le sac. » Et celui qui est pris la main dans le sac doit en assumer les conséquences. Ne pas se faire pincer, c'est là tout l'art.

Il rejoignit les vestiaires sans lambiner. Fini pour la journée.

Assis devant un bureau au rez-de-chaussée de la section du Renseignement électronique, Toto regardait par la fenêtre les trois caméras qui surveillaient l'accès du 30, Heilmannstrasse, à Munich-Pullach. Un mur en béton délavé protégeait du monde extérieur les soixante-huit hectares de terrain. La ville secrète. Rues, courts de tennis, bâtiments séparés les uns des autres par de vastes espaces verts.

Celui qui abritait la section du Renseignement électronique faisait face au centre de coordination et d'information, dit le « Service général », branche de la centrale qui devrait rester à Pullach même après le déménagement du BND à Berlin. Les jours de Toto dans ce lieu étaient comptés, car lui aussi partirait à Berlin. Cet écrin de verdure, ce cadre de travail très luxueux allaient lui manquer. Il avait vu une maquette du nouveau siège des services secrets. On pouvait le dépeindre sous ses plus beaux atours, ça restait un bunker de béton et de verre planté au milieu d'une grande ville. Rien de comparable avec la placidité ouest-allemande et le charme tout provincial de Pullach.

Et puis, à Berlin, il n'aurait pas une vue plongeante sur les places de parking des directeurs de divisions. À Berlin, il ne pourrait pas savoir que Kellermann était déjà arrivé depuis deux heures au Service général et ne s'était toujours pas manifesté. Mauvais signe. Toto était sur des charbons ardents.

Il essaya de se concentrer sur ce qu'il avait à faire : rédiger son rapport sur Angelina Espinoza – données personnelles, caractère, goûts. Ce dernier point, en particulier, l'amenait sur un terrain glissant et il l'aurait volontiers laissé tomber.

Mme Espinoza a déclaré sans détour être rémunérée pour l'analyse psychologique de la personne cible et elle a rempli sa mission avec la compétence et le savoir-faire requis.

Immobile, il fixa des yeux l'écran de son ordinateur. Cette seule phrase lui avait demandé une bonne demi-heure – tout simplement parce qu'il retardait le moment d'en venir aux détails croustillants. Bien sûr, une coucherie impromptue pouvait facilement s'expliquer. Cela arrivait, et c'était parfois même, selon les cas, souhaitable. Plus on en savait sur quelqu'un qui travaillait pour un autre service, mieux c'était. Qui sait, certains détails compromettants pourraient peut-être un jour se révéler utiles ?

L'observation de Quirin Kaiserley close, certaines activités extraprofessionnelles eurent lieu, dont l'initiative revint à la seule Mme Espinoza…

Il supprima la phrase.

À l'âge de quarante-huit ans, Mme Espinoza est dans une forme physique excellente, due à n'en pas douter à un entraînement sportif régulier. J'ai eu l'occasion de me convaincre que, depuis notre dernier contact professionnel, elle n'avait pâti d'aucune altération corporelle notable.

Kellermann lirait-il le rapport ? Il devait y avoir longtemps qu'il avait terminé son compte rendu au président de la division. L'incident de Berlin avait sûrement été évoqué. Toto regarda de nouveau du côté du Service général, mais à part deux Mercedes noires, stationnées sur le bord du trottoir parce qu'on avait négligé de les descendre au parking souterrain, rien n'indiquait que quelqu'un s'y trouvait.

De toute façon, personne ne voyait jamais le grand chef. Où était-il à cette heure ? Dans sa villa de fonction à Berlin, dont le bruit courait qu'elle était à Wannsee ? Dans son bureau de Pullach ? Il n'y avait que sa secrétaire pour le savoir, et encore. Et peut-être aussi les types comme Kellermann, qui avaient un pied dans les hautes sphères parce qu'ils s'étaient entraidés à monter les échelons. De temps en temps, la rumeur disait que Kellermann allait bientôt prendre sa retraite. Pures suppositions. Il se maintenait à la barre, malgré quelques ratés dans sa carrière. Il était comme un boxeur compté par l'arbitre et se relevant toujours au dernier moment. Parfois sonné, jamais K.-O. Ces temps-ci, il avait de nouveau le vent en poupe, si bien que son nom circulait à mi-voix lorsqu'on évoquait la succession de l'actuel président.

De la vieille école, Kellermann était l'un des plus anciens chefs de division encore en service, et l'on murmurait qu'il avait vu Khrouchtchev les yeux dans les yeux, *via* satellite. Un vétéran de la guerre froide. Un homme de pouvoir. Un type qui remontait ses manches et frappait parfois du poing sur la table. Et c'était cela, précisément, qui le disqualifiait aux yeux des jeunes générations.

Pour Toto, l'avenir des services secrets appartenait à ceux qui avaient grandi avec des ordinateurs, pas avec des règles à calcul. Ce qu'il était obligé de faire à cet instant précis n'avait pas grand-chose à voir avec le travail des services secrets tels qu'il les concevait. Procès-verbaux. Rapports sur la personne. C'était du passé. L'avenir appartenait à celui qui savait aligner les 0 et les 1. Il était tout bonnement surqualifié pour ce genre de conneries.

Bon. De toute façon, il n'y couperait pas. Toto se pencha sur le clavier. Il ne faisait aucun doute qu'elle avait déjà rédigé son rapport depuis longtemps. La routine. On racontait même que certaines opérations étaient montées de toutes pièces pour les candidats en ballottage, afin de tester leur capacité à établir un rapport exhaustif et correct. Toto aurait bien aimé savoir ce qu'Angelina avait écrit sur lui.

Se sont ensuivis des rapports sexuels, qui n'ont revêtu aucun caractère excessif.

Cette dernière phrase l'excita, car elle était largement en dessous de la vérité. Le téléphone sonna. Toto reconnut l'indicatif de Berlin. Angelina ? Il ne savait pas combien de temps elle restait encore en Allemagne. Peut-être qu'elle avait envie de lui. Peut-être qu'elle était en train d'écrire quelque chose comme : « … *un moment de décompression lié au travail et à la nature de l'opération…* » ou bien : « *Tobias Täschner est un amant remarquablement expérimenté pour son jeune âge…* » Toto sourit. Dans deux semaines, la conférence sur la sécurité commençait à Munich. Peut-être que…

— Tobias ?

Toto garda le silence.

— Ou Karsten Michael Oliver Tartempion ? À qui dois-je m'adresser ? Je n'arrive pas à me décider. Tellement de noms. Tu fais carrière, dis-moi.

— Toto, répondit Toto. Juste Toto. Je peux faire quelque chose pour toi ?

— Oui.

— Je veux dire, tu veux parler à quelqu'un d'autre ?

— Je suis à Munich dans deux heures. Il faut que je te voie.

— Non.

Toto raccrocha. Kaiserley. Comment avait-il eu son numéro ? Et ses noms d'emprunt ? Le téléphone sonna de nouveau.

— Pas le temps, coupa court Toto.

— J'ai réservé une table à l'auberge Le Corbeau pour 18 heures. J'ai à te parler.

— Désolé. Trouve-toi quelqu'un d'autre si tu te sens seul.

Kaiserley ne dit rien. Toto mit fin à la communication. Le téléphone se remit à sonner, mais cette fois il ne décrocha pas. Un collègue du bureau d'à côté, en chemin pour la machine à café, s'arrêta devant la porte ouverte et jeta un regard à l'intérieur.

— Tout va bien ?

Toto hocha la tête. Le collègue reprit son chemin. La sonnerie retentit encore. Longue, insistante, pénétrante. L'envie le démangeait d'arracher l'appareil du mur et de le catapulter sur le parking. Il planta les yeux sur son clavier. Le collègue revint.

— Pourquoi tu ne décroches pas ? Kellermann veut te parler. Dans son bureau.

L'antre de Kellermann était au dernier étage du même bâtiment. Rien de particulier. Une armoire métallique pour les dossiers, le portrait du président fédéral d'Allemagne au mur, un grand bureau cerclé d'acier et un broyeur à papier pour lui tout seul. Près du téléphone, l'inévitable photographie dans son cadre. Toto pariait sur quelque chose du genre Madame en tenue de golf.

Kellermann désigna un canapé Le Corbusier en cuir noir. Toto s'assit. Tandis que son chef contournait le bureau et se dirigeait vers lui, il contempla la coupe en cristal posée sur la table basse. Sans doute piochée dans les réserves de cadeaux que les services amis apportaient en toute régularité. Encore une. Le bruit devait courir de par le monde que l'Allemagne souffrait d'une cruelle pénurie de coupes en cristal.

La secrétaire de Kellermann, une femme entre deux âges avec le charme et le sex-appeal d'une contrôleuse de billets, servit des biscuits et du café. Kellermann prit la Thermos et Toto tendit la tasse à son chef. Ses mains tremblaient, la tasse cliqueta sur la soucoupe. Kellermann avait beau être de la vieille école, Toto lui vouait un respect sans bornes. La secrétaire partie, ils se retrouvèrent seuls.

— Sacré merdier, dit le chef en s'asseyant.

Il poussa l'assiette de biscuits en direction de Toto.

— Pas de quoi s'inquiéter pour autant. Nous savons beaucoup de choses. Mais l'emploi du temps d'une femme de ménage reste à ce jour l'un des grands mystères de l'univers.

Toto prit un biscuit. Kellermann poursuivit :

— C'était le hasard, tout simplement. Les contretemps de ce genre ne devraient pas avoir lieu, et malgré tout ils ont lieu. Le facteur humain.

Kellermann se leva, alla à son bureau et sortit du tiroir une photo qu'il tendit à Toto. Probablement prise par l'*unité 6*, la caméra que Toto, dans sa fuite, avait laissée à l'appartement.

— Est-ce la femme qui vous a attaqué ?

Toto hocha la tête.

— C'est elle. Mais elle n'avait pas une blouse comme ça, elle portait une combinaison spéciale. Et elle était armée d'une bombonne de gaz pleine de…

Il hésita.

— D'oxygène, acheva Kellermann.

Il se rassit sans quitter Toto des yeux.

— Elle était là pour nettoyer. Nettoyeuse de scène de crime. Reste que nous n'avons aucune idée de ce qu'elle fichait en pleine nuit dans cet appartement. Mais nous aimerions le savoir.

Kellermann prit la photo des mains de Toto et la posa devant lui sur la table.

— Nous devons savoir ce qu'elle mijote.

Toto acquiesça et but une gorgée de café. Le silence qui suivit traîna une seconde de trop en longueur, et il se dit soudain que son interlocuteur attendait une réponse.

— Oui, dit-il.

Kellermann joignit le bout de ses doigts et contempla la photo, comme s'il avait affaire à l'un de ces clichés d'avions espions américains que les rebelles irakiens avaient divulgués au monde entier en piratant le programme top secret « Eye in the sky » de l'armée de l'air américaine avec une simple application Windows. Les rebelles n'avaient pas été peu fiers de pouvoir narguer les États-Unis – réaction bien compréhensible, avait trouvé Toto – et ces photos, dont les originaux circulaient à des prix dignes du marché noir, avaient été la bonne blague de l'année.

— Judith Kepler. Elle travaille pour une entreprise de nettoyage industriel du nom de Dombrowski Facility Management à Berlin-Neukölln. Clarinette a réuni pour toi toutes les informations que nous avons trouvées sur son compte.

Kellermann avait la manie d'appeler ses secrétaires par leur petit nom. Clarinette, Marinette, Annette… Elles en prenaient leur parti avec un calme stoïque, songeant peut-être qu'un chef qui ne profitait pas de la première occasion pour leur sauter dessus était une denrée rare dans Munich et sa région.

Toto hocha la tête.

— Nous devons trouver cette femme, assena Kellermann. Mais nous ne savons pas où elle est. Tu dois nous aider.

C'était reparti pour le « tu ». Signe que tout n'allait peut-être pas si mal pour Toto.

— Un portable ?

— Éteint.

— Cartes de crédit ? Distributeur de billets ?

— Ton boulot.

Toto réfléchit.

— Un cheval de Troie ?

C'était interdit, mais ils ne s'en privaient pas. Des démarches étaient faites régulièrement pour soumettre les recours au cheval de Troie à une autorisation légale. Mais elles s'étaient toujours heurtées jusqu'ici au veto du ministre de l'Intérieur. Tant qu'il n'existait aucun règlement officiel en la matière, tant que les services étaient obligés de signaler la moindre perquisition en ligne à la commission de contrôle du Bundestag, ils se mouvaient dans une zone grise.

Kellermann croisa les bras sur sa poitrine et hocha la tête. Toto reposa la tasse.

— Je veux dire, si vous m'en donnez l'ordre...

— Pas d'ordre. Ce n'est même pas une demande. Cette conversation n'a officiellement jamais eu lieu. Pas plus que ton intervention nocturne à Berlin et la perte de l'*unité 6*. Tu n'en réfères qu'à moi et à personne d'autre. Dès que tu as découvert où se trouve Judith Kepler, tu m'en informes sur-le-champ. On te file de nouvelles identités, et l'incident est oublié. Vous avez compris ?

Toto sursauta, puis s'empressa d'acquiescer. Les sauts de cabri de Kellermann entre le « tu » et le « vous » le heurtaient chaque fois. Son chef lui donna la photo.

— Une question.

— Oui ? glapit Kellermann.

— Ce qui s'est passé dans cet appartement, c'était nous ?

Kellermann le dévisagea longuement. Toto ne s'attendait plus à obtenir de réponse, quand soudain Kellermann lança :

— Je n'en ai aucune idée. Et tu veux que je te dise ? Je ne tiens même pas à le savoir.

10

Judith arriva à Sassnitz en fin d'après-midi. Des nuages sombres s'amoncelaient au-dessus de l'île de Rügen. La chaleur était si étouffante que même l'air produit par la vitesse n'arrivait pas à la rafraîchir. À hauteur du port de Mukran, elle fut prise dans un embouteillage et l'habitacle devint une véritable fournaise. Un ferry en provenance de Klaïpeda venait apparemment d'accoster, car des poids lourds lettons grimpaient difficilement la colline, et les camping-cars errant comme des âmes en peine n'arrangeaient en rien le chaos. Elle quitta enfin la B96, laissant aux autres la route touristique bardée de panneaux « Centre-ville », bifurqua sur la droite juste après l'entrée de la ville et pénétra dans une zone d'habitations sinistre, aux barres d'immeubles à quatre étages rénovés sans conviction, voire pas rénovés du tout.

Sassnitz. Jusqu'en 1990, on l'écrivait encore à l'ancienne : Saßnitz. Ville portuaire. Plaque tournante. Zone interdite. Aucun charme fin de siècle, aucune architecture balnéaire Belle Époque digne de ce nom. Lieu de transit sous haute surveillance, pour touristes, marchandises et l'armée soviétique. Plus tard, tombé dans l'oubli, évincé par la beauté tapageuse de Binz, de Göhren ou de Sellin. Un nouveau port avait été aménagé à dix kilomètres au sud, dépossédant la localité de son dernier atout de ville industrielle. Ne lui restait plus que le spectacle des ferries croisant au large.

Judith ralentit et examina les bâtiments délabrés. Les mieux conservés étaient les garages en bois. Dans ce coin, la voiture était probablement la seule chose qu'il valait encore la peine de soigner. Elle se souvint des samedis après-midi où les hommes tournoyaient comme des danseurs autour de leur Trabant, échangeant expériences et conseils avisés, bidouillant le moteur et le pot d'échappement, briquant ailes et pare-chocs à grands coups de chiffon.

Le soleil se faufila par une fente entre les nuages. Il était bas, et Judith vit scintiller la Baltique à l'horizon. Pendant quelques minutes, le couchant recouvrit d'or l'ancien port, la promenade de la plage et un bout des falaises qui, à quelques centaines de mètres à peine, attiraient les touristes en mal de Caspar David Friedrich, les éloignant de la ville. C'était peut-être ça, le destin de Sassnitz : passer de justesse à côté de tout. L'éternel lieu de transit.

À droite, l'arrêt de bus, une ruine barbouillée de tags. Judith faillit le rater de peu. Derrière, la Strasse der Jugend, pavée et cahoteuse, qui, passé un virage en S, descendait à travers la forêt jusqu'à l'eau. L'ancienne conserverie de poisson, un gigantesque site à l'abandon, transformé en décharge pour les encombrants. Puis, enfin – les mains de Judith se crispèrent sur le volant, elle freina machinalement et continua au pas –, à droite et à gauche, les hauts bâtiments en brique brune. Elle ralentit et arrêta la voiture sur le bord de la route.

Un calme fantomatique planait sur le domaine. Les lieux avaient l'air abandonnés, malgré les nouvelles fenêtres et un Interphone marqué « Résidence

Waldfrieden ». Judith ignora la sonnette. Le portail s'ouvrit sans difficulté – la première et peut-être la plus importante différence avec l'époque où l'on pouvait encore lire « Foyer éducatif Youri Gagarine » sur la plaque. Au lieu de se diriger vers l'entrée principale, elle bifurqua à gauche, où le terrain descendait en pente douce jusqu'à l'orée du bois.

L'aire de jeux semblait avoir été rénovée récemment. Les bancs et le bac à sable avaient une allure sympathique. Elle continua à pas lents jusqu'à la limite du domaine. La clôture était toujours aussi haute, mais les barbelés avaient disparu et seuls les poteaux en béton aux sommets ébréchés étaient encore là, mais ils avaient perdu leur aspect terrifiant. Le fugueur potentiel y verrait davantage un tremplin qu'un élément de dissuasion. Une bourrasque secoua les cimes des arbres, signe avant-coureur d'orage. Soudain, Judith se sentit observée. Elle se retourna : la maison paraissait toujours aussi silencieuse, inhospitalière et déserte. Ses souvenirs lui jouaient des tours. Qui avait grandi ici se sentait observé le restant de ses jours.

Elle huma l'air de la forêt et de la mer. Il manquait quelque chose. Quelque chose d'essentiel. Elle s'apprêtait à remonter vers la maison lorsqu'elle vit au loin, entre les mélèzes qui donnaient l'impression de chatouiller les nuages, une silhouette immobile. Une fillette, dix ou douze ans peut-être, aux longs cheveux blonds, la regardait, et l'espace d'un instant, un bref moment irrationnel, le cœur de Judith se mit à battre à tout rompre. C'était impossible. Elle devenait folle. Une hallucination. Une ressemblance fortuite. Elle avait cru se voir elle-même, simplement parce que la fillette avait des boucles blondes. La petite disparut. Judith reprit sa marche, lentement d'abord, puis elle se mit à courir en direction des arbres.

À peine eut-elle le temps de voir une tache claire disparaître dans les sous-bois que quelqu'un sortit précipitamment de la maison et descendit la pente en courant.

— Hé ho ! Vous là !

Judith s'arrêta. L'enfant avait disparu. Peut-être n'avait-elle jamais été là.

— Qu'est-ce que vous faites ici ?

La femme, entre vingt et vingt-cinq ans, portait un tailleur et des escarpins à talons hauts fort peu appropriés à la nature du terrain. Son visage en forme de cœur n'était pas maquillé, ses cheveux bruns et lissés lui arrivaient à hauteur de menton.

— Vous cherchez quelqu'un ?

Deux nuits presque sans sommeil, puis le retour sur les lieux du cauchemar, où le gazon tondu et la clôture fraîchement repeinte essayaient de faire croire qu'il n'avait jamais existé. Judith se frotta les yeux, cligna des paupières et se concentra sur la jeune femme un peu essoufflée qui se tenait devant elle.

— Qui êtes-vous ?

La question tomba comme un couperet, annonçant la ferme intention de chasser Judith au plus vite.

— Judith Kepler. J'étais ici enfant.

— Ah.

La femme tenta d'adopter une expression plus aimable, sans y parvenir.

— Vous devez prendre rendez-vous si vous souhaitez faire une visite.

— Je ne veux pas faire de visite…

Judith observa son interlocutrice. Les premiers mots de cette femme avaient clairement montré qu'elle allait lui mettre des bâtons dans les roues.

— … je veux savoir qui a sorti mon dossier d'admission.

— Vous devez vous tromper. Nous ne restituons aucun dossier.

— Je l'ai eu moi-même entre les mains.

Judith ne savait pas très bien pourquoi la réponse de cette femme la rendait si agressive. C'était peut-être son sourire. Un sourire sans aucune empathie, sans le moindre sentiment. Le même sourire que celui de Trenkner saisissant la bouteille d'eau savonneuse. Soudain, Judith prit conscience qu'elle était encore en blouse de travail. Les gens n'adoptent pas le même ton quand vous ressemblez à une femme de ménage.

— Depuis que je suis majeure, on me dit que mon dossier a été passé au broyeur. Et voilà qu'il réapparaît tout à coup. Mais pas chez moi. Chez de parfaits inconnus. Je présume que la Résidence Waldfrieden est le successeur légal du Foyer Gagarine. Alors, soit vous m'expliquez ce qui s'est passé, soit je porte plainte.

— Mmm. Il se peut qu'il y ait eu une erreur quelque part. Je suis désolée pour vous ! (La femme ouvrit de grands yeux ; elle en faisait un peu trop et paraissait aussi peu sincère que lorsqu'elle souriait.) C'est tout à fait inadmissible. Mais je ne peux malheureusement rien faire pour vous. Adressez-vous aux archives cantonales de Rügen. La section « Éducation populaire et protection de l'enfance » a récupéré le fonds de l'ancien Conseil du district. Le personnel de la salle de lecture vous aidera certainement dans la poursuite de vos recherches, vous renseignera sur les horaires de consultations et…

— Vous croyez que j'ai fait quoi, ces dernières années ?

— Vous n'êtes pas au bon endroit. Je vous assure.

La femme fit un geste pour reconduire Judith par le bras. Celle-ci recula d'un pas.

— Où est Trenkner ?

— Où est qui ?

— La sous-directrice de l'époque. Et l'éducatrice Martha Jonas ? Trinklein, le professeur de sport ? Et Blum, Wagner, Stoltze ? Ils sont passés où, tous ? Les gens ? Les dossiers ?

— Écoutez, nous sommes une institution sociale privée. Nous avons repris l'établissement il y a de cela douze ans. Les bâtiments étaient vides. Il ne reste plus aucun employé de l'époque. Je dois vous demander de partir à présent.

— J'étais le numéro 3452. (La fureur transformait la voix de Judith en un chuchotement rauque.) Bâtiment III, dortoir IV, numéro 052. J'ai passé presque dix ans ici. Il doit bien en rester une trace quelque part.

— Non. Il ne reste rien. Et si vous ne partez pas immédiatement, j'appelle la police.

La jeune femme sortit un téléphone portable, qu'elle agita devant elle. Elle paraissait habituée aux visites importunes et savait comment s'en dépêtrer. Judith était dans une impasse. Cette femme n'était à l'évidence au courant de rien. N'empêche, elle aurait au moins pu se renseigner sur le genre de maison qu'elle administrait.

— D'accord, dit Judith. Je m'en vais. Mais je reviendrai.

— Prenez rendez-vous. Après vous…

Judith remonta le gazon jusqu'à une petite esplanade. C'était ici que se déroulaient autrefois les saluts au drapeau. Et les punitions publiques des fillettes dont le développement de l'esprit socialiste laissait à désirer. Une nouvelle bourrasque balaya la place, soulevant un nuage de poussière et quelques feuilles mortes. Deux paniers de basket étaient accrochés au mur de brique. Il continuait de régner un silence irréel.

— Où sont les enfants ? demanda Judith.

— Au dîner, répondit la femme.

Il était 17 h 30.

Elle devait à tout prix contenir son agressivité, mieux contrôler ses sentiments.

Judith courut le long du bois. Les bourrasques reprirent, secouant les cimes des arbres. À bout de souffle, elle atteignit le site de l'ancienne conserverie. Les nuages noirs lâchaient déjà leurs premières gouttes, qui éclataient sur les dalles défoncées du chemin comme de gros insectes morts. « Sassnitz Fisch » s'étalait en lettres rouges sur une pancarte dont la peinture était écaillée depuis longtemps. La nouvelle orthographe trahissait qu'on avait encore travaillé ici quelques années après la chute du Mur.

Le site, une zone de plusieurs hectares reconquise par la nature, abritait les bâtiments de l'usine désaffectée. La production, les salles frigorifiques, les entrepôts, le fumoir. Aucune vitre n'était restée intacte, et les déchets s'empilaient presque jusqu'au plafond. Les routes et les chemins envahis de mauvaise herbe étaient bordés par les rejets de toute une ville. Au-dessus de la mer, le grondement du tonnerre grossissait, tel un avertissement lancé en direction de la terre ferme. Les gouttes tombaient plus drues. Soudain le ciel ouvrit ses vannes. Judith courut jusqu'à l'entrepôt IV et atteignit la rampe de chargement protégée par l'auvent. L'averse diluvienne fit ployer les cimes des arbres.

Elle s'adossa contre le mur au crépi délabré et sortit son paquet de tabac. Était-ce ici qu'elle avait fumé sa première cigarette ? Elle devait avoir quatorze ans à l'époque, en tout cas elle était assez grande pour travailler après la classe. *Subbotnik*, travail bénévole. Bénévolat obligatoire. Mais vous receviez quand même du hareng à la sauce tomate jusqu'à l'écœurement. Le travail l'avait amusée. Vingt-quatre boîtes par carton, pas une de plus, pas une de moins. Pourquoi en fallait-il exactement vingt-quatre, elle n'en savait rien. C'était peut-être une sorte de calendrier de l'avent. Depuis cette époque, elle n'avait plus jamais touché à une seule conserve de poisson. Elle se roula une cigarette. Passant la langue sur le papier, elle releva la tête et vit la fillette devant elle.

L'enfant était trempée jusqu'aux os. Elle était vêtue d'une robe d'été blanche et chaussée de sabots en plastique rose vif, comme on en achète en vacances pour les jeter avec consternation une fois rentré à la maison. Debout devant la rampe de chargement, elle se laissait doucher par la pluie. Elle dit :

— Salut.

— Salut, répondit Judith.

Elle n'avait donc pas été victime d'une hallucination. Agile comme un écureuil, la petite escalada la rampe et se plaça à côté de Judith. Elle lui arrivait à l'épaule. Une enfant frêle, ayant poussé trop vite, avec des taches de rousseur sur une peau inhabituellement claire. Une créature fabuleuse, qui ne dépareillait pas dans ce paysage de ruines envahi par la nature et battu par une pluie torrentielle.

— Moi, c'est Judith.

— Moi, c'est Chantal.

Chantal. Qui osait infliger un prénom pareil à son enfant ?

— Tu es une ancienne du foyer ? demanda l'enfant. Moi aussi, j'y suis.

Judith alluma sa cigarette. Après tout, les enfants placés étaient habitués à pire qu'à voir des grandes personnes fumer.

— Depuis quand ? interrogea Judith.

— Quelques semaines. Jusqu'à ce que les gens de l'aide sociale disent que je peux rentrer chez moi. Mon papa a tapé ma maman. Et moi aussi, il m'a tapée. Tiens, regarde.

Elle écarta la bretelle de sa petite robe. Judith reconnut des cicatrices à peine guéries sur son épaule chétive, des stries de coups de ceinture.

— Merde alors, dit Judith.

La fillette rajusta sa bretelle. Ses cicatrices ne semblaient pas lui poser plus de problèmes que cela, les visibles, du moins.

— Et c'est comment ici ? demanda Judith.

— Ça va. Si ma mère pouvait être là, ce serait même très bien.

— La cave existe encore ?

La fille regarda Judith avec étonnement.

— Tu veux dire, la cave où on range les vélos ?

— La cave à charbon, répondit Judith.

À chaque époque sa cave. Qui du reste n'avait pas besoin d'être enfouie profondément sous terre.

— Ils ne chauffent pas au charbon. Je crois que maintenant ils ont une machine, et une cuve à mazout. Mlle Langgut t'a chassée. Pourquoi ?

— Parce que je n'ai pas demandé l'autorisation d'entrer. Ça ne se fait pas.

— Pourquoi est-ce que tu voulais entrer ?

— Parce que je voulais parler à quelqu'un d'avant. De l'époque où, moi, j'étais au foyer.

— Pourquoi ?

— Parce que… ici c'était un peu comme ma maison.

Quelque chose en Judith répugnait à associer ce terme, même de loin, à un foyer éducatif.

— J'y suis restée dix ans.

— Dix ans ?

Chantal écarquilla les yeux. Pour elle, c'était le temps d'une vie. Une éternité.

— Pourquoi ? insista la petite.

— Parce que ma mère ne pouvait plus s'occuper de moi, et qu'ensuite elle est morte.

— Et ton père ?

Judith tira sur sa cigarette en observant une corneille trempée qui sautillait, en quête de nourriture, sur une vieille couverture abandonnée là.

— Je n'ai pas de père, finit-elle par répondre.

Chantal avait déjà un nouveau « pourquoi » sur les lèvres, mais le garda pour elle. Elle fit glisser ses sabots en plastique sur les crénelures de la rampe.

— Une autre femme est venue, dit-elle. Une femme d'avant. C'était la semaine dernière. Elle est entrée en pleine nuit et elle s'est fait attraper. Comme elle criait, ils sont allés la chercher.

— Qui ? demanda Judith.

— Une ambulance. Avec des gyrophares.

— Je veux dire, qui était cette femme ?

Chantal haussa ses frêles épaules.

— Aucune idée. Elle était vieille. Et horrible. Elle a pris des ordures et les a jetées contre la maison et puis après elle s'est barbouillée avec. Beurk.

Chantal s'ébroua.

— Sais-tu où on l'a emmenée ?

— Au foyer de la Stasi.

— Au quoi ?

— Ben, là où vont les criminels.

— Tu veux dire en prison.

— Non. Le foyer de la Stasi. Où il n'y a que des vieux.

D'une pichenette, Judith envoya le mégot dans la mauvaise herbe ruisselante de pluie. Chantal parlait sans doute d'un hospice ou d'une maison de retraite. Un foyer de la Stasi, ça n'existait pas. Vu que la Stasi n'existait plus.

— Comment sais-tu que la femme était une d'avant ?

— Elle est d'abord allée voir la clôture. Comme toi.

La pluie avait cessé. Un lourd remugle provenait de l'intérieur de l'ancien entrepôt.

— Tu sais où il est, ce foyer ?

— En bas, à l'ancien port. Derrière les voies. Avant on jouait là-bas. Mais maintenant on n'a plus le droit d'y aller. Tout est devenu zone interdite, et la nuit ils lâchent les chiens.

— Alors, tu ferais sans doute mieux de faire un grand détour. C'est dangereux.

Judith sauta de la rampe. Chantal la suivit.

— Et tu ne devrais pas jouer non plus ici. Tu as vu le panneau à l'entrée ? *Attention danger !*

Elle tira l'enfant sur le côté alors que celle-ci s'apprêtait à fouler une plaque en fer recouverte de mauvaise herbe.

— C'est plein de trous là-dessous. Si tu tombes dedans, tu ne pourrais plus jamais en sortir.

— D'accord.

Chantal n'avait pas l'air de prendre ce conseil au sérieux.

— Tu as quel âge ?

— Dix ans.

Judith sourit. À dix ans, on est immortel.

Elles se séparèrent en haut, au bord de la route. Chantal dévala le pavé mouillé, si silencieuse dans ses sabots en plastique que Mlle Langgut ne l'entendrait sans doute pas se faufiler en douce dans la paix trompeuse de Waldfrieden. Judith attendit quelques minutes avant d'allumer le moteur de sa camionnette. Puis elle démarra et descendit lentement la côte en direction du vieux port.

Un foyer de la Stasi. Les histoires étranges que les enfants racontent à partir d'une simple rumeur ou de quelques mots chuchotés. La route menait tout droit dans la forêt, tournait sur la gauche et descendait à pic. Les restes d'anciennes barrières de sécurité bordaient la chaussée. Piliers en béton, plaques de fer, treillis métallique. Ne pas franchir cette limite. Du barbelé oublié pendait mollement entre les têtes de piquets. Elle se rappela que le port avait été l'une des zones les plus surveillées de la ville. La mer luisait à travers les arbres, aussi grise que l'épaisse couche de nuages qui recouvrait le ciel. De grosses gouttes de pluie heurtaient le pare-brise, non plus tombées du ciel mais des cimes des arbres.

Le chemin, de plus en plus cahoteux, conduisait tout droit aux anciens quais. Judith passa devant une petite guérite abandonnée aux portes barricadées. Un panneau accroché à un pilier en béton annonçait : « Fin de la zone portuaire ». Elle bringuebala sur des nids-de-poule et sur de vieilles voies ferrées rouillées. Ce devait être quelque part par là. La piste non goudronnée était un assemblage de grandes plaques en béton qui longeait le rivage, avec

Sassnitz sur la gauche et Mukran sur la droite. Au bout de quelques mètres à peine, elle se perdait dans une grande friche désolée.

Judith arrêta la voiture, sortit, s'enfonça dans un étroit sentier et s'approcha aussi près du rivage que le lui permettaient les gros blocs de pierre de l'ancienne fortification. Elle regarda vers le nord : ses yeux glissèrent le long de quelques hangars et s'arrêtèrent sur l'ancien débarcadère des ferries. Des voiles de brume flottaient sur la forêt et les toits des maisons. La ville fumait. Au fond, émergeant au-dessus du rivage, trônait la silhouette cubique du Grand Hôtel.

Elle se tourna vers le sud : des friches à perte de vue. Au loin, quelques grues. Un paquebot venant du large faisait cap sur les nouveaux débarcadères et terminaux. Chantal avait dû se tromper.

Judith fit demi-tour et rebroussa chemin. Elle s'apprêtait à remonter dans la camionnette lorsqu'elle s'arrêta net, comme clouée sur place. Enfouie au milieu de la forêt, de l'autre côté du sentier, entourée d'une épaisse verdure et d'une clôture rouillée, se dressait une coquette maison blanche. Peut-être avait-ce été autrefois un hôtel. Ou un bâtiment administratif, l'ancienne capitainerie. Ou un sanatorium.

Judith referma la portière. Ou alors une maison de retraite.

D'immenses lilas et lauriers-cerises couvraient presque entièrement la clôture. Pour autant que Judith pouvait le voir, il n'y avait pas d'accès au domaine depuis le rivage. S'approchant des lieux, elle entendit des aboiements.

La maison existait bel et bien. Et il y avait des chiens.

Judith tourna les talons et revint à la camionnette. Cette fois, elle ne commettrait pas la même erreur qu'avec Langgut. Elle se doucherait, se changerait et reviendrait bien préparée.

L'air sentait bon, comme lavé de frais. Soudain elle sut ce qui manquait. L'odeur de diesel et de poisson.

11

Assis devant son Toughbook, Toto se tournait les pouces. Judith Kepler : un cas simple, sans zones d'ombre. Elle possédait une Carte bleue à la Caisse d'épargne, avait souscrit une assurance maladie et s'était fait refiler six mois plus tôt une carte d'adhérent dans une quelconque société protectrice d'animaux. Loyer, téléphone et électricité étaient prélevés automatiquement. Elle retirait deux fois par mois sur son compte une somme d'argent qui lui servait visiblement à régler les dépenses courantes. Ces derniers temps, elle avait utilisé sa carte bancaire à plusieurs reprises chez un disquaire de la Nollendorfplatz à Berlin, où, saisie d'une véritable fièvre consumériste en comparaison de ses autres dépenses, elle avait chaque fois laissé plus de 200 euros. Elle disposait d'un accès Internet, mais son ordinateur n'était pas allumé. Pas de cheval de Troie, donc. Elle ne possédait pas de voiture et n'utilisait pour ainsi dire jamais son téléphone fixe, sauf à la rigueur pour se commander une pizza ou appeler son employeur, Dombrowski Facility Management. Il avait localisé son portable la dernière fois à midi devant un hôpital de Berlin-Schöneberg.

Une vie assez peu spectaculaire pour une femme qui intéressait tant les services secrets. Mais ça, c'était normal. Plus la souris était grise, plus c'était suspect. Il décida d'interroger le fichier des passeports. Qui disait qu'elle n'avait pas déposé des lingots d'or aux îles Caïmans ou dans un coffre-fort au Liechtenstein ?

Raté. Judith Kepler n'avait même pas de passeport en cours de validité, et sa carte d'identité arrivait bientôt à expiration. L'estomac de Toto se mit à gargouiller. Comme il s'était attendu à se faire exécuter en bonne et due forme, il n'avait rien avalé de la journée. À cette heure, le parking sous sa fenêtre était quasiment vide. Le BND restait, quoi qu'on en dise, une administration. Les horaires, c'était sacré.

Il prit le téléphone et appela Kellermann. Il tomba sur Clarinette, qui prétexta une histoire de réunion peu crédible. 18 heures, lundi soir. Parking vide. Peu de chances qu'il y ait encore une réunion à Pullach. À moins que les Russes ne soient aux portes. La bonne blague. Toto la pria de bien vouloir transmettre son appel à Kellermann. Puis décida qu'il en avait terminé avec cette journée de travail somme toute assez peu productive.

Il sortit de sa poche le laissez-passer des visiteurs temporaires. Le portier, qui connaissait Toto, le salua d'un simple signe de tête quand il remit le document dans le tiroir coulissant avant de franchir la barrière automatique pour rejoindre la station de bus – suivi dans tous ses mouvements par trois caméras de surveillance.

Peut-être avaient-elles aussi dans leur viseur le taxi qui roulait au pas derrière Toto et qui, une fois hors de vue du portail, se manifesta d'un petit coup de Klaxon.

Surpris, Toto fit un bond de côté. Le passager baissa sa vitre et se pencha au-dehors. Le visage un peu vieilli mais toujours aussi marquant de Quirin Kaiserley se fendit d'un large sourire moqueur. Il tenait dans sa main droite quatre cartes d'identité bariolées, comme un carré d'as qu'il s'apprêtait à abattre pour ramasser la mise.

Toto s'arrêta net, les yeux rivés sur les cartes plastifiées. Kellermann n'avait-il pas dit les avoir récupérées ? Il ne l'avait pas présenté comme ça, bien sûr, mais le sens y était. Vu qu'il revenait à Kellermann de décider si l'affaire entraînerait ou non une procédure disciplinaire…

— Monte.

Toto regarda autour de lui. Personne à la ronde. L'affaire commençait à l'intéresser.

Judith Kepler se tenait devant l'entrée d'une résidence gérée par le service des personnes âgées de la municipalité de Sassnitz. Elle portait une robe de coton légère, à pois et manches courtes. Ses cheveux défaits lui tombaient sur les épaules. Même de près, Dombrowski ne l'aurait jamais reconnue. Elle se sentait étrangère dans sa propre peau.

L'accès au domaine se trouvait du côté opposé à la mer et tout semblait fait pour le dissimuler aux regards des indiscrets. Un petit sentier partant de la Strasse der Jugend conduisait, après quelques virages, à une palissade blanche et neuve. La maison était plongée dans l'ombre des arbres. Bien que le ciel fût encore clair, toutes les fenêtres étaient allumées. Ici, sur cette hauteur, cachée aux regards des curieux, s'étendait un terrain presque aussi vaste que le site de la conserverie. Pelouses, parterres fleuris et chaises longues délaissées. Le chemin gravillonné qui menait au perron contournait une fontaine. La pompe était éteinte ; des nénuphars et des roseaux se reflétaient dans le miroir de l'eau. Le parapet sculpté s'ornait de chimères aux gueules pointues, de nymphes et de poissons. En journée, de grands jets d'eau folâtres devaient sans doute jaillir de leur bouche et décrire dans l'air de gracieux arcs de cercle.

Cette impression de luxe d'antan disparut à l'instant où Judith franchit la porte et pénétra dans l'immense hall. Un lino brillant comme un miroir, des volées de marches flambant neuves et une atroce lumière au néon détruisaient le peu de charme fin de siècle que l'édifice avait pu préserver. Deux hauts couloirs partaient du hall à gauche et à droite. Un lit médicalisé stationnait devant une porte. Il était vide.

Une femme en costume blanc sortit d'une chambre, un plateau à la main. Découvrant l'intruse, elle se hâta vers Judith. Un badge sur sa poitrine l'identifiait comme étant l'infirmière Reinhild.

— Je suis désolée, mais c'est trop tard pour les visites.

Elle avait ce rayonnement sans âge d'une Florence Nightingale et affichait une aménité savamment étudiée. Mais sous le vernis aimable, l'autorité de fer n'attendait que d'éclater. Judith connaissait par cœur ce type de femmes. Elle s'y était préparée. En chemin, elle avait répété sa petite phrase à voix haute, mais maintenant que le moment était venu de la dire, celle-ci ne lui venait plus si facilement aux lèvres. Son cœur battait à tout rompre. Elle n'avait droit qu'à un seul essai. Le terrain était glissant. Ses premiers mots seraient décisifs. Ou bien ils touchaient juste, ou bien elle coulait.

— Judith Kepler. J'aimerais parler à Martha Jonas.

— Martha Jonas ?

L'infirmière Reinhild avait dû percevoir la légère hésitation dans la voix de Judith. Elle fronça les sourcils, une parole de refus pointant sur ses lèvres, quand Judith reconnut tout à coup son erreur.

— Si cela vous est possible. S'il vous plaît.

Bien sûr. S'il vous plaît, s'il vous plaît, s'il vous plaît. Comment avait-elle pu l'oublier ?

— Je sais que ce n'est pas le meilleur moment. Mais c'est très important.

Allez, dis qu'elle est là. Qu'elle est vivante et que tu la connais. C'était la seule qui regardait toujours la lune. La nuit, pendant ses rondes. Et parfois elle remontait ma couverture. Il y a longtemps que j'aurais dû essayer de la retrouver.

Mais qui rechercherait une femme complice d'un système qui vous avait broyé ?

— Revenez demain matin à partir de 9 heures.

Pour l'infirmière Reinhild, la discussion était close. Elle se dirigea vers un chariot à côté de l'entrée et y déposa le plateau. Judith la suivit. Une tartine de fromage non entamée, un ramequin de compote à moitié vide, une théière.

— Il sera trop tard. Je dois reprendre le ferry pour Trelleborg ce soir. Je n'en aurai pas pour longtemps. J'ai une nouvelle à lui annoncer.

— Nos pensionnaires ont des horaires stricts.

— Je sais, mais je ne la dérangerai pas longtemps. Mme Jonas m'attend, je vous assure.

L'infirmière Reinhild jeta un regard indécis vers un petit réduit dans le hall d'entrée qui, comme tous les aménagements récents de cette maison, produisait l'effet d'un corps étranger greffé sur les lieux. Planning des services punaisé au mur, petit bureau, livre des visiteurs et rangées de classeurs. Sous la table, des boîtes en polystyrène pour la nourriture ou les médicaments.

— Quel est votre nom, déjà ?

— Judith Kepler.

L'infirmière Reinhild esquissa un léger sourire, comme sous le coup d'une idée soudaine. Mais elle se ressaisit aussitôt.

— Mme Jonas n'a plus reçu de visite depuis des années.

— Si, répliqua Judith. Quelqu'un est venu la voir récemment.

Si Borg était passée par Sassnitz comme elle le pensait, si elle avait bel et bien trouvé la résidence du troisième âge, si elle avait vu Martha Jonas, alors... Judith retint son souffle.

— Une Suédoise, risqua-t-elle. Christina Borg.

— Vous êtes parentes ?

— Non, dit Judith. Pas directement. Nous étions dans le même foyer.

— À Sassnitz ?

— Oui.

— Ah, une petite Gagarine. Pourquoi ne pas l'avoir dit tout de suite ?

L'infirmière Reinhild alla dans le cabanon. Le livre des visiteurs était posé sur le bureau. Judith regarda autour d'elle. Un plan d'occupation des chambres était accroché au mur. Elle y jeta un œil discret tandis que la garde-malade ouvrait le registre.

— Mme Jonas ne reçoit presque jamais de visites des enfants dont elle s'est occupée. Je trouve cela très triste. Les personnes comme elle ont beaucoup donné, se sont sacrifiées, et on ne trouve rien de mieux que de leur faire porter le chapeau.

— Oui, c'est triste, s'entendit dire Judith. Mais on dit de votre établissement qu'il est une sorte de dernier refuge.

L'infirmière ne releva pas la tête. Elle étudiait la liste des noms ligne après ligne.

— Une belle idée. Oui, nous sommes quelque chose comme cela. La maison des héros oubliés.

Elle referma le registre d'un coup sec.

— Ce nom figure effectivement dans le livre des visiteurs. S-rdv, comme vous : sans rendez-vous. Cela m'étonne, car Mme Jonas n'est supposée recevoir de visites qu'après accord du docteur Matthes. C'est du moins la consigne.

— Elle est malade ?

— Non. Le docteur Matthes est le directeur de cette maison, et il est également psychologue. Nous avons pour consigne de le prévenir en cas de visite imprévue. Il est déjà arrivé que des gens s'introduisent ici pour importuner nos pensionnaires. De prétendues victimes, venues s'en prendre aux prétendus bourreaux.

Judith hocha la tête. Une maison cachée dans la forêt, des patients coupés du monde, un psychologue délivrant des droits de visite. Le tout comme un asile offert à ceux sur qui les nouveaux critères du bien et du mal n'avaient aucune prise. Une retraite paisible, préservée du monde extérieur, entre gens du même bord.

L'infirmière paraissait en confiance. Elle invita Judith à la suivre.

— Nous avons ici quelques éminents pensionnaires, expliqua-t-elle. Mais nous avons choisi de ne pas dresser de barrière protectrice et refusons de recourir aux entreprises de surveillance. Nous nous y prenons autrement. Hélas, le docteur Matthes n'est pas là ce soir. Je suis certaine qu'il accordera un droit de visite à une personne aussi aimable que vous. Revenez demain.

— Mais Mme Jonas n'était pas quelqu'un de haut placé. Ce n'était qu'une éducatrice.

— Ce n'est pas à nous d'en juger.

— Je veux la voir.

— Le docteur Matthes souhaitera préalablement vous…

— Mme Jonas vit-elle ici de son plein gré, en tant que personne libre ?

Les yeux de l'infirmière se rétrécirent.

— Naturellement, répondit-elle.

— Alors je voudrais la voir tout de suite.

Derrière son front lisse, le cerveau de l'infirmière travaillait à plein régime. Elle jeta un bref coup d'œil à sa montre et aux couloirs qui partaient du hall d'entrée. Il n'y avait personne en vue.

— Très bien. Allez-y. Chambre 11. À gauche en descendant.

— Merci.

L'infirmière Reinhild la regarda s'éloigner, puis se hâta de regagner l'accueil.

Judith toqua à la porte et l'ouvrit doucement. Cette chambre n'était pas allumée et les cimes des arbres la plongeaient dans la pénombre. Cela aurait pu être un bureau administratif, avec son habituelle armoire métallique et son bureau tout vide, le lit placé contre le mur avec une perche au-dessus du chevet rehaussé.

Une vieille femme toute maigre y était allongée. Elle ne ressemblait plus que très vaguement à la femme que Judith avait connue. La robuste éducatrice au visage toujours rubicond était devenue un squelette, et sa peau une enveloppe bien trop grande pour ce corps chétif miné par l'âge et la maladie.

Elle avait les yeux fermés. Peut-être dormait-elle, peut-être somnolait-elle ainsi depuis des heures. Judith s'assit sur le bord du lit et toucha la main de Martha Jonas. Elle était brûlante, comme si elle avait de la fièvre.

— Madame Jonas ?

Un tressaillement passa sur les joues creuses de la vieille femme. Elle devait porter un dentier, et l'avoir enlevé, car ses lèvres légèrement entrouvertes étaient tendues autour du maxillaire édenté, formant un petit trou noir à l'endroit de la bouche. Judith contempla ce visage étranger. Elle cherchait la haine en elle, mais ne ressentait qu'un troublant mélange de peur, de colère et de compassion soudaine. Martha Jonas avait été la seule à leur avoir témoigné un peu de sollicitude. De là à intervenir en faveur de ses protégées, il y avait une marge, bien sûr. Mais une caresse furtive sur la tête, une assiette de tartines apportée la nuit en cachette dans la cave, une berceuse lorsqu'elles pleuraient et que rien en elles-mêmes ne pouvait calmer la douleur… Ces retrouvailles inattendues émurent Judith. Elle serra la main de la vieille femme.

— Madame Jonas ?

Les paupières tressaillirent. La bouche remua, semblant vouloir dire quelque chose. Judith vit un verre d'eau sur la table de chevet et le porta aux lèvres de la malade.

— Madame Jonas, vous êtes réveillée ? Il faut que je vous parle.

L'ancienne éducatrice déglutit et ouvrit les yeux. Son regard morne se promena sur le visage de Judith, d'abord anxieux et incertain. Puis soudain jaillit une étincelle. Elle leva la main vers le visage de la jeune femme, mais dut la laisser retomber sans force à mi-chemin.

— Toi ? fit-elle faiblement.

La douleur éclata dans le cœur de Judith, la propulsant aussitôt dans le corps d'un enfant. Une caresse avortée, un seul mot avaient suffi pour la catapulter dans le passé. La nuit, Judith dans un couloir, une femme penchée sur elle pour lui demander son nom.

— Vous me reconnaissez ? Je suis…

— Christel.

Le trou noir au milieu du visage de Martha Jonas se transforma en une ligne fine. Elle souriait.

— Christel Sonnenberg.

— Quoi ? Qu'est-ce que vous dites ?

Le regard de la vieille femme caressa ses cheveux et son visage. Sa main brûlante finit par se poser sur la sienne.

— As-tu toujours été bien sage ?

L'infirmière Reinhild attendit que l'ordinateur retrouve le fichier. Une liste interminable de noms. Elle utilisa la fonction « rechercher ». Kepler, Judith. La combinaison de chiffres et de lettres inscrites après le nom la renseigna sur ce qu'elle avait à faire. Elle décrocha le téléphone, composa un numéro à trois chiffres et attendit que la voix familière retentisse à l'autre bout du fil.

— Judith Kepler est ici, dit-elle.

Elle écouta attentivement, hocha la tête et raccrocha.

L'infirmière Reinhild avait quarante-deux ans. Elle ne savait pas grand-chose sur le passé de ceux qui lui étaient confiés. Les uns étaient vieux, les autres malades, la plupart les deux. Dans d'autres établissements, il arrivait que cela fasse des histoires quand on en venait à découvrir pour qui le gentil voisin de chambre avait travaillé. Mais ici, c'était un établissement privé. La

Société de soutien humanitaire et solidaire, dite SSHS, était l'Ordre secret de tous ceux qu'on appelait en d'autres temps les « Éclaireurs de la paix », de tous ceux pour qui solidarité et entraide n'étaient pas des vains mots. Seulement, elle partageait le problème de toutes les organisations qui plaidaient pour un rapport nuancé et sans préjugés au passé est-allemand : ses membres ne rajeunissaient guère. La sénilité était une maladie dangereuse. On oubliait. D'abord les petits détails, puis les gros. Jusqu'à ce qu'on oublie qu'on avait signé un jour une clause de silence.

Même l'infirmière Reinhild en avait signé une – en ces temps agités d'avant la réunification, où un pays, et plus encore un système tout entier, avait subi des dommages irréparables. Elle avait pris cette décision en son âme et conscience, animée d'une conviction profonde. Quand les bananes et la libre circulation s'étaient hissées en tête de liste des revendications, les derniers incorruptibles avaient compris ceci : les pays et les systèmes peuvent disparaître, mais la loyauté jamais. Leurs protégés avaient trouvé ici un asile à l'abri des poursuites et des sarcasmes, un lieu où vivre parmi leurs semblables. Le bruit circulait que le standing de l'endroit n'était pas redevable à la seule SSHS, et que tel et tel fonds de dotation ouest-allemands y prenaient leur part en toute discrétion. Le silence qui recouvrait cette maison était d'or. Ce qui, à certains égards, arrangeait aussi le gouvernement, qu'on continuait ici de qualifier de « nouveau ».

Et lorsqu'un ennemi venait jouer les trouble-fête, ils s'occupaient de le recevoir.

L'infirmière Reinhild regarda sa montre. Le docteur Matthes serait là dans cinq petites minutes.

Les tables sous les tilleuls au bord de l'Isar étaient presque toutes prises. C'était une douce soirée d'été, et Quirin avait l'impression de rentrer en permission chez lui après une longue absence à l'étranger. Il était né en Bavière, dans un petit village près de la frontière autrichienne, et ce ciel bleu avec son petit air méridional lui manquait à Berlin. Et les auberges comme Le Corbeau aussi. Berlin-Plage, mon œil. Toutes les buvettes en bord de Spree et paillottes réunies ne pouvaient rivaliser avec un authentique *Biergarten* bavarois.

La patronne le salua d'un aimable signe de tête. Était-ce parce qu'elle l'avait connu autrefois ? Ou simplement parce qu'elle avait vu son visage à la télé ou dans la presse ? Il leur était souvent arrivé de poursuivre leurs réunions devant une chope de bière blanche. Éva réservait toujours la table du fond à gauche. On connaissait ces messieurs de la centrale. On était aux petits soins avec eux. La commune de Pullach n'avait pas beaucoup d'entreprises dont les employés soient en état de mettre la main au portefeuille et d'acheter à des prix considérables un terrain pour y bâtir leur maison. Entre-temps, les prix de l'immobilier avaient dû sacrément dégringoler. Quirin n'osait pas imaginer la manière dont le déménagement dans la capitale avait dû être accueilli ici, et il préférait ne pas poser de question. Le genre de sujet à éviter dans un *Biergarten* du bord de l'Isar.

La patronne posa deux blanches sur la table et demanda s'ils avaient fait leur choix. Toto secoua la tête. Il avait sans doute intériorisé la règle non écrite de ne jamais manger avec l'ennemi. Sa répugnance se voyait comme le nez au milieu de la figure. Quirin contempla ce visage encore juvénile et décela quelques petites pattes d'oie récentes autour de ses yeux. Toto devait avoir trente-quatre ans maintenant. Et il avait toujours ce petit air de défi sur les lèvres dont Quirin ne se souvenait que trop.

Quirin commanda une assiette anglaise. Il attendit que la serveuse se tourne vers d'autres clients pour poser les cartes d'identité sur la table.

— Prends-les. De toute façon, elles ne sont plus bonnes qu'à nourrir le cimetière aux portables.

C'est ainsi qu'ils surnommaient le gigantesque broyeur du premier étage du Service général, une machine capable d'avaler des classeurs entiers avant de les recracher réduits en poussière. Gare aux cartes d'identité, portables et même clés, quand on était assez stupide pour se pencher un peu trop lors du chargement de la machine. Ce qui tombait entre ses mâchoires disparaissait à jamais. Les cartes plastifiées de Toto étaient elles aussi condamnées au broyeur, ainsi que les trois CV correspondants élaborés à grand-peine – adresses de couverture, coordonnées bancaires et papiers en règle. Une masse de travail, anéantie dans une seconde d'inattention. Judith Kepler pouvait être fière d'elle. Peu de gens pouvaient se vanter d'un résultat pareil.

Toto s'empara des cartes et les fourra dans sa poche.

— Où les as-tu trouvées ? C'est cette allumée avec sa bouteille de gaz ?

Quirin avala une gorgée de bière et s'essuya la bouche.

— Chaque chose en son temps. Je suppose que c'est Kellermann qui a donné ordre d'observer l'appartement.

— Je n'en sais rien. Et si je le savais, je ne te le dirais pas.

À toi moins qu'à personne. Le post-scriptum flottait littéralement dans l'air. Quirin hocha la tête.

— Tu es loyal. Pas comme moi. Un jour j'ai compris qu'on ne pouvait servir qu'un seul maître.

— C'est ça. La petite voix intérieure. Et cette voix t'a dit que c'est toujours les autres qui commettent des erreurs.

— Ce qui s'est passé à Sassnitz n'était pas une erreur. C'était une trahison. Qui a fait trois morts. Cette affaire reste à ce jour l'un des plus grands fiascos du BND durant la guerre froide.

— Sassnitz n'a jamais existé. C'est l'un des plus gros mensonges que les gens de ton espèce aient répandus dans le monde. Parce qu'ils n'ont pas réussi à trouver leur place quand l'ordre ancien s'est effondré. Tu es un homme du passé. Même ta guéguerre contre le BND appartient au passé. Tu refuses d'admettre que les temps ont changé !

Quirin jeta un regard autour de lui, mais le volume sonore du *Biergarten* était si élevé que personne n'avait remarqué le coup de sang de Toto.

— Quand je pense à l'admiration que j'avais pour toi…, poursuivit ce dernier.

Les regards en coin de Quirin ne lui avaient pas échappé. Il se pencha en avant et baissa la voix.

— … Au modèle que tu représentais pour moi. Quirin Kaiserley, ce fou furieux qui était sur le terrain, pour le compte de la CIA, quand les Russes se sont retirés de RDA. Qui a pris des clichés de missiles sol-sol dans une Jeep lancée à fond de train. Ces histoires se racontent encore aujourd'hui sur ton compte. Et puis soudain, quelqu'un, je ne sais pas qui, te lave le cerveau, et tu fais un virage à cent quatre-vingts degrés.

— Le Mur est tombé. Nous avons eu accès à de nouvelles informations. Quelqu'un a trahi l'opération Sassnitz.

— C'est la Stasi qui le dit ? On s'est foutu de ta gueule ! Il n'y a pas de taupe. On l'aurait trouvée depuis longtemps. Tu as merdé à l'époque. Toi seul. Et tu refuses de le reconnaître.

— Je n'étais pas seul.

Toto, qui avait levé son verre, le reposa sur la table.

— Nous étions six.

12

Berlin-Dalhem, Villa du commandant du secteur américain, Clayallee, 1984.

La neige tombait à gros flocons et tournoyait dans la lumière des réverbères. La radio passait l'*American Top Forty* animé par Casey Kasem. « … *islands in the stream, that is what we are, no one in between, how can we be wrong…* »

Quirin fredonnait le refrain de cette chanson qu'il n'aimait pourtant pas. Les années 1980 n'offraient aux hit-parades qu'une pop guimauve. Si au moins on avait été samedi soir, il aurait écouté BFBS et *John Peel's Music.* Il longea la Clayallee, dépassa les casernes américaines, le cinéma et le Post Exchange Store, abrégé PX, le tout étroitement surveillé et largement soustrait aux regards du monde extérieur. Zehlendorf était américain comme Spandau était britannique, Reinickendorf français et tout l'est de la ville soviétique. Les alliés occidentaux étaient présents et discrets à la fois, évoluant dans un univers parallèle qui n'avait pas grand-chose à voir avec la vie des Berlinois.

Quirin avait atterri une heure plus tôt à Tegel dans un appareil de la PanAm en provenance de Munich. Il avait loué une Volkswagen Jetta, et avait bon espoir d'arriver à peu près à l'heure. À cause de la neige, le vol avait failli être dévié au dernier moment sur Hambourg.

Il bifurqua sur la gauche, juste après l'Argentinische Allee, entra dans un quartier résidentiel et arriva bientôt devant une haute clôture métallique. Deux grandes berlines sombres attendaient leur tour devant le portail coulissant. L'une, blindée, était pavoisée de la bannière britannique. *Christmas carolling* chez le commandant du secteur américain. Chants de l'avent des Alliés sous le sapin de Noël de l'antenne des services secrets, un *must* pour tous les membres de la petite élite politique et économique de Berlin-Ouest.

Quirin attendit au volant de sa Jetta qu'un sergent de la *Military Police* prenne à son tour ses papiers et son invitation. L'imposant portail s'ouvrit pour laisser passer le Britannique, dévoilant aux regards un vaste jardin enneigé. Chaque arbre, chaque buisson, chaque rebord de fenêtre de la villa était orné de guirlandes lumineuses. Quirin ne connaissait pas la maîtresse de maison, mais elle devait nourrir une franche sympathie pour Disneyland.

— Monsieur Kaiserley ?

Le sergent réapparut à côté de sa voiture.

— Suivez-nous, je vous prie.

Il lui fit signe de franchir le portail et indiqua un parking où stationnaient deux voitures immatriculées à Munich. Kellermann et Langhoff étaient déjà là. Il se gara à côté de leurs véhicules et monta dans une Jeep surgie de nulle part. Papiers d'identité et invitation resteraient au poste de contrôle jusqu'à son départ.

Les lumières se reflétaient dans les casques noirs des policiers militaires. Ils portaient des brassards aux initiales MP et rigolaient comme des bossus en blaguant sur le point commun entre la muraille de Chine et la villa d'un commandant du secteur américain – toutes deux visibles depuis la lune. Quirin riait encore quand ils arrivèrent à l'entrée qui conduisait au souterrain. Les policiers confièrent leur protégé à un sergent revêtu d'un uniforme de gala qui d'une main gantée de blanc lui indiqua le chemin à suivre.

Quirin pénétra dans le sous-sol. Des accents de piano et des chants résonnaient dans la maison au-dessus de sa tête. *Hark ! The Herald Angels Sing*. Effluves de plats chauds et de cannelle. Un escalier montait au rez-de-chaussée, où se trouvaient les salles de réception – ou du moins ce que les Américains se figurent sous ce terme. Trop de rouge, trop de dorures, trop de verre, trop de tout. Épais tapis, lourdes tentures de soie, boiseries sombres et polies. Un jour, Quirin s'était égaré là-haut en cherchant les toilettes, et il avait eu le temps d'apercevoir l'énorme table ronde du hall d'entrée, la cheminée où brûlaient de fausses bûches et les immenses croûtes aux murs, avant de se faire attraper par deux jeunes messieurs fort aimables qui l'avaient reconduit au sous-sol.

C'était là, dans les pièces du bas, que se passaient les choses sérieuses.

Là, un vrai feu brûlait dans la cheminée. Kellermann était au bar en quête d'alcools forts. Il salua Quirin d'un bref signe de tête sans plus lui prêter attention. Langhoff, le chef des opérations de renseignement à l'Est, était perdu dans la contemplation d'un tableau de Thomas Cole, *Hudson River and Catskill Mountains*. C'était un homme grand et mince, dont les airs faussement nobles plaisaient à peu près autant à Quirin que sa manie de regarder ses mains manucurées en parlant.

À part eux, deux autres personnes se trouvaient dans la pièce. Une femme très jeune de type portoricain discutait avec un homme qui venait à l'instant de se tourner vers la porte pour saluer le nouvel arrivant.

— Lindner, annonça celui-ci.

Il avait l'air nerveux. *Ce type est en quête de soutien moral pour passer la soirée*, pensa Quirin.

— Richard Lindner.

Lindner devait avoir dans les vingt-cinq ans – quelques années de moins que Quirin. Un jeune homme de belle prestance, mais pas vraiment à sa place dans cette petite assemblée. Il portait un costume bas de gamme et sa cravate était légèrement nouée de travers. Il était nerveux. Or, personne d'autre ne l'était. Rencontre privée sous contrôle allié. Tous dans cette pièce connaissaient ça, sauf Lindner.

Quirin se présenta. La Portoricaine le gratifia d'un sourire Ultra Brite.

— Angelina Espinoza. Je suis membre de l'ambassade américaine à Bonn-Bad Godesberg.

Elle parlait un allemand presque sans accent. Quirin répondit à sa main tendue. Elle portait un tailleur bleu marine et des ballerines, tenue qui aurait suinté l'ennui sur n'importe quelle autre femme. Elle était jeune, mais son assurance ne laissait aucun doute sur le fait qu'elle savait parfaitement ce qu'elle voulait et comment l'obtenir. Université d'élite, ministère des Affaires étrangères, carrière. Vorace et ambitieuse. Riche famille à vue de nez. Encore que les diamants qu'elle portait aux oreilles étaient peut-être trop petits.

Kellermann avait fini par dénicher quelque chose dans le bar et s'était servi une double dose. Il agita son verre et s'approcha de Quirin, sans décoller ses yeux du dos d'Angelina.

— Quel temps de merde ! s'exclama-t-il en guise de salut tout en levant son verre. Je déteste Berlin en hiver.

Angelina éclata de rire, Lindner ne dit rien. Langhoff s'arracha à la contemplation du tableau et leur fit exceptionnellement l'honneur de son attention.

— Tiens, Kaiserley. Toujours là quand on peut manger à l'œil, hein ? (Il lui tapota l'épaule avec familiarité.) Notre champion. Vous n'avez pas le temps de compter jusqu'à trois qu'il vous a déjà piqué les meilleurs éléments.

— Quel temps de merde, répéta Kellermann.

Il avait des problèmes d'alcool. Tout le monde le savait. Personne n'abordait la question.

Une employée de maison au tablier amidonné servit des bouchées en forme de mini-hamburgers. Tartare légèrement poêlé, caviar et crème fraîche. Kellermann en fourra un dans sa bouche en déclinant l'offre d'une serviette. Lindner refusa. Il n'était pas venu pour manger. Son regard allait sans cesse vers la porte, derrière laquelle un autre policier montait la garde.

— J'aime Berlin, dit Angelina. C'est une ville chargée d'histoire.

— Comme n'importe quelle ville au monde, déclara Kellermann, la bouche pleine. Même la faille de San Andreas. Je préfère Düsseldorf ou Munich. Rues propres, gens sympas.

— Hambourg, dit Langhoff en examinant discrètement ses ongles.

Il n'aimait pas Kellermann. Quirin, en revanche, n'avait aucun problème avec les manières rustres de son chef. Peut-être parce qu'ils étaient tous les deux des hommes de terrain, et pas des intellos manucurés.

— Vous connaissez Hambourg ?

La question était adressée à Angelina.

— Hélas, non. Et vous ?

Lindner avait tressailli imperceptiblement. Tous les yeux se braquèrent sur lui.

— Non. Je connais Bonn.

— L'ennui total. (Kellermann prit un autre mini-burger.) Prague. Moscou. Leningrad. Que des coins où je n'irais pour rien au monde, même pas les pieds devant. Enfin, tout ça va bientôt changer.

Quirin se demanda à quoi Kellermann faisait allusion. La maison Russie venait de nouveau de changer de patron. Les Russes n'avaient pas eu beaucoup de chance ces dernières années avec leurs dirigeants. Andropov et Tchernenko, à peine arrivés aux commandes, étaient aussitôt repartis manger les pissenlits par les racines, et l'armée avait récemment intronisé sa nouvelle marionnette, un certain Gorbatchev, qui ne tiendrait probablement pas plus longtemps que les autres. Les États-Unis profitaient du tohu-bohu pour faire des mistoufles aux Russes. Ils soutenaient en Afghanistan des espèces de fous furieux qui avaient bien envie de chasser leurs occupants à coups de bombes. La guerre froide connaissait encore quelques soubresauts dans des pays extérieurs à l'Otan et au Pacte de Varsovie mais, à part ça, elle était bel et bien entrée dans une phase de stagnation à bâiller d'ennui. Rien ne bougeait, ni dans le bon sens ni, heureusement, dans le mauvais.

— Ça va changer pour lui, je veux dire, reprit Kellermann en pointant son pain de mie entamé en direction de Lindner. Il est censé assister à un congrès en ce moment et reprend l'avion pour Budapest ce soir même. Si Applebroog donne son feu vert. Où en est-on ?

Angelina haussa ses épaules délicates.

— Je ne veux pas préjuger des intentions du commandant. Mais l'appareil attend déjà à l'aéroport de Tempelhof.

À le voir, on aurait dit que Lindner se sentait mal rien qu'à l'idée de prendre l'avion. Quirin se demanda s'il était un agent dormant venu de l'Est, un espion retourné ou un transfuge. Le fait qu'il devait repartir le soir même à Budapest excluait la dernière solution. Il avait trop peu d'expérience pour être agent double. Restait l'agent dormant : un atout maître placé au cœur du pouvoir ennemi. Lindner n'avait sans doute aucune idée de ce dans quoi il mettait les pieds.

— Messieurs, Madame.

Le sergent ganté de blanc apparut à la porte tandis que le policier se mettait au garde-à-vous.

— *The Commandant, United States Commander Berlin and Commander, US Army Berlin, General* Charles Henri Applebroog.

Le sergent n'avait pas fini sa phrase que déjà Applebroog passait la porte, un verre de punch à la main. C'était un homme de taille moyenne, d'un abord sympathique, à qui seyaient l'uniforme comme le smoking. Militaire doublé d'un fin diplomate – combinaison dont Quirin regrettait qu'elle ne fût pas plus fréquente aux postes de décision. En qualité de commandant de secteur le plus influent de Berlin, il avait la haute main sur les décisions concernant le statut des trois puissances occidentales de Berlin-Ouest, mais il les prenait avec un art si consommé de la discrétion que les Berlinois pouvaient continuer de se croire administrés par leur maire-gouverneur. Lequel, à cet instant même, était probablement à l'étage du dessus en train de deviser avec les Britanniques de la limitation de vitesse sur l'autoroute urbaine.

— Allons, allons, laissons ces formalités. Appelez-moi Charles.

Il serra la main de Lindner. Quirin étouffa un gloussement à l'idée que Lindner, déjà dans ses petits souliers, puisse appeler Applebroog par son prénom. Kellermann lui-même n'aurait jamais osé, même après le quatrième verre.

Applebroog s'adressa à chacun, les saluant l'un après l'autre d'une chaleureuse poignée de main, puis invita l'assistance à prendre place dans les fauteuils.

— Lindner, dit-il. D'où venez-vous ?

— De Gnevezin. Près d'Anklam. Dans le Mecklembourg.

Ni le commandant de secteur ni la crème des services secrets rassemblés dans cette pièce ne paraissaient avoir déjà entendu parler de Gnevezin. Applebroog n'en hocha pas moins la tête avec bienveillance. Il se tourna vers Kellermann.

— Ainsi donc, ce jeune homme souhaiterait collaborer avec nous ?

Le jeune homme déglutit. Sa pomme d'Adam sautilla dans sa gorge. Quirin se demanda pourquoi on avait jeté sans aucune préparation ce blanc-bec dans la gueule du loup. Car vu sa tête, c'était bien ainsi que Lindner considérait le sous-sol hautement sécurisé de la résidence du commandant…

Kellermann fit un signe de tête en direction de leur invité.

— Lindner est venu nous faire une offre qui ne se refuse pas, comme diraient les Italiens.

Il regarda l'assemblée en quête de rires entendus, mais personne ne réagit. Quirin se demanda combien de temps un type avec autant de problèmes pourrait encore occuper un poste clé dans le service. Son mariage à vau-l'eau, l'alcool, la maison dans le quartier Fasanengarten à Munich, beaucoup trop chère même pour un chef de division. Kellermann avait besoin de faire un coup. Quelque chose qui puisse remettre en selle sa carrière et son existence. Il n'avait que dix ans de plus que Quirin, mais semblait avoir déjà grillé trois vies.

Lindner regarda ses pieds, incapable pour l'heure de dire quoi que ce fût. Langhoff pétrissait nerveusement ses mains depuis le début. Il attendait le moment favorable, et celui-ci semblait à présent arrivé.

— M. Lindner a parlé à l'un de nos collaborateurs en marge de la Fototec de Budapest. Il souhaiterait quitter la RDA et nous propose…

Langhoff s'interrompit, ménageant son petit effet. Il faisait partie de ceux, et ils étaient nombreux, qui guettaient la faute chez Kellermann pour sauter sur son poste. Quirin n'avait jamais pris part à ces petits jeux-là. Il était un homme de terrain, lui. Ses montées d'adrénaline, il les avait dans l'action, pas assis derrière un bureau.

Langhoff balaya l'assistance du regard.

— … le fichier complet des agents du renseignement extérieur de la RDA. La totalité des agents de l'Est travaillant à l'Ouest. Allemands, mais aussi américains, anglais, français. Nous pourrions les démasquer d'un coup. Tous.

Quirin retint son souffle. Il se demanda s'il était le seul dans la pièce à ne pas être au parfum. Il vit qu'Angelina Espinoza luttait pour garder son sang-froid. Ambassade américaine à Bonn-Bad Godesberg. Une chouette histoire à raconter à sa grand-mère. Les ambassadeurs de Bonn n'avaient rien à faire dans les réunions des services secrets. Ceux-là entonnaient des chants de Noël dans les orphelinats, mais n'étaient jamais de la partie quand une fissure apparaissait dans le rideau de fer.

Applebroog sourit. Il était au courant de l'opération. Autrement il n'aurait pas fourni l'appareil et contourné l'interdiction de vol de nuit. Kellermann et Langhoff aussi savaient. Évidemment. Quirin et Angelina étaient les deux seuls à tâtonner dans le noir. Elle devait faire partie des services extérieurs de son pays. Classique : ceux qui risquaient leur peau étaient toujours les derniers à savoir pourquoi.

— Ah oui ? Et comment allez-vous faire ? demanda Quirin.

Que les autres aient une longueur d'avance sur lui l'énervait. Un tel projet, d'ailleurs, était irréalisable sur le plan logistique. Pour ce que l'on en savait – et les connaissances au sujet de cette boîte de Pandore étaient plus que fragmentaires –, les dossiers des agents de la Stasi remplissaient plusieurs kilomètres de rayonnages.

Lindner garda le silence. Le feu crépitait, les glaçons dans le verre de Kellermann tintaient. Applebroog considéra son punch d'un air songeur.

— M. Kaiserley a raison…

Applebroog fixa des yeux Lindner, qui se recroquevilla encore un peu plus dans le capitonnage du fauteuil Chesterfield.

— … nous avons besoin de précisions. De preuves.

Des preuves. Le MfS était une forteresse. Il n'y avait jamais de preuves. À l'évidence, Lindner aurait préféré se trouver au fond de la faille San Andreas que dans ce fauteuil. Du côté d'Applebroog, la façade du charmant maître de maison s'effrita quelque peu. Il fit un signe au sergent ganté de blanc, qui ferma la porte devant le policier en faction.

— Comprenez-nous bien. Personne ne vous force à quoi que ce soit. Vous pouvez vous lever et partir d'ici à tout moment. Nous vous ramenons immédiatement à Budapest et personne ne saura où vous étiez ce soir. Vous avez ma parole.

Absurde. Lindner ne reverrait plus jamais ni son Hôtel Mitropa en Hongrie ni la RDA. Par contre, il pouvait d'ores et déjà compter sur des années de protection rapprochée.

— La parole des États-Unis d'Amérique, ajouta Applebroog.

Encore pire.

— Elle voulait aller à Paris, dit Lindner, si doucement que Quirin comprit à peine ses paroles. Elle en a toujours rêvé.

— Il s'agit d'une femme ? De votre femme ? Nous exaucerons son rêve. (Applebroog sourit.) Disons deux passeports, donc.

— Trois. Nous avons un enfant. Je veux être sûr d'avoir frappé à la bonne porte. Je l'ai déjà dit à Budapest. Trois passeports et l'exfiltration.

Applebroog échangea un bref regard avec Kellermann. Ce dernier posa son verre et fit signe au sergent de le resservir.

— Aucun problème. Ça pose un problème ? demanda courtoisement le commandant à Langhoff.

Celui-ci haussa les épaules.

— Dans vingt-quatre heures, nouvelle identité comprise. Sans faille.

— Et un visa pour les États-Unis, naturellement, renchérit Applebroog. D'ici à trois jours vous êtes à Times Square. Et ensuite à Paris, si le cœur vous en dit.

Il n'avait pas échappé à Quirin que le commandant associait adroitement son pays à l'opération. Zéro risque pour lui. Il se demanda à combien s'élevait la somme que le commandant avait mise sur la table et avec qui il avait négocié. Quirin soupçonna Langhoff. Kellermann creusait sa propre tombe s'il continuait de picoler comme ça.

— Dans trois jours, monsieur Lindner. *Three days. Time to practice your English*. Et votre français, naturellement.

C'était absolument exclu. Une opération pareille demandait du temps, devait être minutieusement préparée. Applebroog mettait l'appât sur l'hameçon avant même d'être parti à la pêche.

— Nous ne vous laisserons pas seul, continua Langhoff. Nous accompagnerons chacun de vos pas et veillerons sur vous. Vous avez frappé à la bonne porte. Mais il nous faut des garanties. Des faits. Dites-nous ce que vous savez au sujet de ce fichier. Nous ne pouvons pas acheter chat en poche.

Lindner regarda Applebroog d'un air désemparé. Le commandant lui fit un signe de tête. Il était redevenu Charles, un homme de bon conseil, un ami plein de sagesse. C'était comme dans les films pédagogiques des années 1970. Portes grandes ouvertes, mais légère pression dans la bonne direction. Lindner prit une profonde inspiration.

— Trois mille en tout, avec informations top secret de l'Otan, noms de code et identités des agents, notes d'évaluation, données administratives, filmés par le bureau F16 de la XIIe section, Berlin.

— Filmés ? demanda Quirin.

Kellermann leva la main d'un geste bourru. Il n'aimait pas les questions incidentes.

— Pourquoi seulement trois mille ? On parle de soixante, soixante-dix mille opérations.

— Une opération ne signifie pas nécessairement que la personne en question soit un agent, expliqua Lindner. Nous avons, si vous voulez, séparé le bon grain de l'ivraie.

C'était faramineux. Un coup de chance insensé, trop beau pour être vrai. Quirin secoua légèrement la tête. Comment un type comme Lindner pouvait-il accéder à de telles informations ? Impossible. Ça supposait que quelqu'un, au cœur même de la Stasi, dans le saint des saints, ait eu en main, examiné et copié chaque fiche une à une. C'était sans doute possible à l'état civil de Trifouillis-les-Oies, mais pas au ministère de la Sécurité d'État de la RDA.

— Où ? demanda Applebroog. Où faites-vous cela ?

— À Berlin. Normannenstrasse, bâtiment 7, second entresol.

Quirin se mordit les lèvres pour s'empêcher de nouveau d'intervenir. La Stasi filmait son fichier d'agents ? C'était nouveau. Tout le monde savait que les barrières de sécurité du MfS étaient proprement impossibles à franchir, et voilà qu'un type comme Lindner, un blanc-bec, un petit gars sympathique, mais sûrement pas un espion, débarquait en leur proposant la quintessence du mal sur un plateau d'argent.

Le sergent se joignit à l'assistance. Sans qu'on lui eût rien demandé, il s'assit à côté d'Applebroog, en tirant sur les plis en lame de couteau de son pantalon.

— Films ou jackets ?

— Films.

— Pellicule ? Plan-film ?

— Dans notre cas, pellicule.

— Marque ?

— Orwo DK 5, non perforé, seize millimètres.

— Caméra ?

— Appareil de lecture Dokumentor, Carl Zeiss Iéna.

Le silence était tel qu'on entendait l'humidité des bûches s'évaporer dans la cheminée, léger chuintement qui rappelait de loin le sifflement d'une bouilloire. Le sergent regarda Applebroog et hocha imperceptiblement la tête. C'était l'interrogatoire le plus étrange que Quirin eût jamais entendu de sa vie.

Le commandant fit signe au sergent. L'homme se leva, s'approcha de la cheminée et revint avec une boîte de Cohiba. Applebroog l'ouvrit et la proposa tour à tour à ces messieurs. Kellermann en prit un, les autres refusèrent poliment.

— Qui êtes-vous ? demanda Quirin.

Lindner le regarda avec surprise, comme s'il venait de s'apercevoir qu'il n'était pas tout seul avec les Américains.

— Je suis technicien en optique de précision. Je conçois des caméras. De toutes sortes. Je travaille à l'Ouest pour une entreprise de Leverkusen et fournis des renseignements à Berlin-Est. (Il jeta un regard hésitant à Kellermann.) Bien entendu, en étroite collaboration avec vos services. Par ailleurs, j'ai participé à la conception des appareils de lecture portatifs.

— Comment avez-vous accès à ces films ?

La pomme d'Adam de Lindner joua de nouveau au Yo-Yo. Mettons qu'il fabriquait de bonnes caméras. Mettons pour Agfa, mettons aussi pour Carl Zeiss Iéna. Mais ce qu'on faisait avec ces caméras à huis clos dans un laboratoire photo de la Stasi à Berlin-Est sous haute sécurité, cet homme ne pouvait pas le savoir. L'envie démangeait Quirin de se lever et de partir. Le gros poisson n'était qu'une sardine. Cet homme avait certes connaissance de certains détails et accès aux informations techniques. Mais n'importe qui pouvait se pointer avec un jean Levi's chez une étudiante travaillant dans les Archives nationales à Potsdam et obtenir en échange telle ou telle photocopie pour son prétendu devoir maison.

— Je ne peux pas le dire, chuchota Lindner.

Applebroog tira une bouffée de son Cohiba et disparut sous un nuage de fumée. Il avait visiblement souhaité que cette discussion prenne une autre tournure. Kellermann et Langhoff fixaient des yeux la table, où était posée la boîte de cigares. Une table en bois de rose richement sculptée. Des cigares cubains dans la cave du commandant du secteur américain.

Angelina, qui était assise à côté de Lindner, se pencha en avant.

— Nous voulons seulement nous assurer que tout le monde obtiendra ce qu'il veut. Vous les passeports, nous les films.

— Que se passe-t-il s'il y a un couac ?

— Cela n'arrivera pas.

— Et si jamais ?

— Nous achèterons votre liberté. (Applebroog commençait à se lasser des simagrées de Lindner.) La République fédérale, j'entends. Mais si vous ne voulez plus, la porte est là, au revoir.

Le sergent se mit en mouvement.

— Non, dit précipitamment Lindner. Je le veux. Nous le voulons.

— Alors dites-nous maintenant comment vous avez accès au secret le mieux gardé du ministère de la Sécurité d'État.

Lindner déglutit. Il regarda l'un après l'autre ses interlocuteurs dans les yeux. Même Quirin sentit sa curiosité s'éveiller de nouveau.

— C'est très simple, dit l'homme. C'est elle qui prend les photos.

13

— Arrête. Je ne veux plus entendre ces vieilles rengaines. (Toto but une gorgée de sa bière et reposa si violemment le verre qu'un peu du contenu déborda sur la table.) Tout ça, c'est du passé.

— Une trahison comme le bloc de l'Est n'en aurait encore jamais connue. Le mur serait peut-être tombé plus tôt. Il serait peut-être encore debout. Cette trahison aurait changé le cours de l'histoire.

— Continue de rêver. Elle n'a jamais existé.

— Je devais les exfiltrer. Trois personnes. Un homme, une femme, un enfant. Ils ont risqué leur vie. Et moi, j'étais jeune, je prenais ça comme une aventure. J'étais une tête brûlée. Je ne savais pas ce que représente une trahison. Ni pour celui qui la commet, ni pour celui qui est trahi. Tu le sais, toi, Toto ? Tu sais pour qui tu travailles et pourquoi ?

— Va te faire foutre.

Toto se leva, mais Quirin avança d'un coup sa main, et lui serra si fort le bras que le visage de Toto se tordit de douleur.

— Assis, dit Quirin. Et écoute-moi.

Toto regarda autour de lui. Quelques clients échangeaient des regards en coin. La patronne se frayait un chemin vers eux, l'assiette anglaise dans la main. La présence des clients était un bon point pour Quirin. Au Corbeau, tous les deux étaient obligés de se tenir à carreau. Le garçon se rassit, la patronne posa l'assiette et repartit. Quirin déroula la serviette qui entourait les couverts et s'efforça de parler sur le ton le plus naturel possible.

— Ce sont des choses qui arrivent, poursuivit-il. Nous avions tout planifié, tout préparé, nous avions les passeports, nous avions répété des douzaines de fois le déroulement de l'opération. La CIA se faisait discrète, c'était à nous de sortir ces trois-là. Jusqu'à Sassnitz, tout s'est déroulé comme prévu. Et puis ils ont disparu. Sans laisser de traces.

— Parce qu'ils se sont foutus de votre gueule. Ils ont eu les jetons.

— Ils sont morts, Toto.

— D'où tu le sais ? Ils coulent peut-être des jours heureux dans leur datcha de l'Oderbruch.

— Ils ont eu un accident de voiture en Roumanie cette nuit-là. Putain, Toto, personne ne peut en même temps être à la gare de Sassnitz et tomber dans un ravin des Carpates !

Toto ne dit rien. Quirin lui proposa un peu de son assiette, mais il refusa.

— Il m'a fallu des années pour m'en remettre. Puis le Mur est tombé. La CIA et le BND se sont partagé un bureau à Berlin. J'ai demandé ma mutation. Le retrait des Russes, *et cætera*.

Toto hocha la tête. « Les vieilles légendes des vétérans de la guerre froide », disait l'expression de son visage.

— Nos amis américains avaient gardé leur réseau d'agents dans l'Allemagne de l'Est en pleine implosion. L'un d'eux m'a tuyauté, et j'ai appris que des dossiers sur un certain Lindner existaient encore à Schwerin. À Berlin tout était déjà passé au broyeur. Je suis allé à Schwerin, à l'ancien service détaché de la Stasi sur la Demmlerplatz. Mais je suis arrivé trop tard. Là-bas aussi les broyeurs étaient en marche. Rien sur Lindner, rien sur cette opération suicide du milieu des années 1980. Tout ce qu'il y avait, c'était un renvoi. Une seule petite notification provenant d'une tout autre section. D'un autre service.

Toto fronça les sourcils. Les renvois étaient des pièces délicates à manier. La plupart du temps ils étaient inexploitables, car ils n'avaient aucune valeur de preuve.

— Le bureau de coordination, section II D. Adresses de couvertures et des boîtes aux lettres mortes de la CIA, enchaîna Quirin.

Quirin s'arrêta un instant. L'installation du service de renseignements intérieurs dans les nouveaux Länder. Kresnick, l'envoyé de Wiesbaden dans le Mecklembourg pendant ces années délirantes, un esprit tatillon au cœur de cow-boy. C'était lui qui lui avait donné le tuyau.

— Cette fameuse nuit où devait avoir lieu la remise des microfilms, il y a eu un couac à Sassnitz. Je ne sais pas ce qui s'est passé exactement, car je ne connais pas le contenu de la notification. Tout ce que je sais, c'est que quelqu'un a informé la CIA. C'était un message niveau sécurité III. *HumInt red* avec transmission aux services amis.

Quirin dévisagea Toto.

— Tu me suis ? Tu comprends ce que ça signifie ? Tous les signaux d'alarme auraient dû sonner à Pullach ! Transmission urgente. *Human Intelligence*, rouge. Traduction : une action a été démasquée. C'était notre devoir de nous en occuper sur-le-champ, car cette nuit-là, Lindner était devenu citoyen fédéral. Ils étaient tous les trois sous protection alliée ! Nous aurions peut-être pu les sauver ! Si ce n'est tous, au moins un ! *HumInt red*, ça signifie qu'un agent de la CIA a caché l'un des nôtres ou l'a rencontré ou connaît sa planque et qu'il faut impérativement le sortir de là. Réaction immédiate !

Toto regarda autour de lui, mais le brouhaha était toujours aussi fort et personne ne remarquait que Quirin avait élevé la voix.

— Bon, d'accord. Mais alors, pourquoi n'avez-vous rien fait ?

— Nous n'en avons rien su. Le message a été intercepté.

Toto regarda longuement Quirin. Puis il finit sa bière, s'essuya la bouche et chercha de la monnaie dans sa poche pour payer. Il ne comprenait pas où Quirin voulait en venir.

— Et c'est lui que je cherche, Toto, dit Quirin à voix basse. Celui qui a intercepté ce message. Depuis vingt-cinq ans. Il a trois morts sur la conscience. Et il nous a trahis. Et quand l'appel au secours est arrivé, il l'a détruit aussi. Il y a quelques jours, j'ai cru que la chance tournait. Mais la femme qui aurait pu m'aider a été assassinée à Berlin. Sous tes yeux, Toto. Ce sont tes caméras qui ont filmé le meurtre.

Quirin se détourna et fixa l'Isar des yeux.

— Applebroog, Kellermann, Espinoza, Lindner, Langhoff et moi. L'un de nous est la taupe.

Il entendit Toto jeter quelques pièces sur la table et se lever. Quirin fit au revoir de la main, sans le regarder. Cela ne servait à rien.

— Tu veux que je la fasse emballer ?

Toto montrait l'assiette anglaise, qu'il n'avait toujours pas entamée.

— Non, dit Quirin.

— Alors viens. Je ne peux pas pirater le système de surveillance pour tes beaux yeux. Mais pour cette fois, je veux bien regarder dans ma botte secrète. Et ensuite, plus jamais.

Toto tourna les talons et partit. Quirin bondit de sa chaise et se précipita derrière lui.

Judith se pencha plus près de la bouche de Martha Jonas. Il faisait presque noir dans la chambre. Ces dernières minutes, la voix de la vieille femme était devenue presque inaudible. Elle semblait à bout de souffle. Judith distinguait à peine ses paroles inarticulées. Martha Jonas avait raconté une histoire monstrueuse. Une histoire de deux enfants échangés. Une fillette disparue, une autre qui avait pris sa place. Et si cette histoire était exacte, alors la seule chose authentique dans le dossier de Judith était sa photo.

Judith écoutait et enregistrait toutes ces informations, sans les trier. Pas encore. Elle buvait chaque parole sans réfléchir. Elle aurait le temps de penser plus tard. Dès qu'elle aurait quitté cette maison. Mais pas maintenant. Désormais, chaque seconde était précieuse.

— Pendant toutes ces années, j'ai cru qu'ils viendraient te chercher.

Martha prit une profonde inspiration, mais elle était à bout de forces. Judith se figea.

— Qui ? Mes parents ?

— Non, Christel. Tu n'as plus de parents. Ta mère…

— Où est-elle ? Que lui est-il arrivé ?

— Christel, la seule chose qui pouvait te protéger, c'était d'oublier.

— Oublier quoi ?

Judith sentit la panique la submerger. Malade, épuisée, Martha Jonas était sur le point de s'endormir. Il ne fallait surtout pas. Il fallait qu'elle continue à raconter tout ce qui s'était passé cette nuit-là.

— Oublier quoi ? Martha ! Dites-le-moi ! Comment suis-je arrivée au foyer ? Qui était ma mère ? Que s'est-il passé, pour l'amour de Dieu ?

— L'amour de Dieu n'a pas sa place dans le palais de Lénine.

— Comment ?

— J'ai fait tout ce que j'ai pu. Tout.

Judith caressa la main de Martha Jonas.

— Je sais, je sais.

— J'ai caché ton dossier dans le cadre de la photo de Youri Gagarine. Au grenier. Je pensais que peut-être un jour tu reviendrais. Jamais… jamais plus je n'ai eu de nouvelles de toi, depuis le grand chamboulement… Et puis l'autre est venue… celle qui voulait te retrouver. Alors je suis retournée dans cette maison… Je me suis fait prendre, évidemment. (Elle fit un petit clin d'œil à Judith.) J'ai fait semblant de ne plus avoir toute ma tête. Pourtant je peux t'assurer que tout fonctionne là-dedans. Tout fonctionne… (Elle voulut tapoter son front, mais elle était trop faible.) Depuis je suis malade. On me donne des médicaments… Je suis si fatiguée. Si fatiguée.

Sa tête s'inclina lentement sur le côté.

— Madame Jonas ? Madame Jonas ! Martha, je vous en prie, ne vous endormez pas !

Judith caressait les joues de l'éducatrice, les larmes ruisselaient sur ses joues, mais elle ne les séchait pas, ne clignait pas des yeux, elle n'avait pas le temps pour ça, il fallait à tout prix faire parler la vieille femme.

— Martha ! Martha, j'ai été…

De nouveau cette envie de pleurer toutes les larmes de son corps. La cave, les coups, et cette promesse que cette femme lui avait faite, même si c'était un mensonge. Un cri cherchait à s'extraire mais il restait bloqué dans sa gorge, l'empêchant de respirer.

— J'ai toujours été sage, Martha. Toujours. Mais ma mère n'est jamais revenue. Est-ce qu'elle… que lui est-il arrivé ?

— Tu dois t'en aller, chuchota la vieille femme. Personne n'a réagi. Personne ne t'a aidée. Alors je t'ai supprimée de ta propre tête, jusqu'à ce que ton nouveau nom et ta nouvelle vie s'y soient bien incrustés. J'ai dû t'effacer de ta propre mémoire pour te protéger. Tout effacer.

Effacer.

Judith leva la tête. Elle entendit des pas dans le couloir, mais ce n'étaient pas les semelles feutrées de l'infirmière. Les yeux de Martha Jonas s'écarquillèrent. Une peur panique tordit soudain ses traits.

— Trop tard, dit-elle. Trop tard. C'est toi qu'ils viennent chercher maintenant.

Assis devant son Toughbook, une bécane tout-terrain adaptée au Sahara comme au pôle Nord, Toto établit la connexion avec l'ordinateur de son bureau au BND. Rien de nouveau sur Judith Kepler.

Cette histoire l'avait ému. Trois personnes avaient disparu des écrans radar de Kaiserley. C'était assez pour briser l'agent le plus aguerri. Et voilà qu'après tout ce temps une mystérieuse inconnue surgissait de nulle part et proposait une chose qu'un tas de gens cherchait à s'arracher. Ces bons vieux microfilms, complets cette fois-ci. La femme se faisait assassiner, les films restaient introuvables. Et dans cet imbroglio d'intérêts s'empêtrait, qui l'eût cru, une femme de ménage qui en savait bien plus qu'elle n'aurait dû.

Rosenholz. Bois de rose.

Toto leva les yeux vers Kaiserley, qui debout sur le balcon regardait le chantier de la rue, dont le bruit le tirait du lit tous les matins à 6 heures tapantes depuis des semaines. Quelle mouche l'avait piqué d'emmener ce type avec lui ? Était-ce parce qu'il avait eu l'air au bout du rouleau ? Toto gardait de lui le souvenir d'un combattant marchant la tête haute au-devant des défaites. Cela faisait des années qu'ils ne s'étaient pas revus. Toto entraperçut soudain les stigmates que le temps, l'âge et l'échec pouvaient laisser sur les hommes.

Il se leva et alla dehors.

— Sassnitz, dit-il. Foyer éducatif Youri Gagarine. Il y avait là-bas une Judith Kepler. Elle y est restée dix ans, puis a filé un mauvais coton. Coffrée mineure, vol, drogue, la totale. Je parie qu'elle ment dès qu'elle ouvre la bouche. Elle a dû te voir à l'émission de Westerhoff et a eu envie de faire son intéressante.

— Où est-elle ?

— Elle habite à Marzahn. 31, Marzahner Promenade. Arrivée à l'heure au boulot et repartie sans faire une minute de rab. À l'heure qu'il est, elle doit être en train de s'éclater dans une boîte quelconque.

— Un numéro de portable ?

— Tiens.

Il tendit le bout de papier à Kaiserley. Ce dernier composa le numéro à la hâte, tandis que Toto ôtait une feuille morte de ses jardinières malmenées. Kaiserley retourna à l'intérieur, arpenta la pièce avec impatience, puis, résigné, finit par ranger son portable. C'est alors qu'il découvrit la photo scannée de Judith sur l'ordinateur de Toto.

— Elle a été prise avec l'une de vos minicaméras.

Toto s'immobilisa dans la porte-fenêtre.

— Et alors ?

— La police de Berlin a aussi cette photo. Où sont vos enregistrements ? L'appartement était sous surveillance vingt-quatre heures sur vingt-quatre. Vous avez filmé l'assassin. Pourquoi la police a-t-elle une photo de Judith Kepler mais pas du coupable ?

Toto soupira. C'était reparti comme en quarante. On lui donnait le petit doigt, à Kaiserley, et il vous prenait le bras jusqu'à l'omoplate pour vous entraîner avec lui, tête la première, au fond du gouffre.

— Parce que ta femme de ménage et l'assassin ne sont peut-être qu'une seule et même personne ?

Le Toughbook se mit en veille. Sur l'écran apparurent un homme, une femme et un enfant. Toto alla à son bureau et rabattit précipitamment le capot de son portable. Kaiserley prit l'air de rien. Ça ne devait pas l'intéresser, les souvenirs n'avaient pas leur place dans sa vie. Hormis ceux qui tournaient autour de Sassnitz.

— Judith Kepler n'est pas un assassin.

— D'accord. Alors pourquoi t'intéresse-t-elle autant ?

— Elle détient quelque chose. Elle sait quelque chose. Je veux savoir où elle est. Et je veux avoir une longueur d'avance.

— Honnêtement, je n'ai aucune idée de ce dont tu parles.

— Je parle de celle qui pourrait être la prochaine victime. Et cette fois, Toto, tu seras dedans jusqu'au cou.

— Moi ? Pourquoi ?

— Parce que tu la livres au bourreau, murmura Kaiserley.

— Je fais mon boulot. D'accord ? Juste mon boulot.

— C'est ce que je me répétais aussi à l'époque.

Kaiserley attrapa sa veste posée sur le dossier de la chaise et partit sans se retourner ni dire merci. Toto respira un grand coup en entendant la porte claquer. Mais il n'était pas content. Pas content du tout.

Le docteur Matthes n'avait pas de temps à perdre. Il passa devant l'infirmière Reinhild et entra précipitamment dans la chambre de Martha Jonas. La vieille dame était seule. Matthes regarda par la fenêtre grande ouverte le jardin plongé dans l'obscurité puis referma les battants et se retourna vers Martha Jonas, qui faisait semblant de dormir.

— Où est-elle ?

Il avait une voix agréable. Tout en lui était agréable. L'infirmière Reinhild se sentait toujours bien en sa présence. Ce n'était pourtant pas ce qu'on appelle communément un bel homme. La soixantaine finissante, pas très grand, trapu, presque chauve, le visage couvert de taches de rousseur et ses yeux clairs surplombés de sourcils presque blancs. Lorsqu'il ôtait ses lunettes et regardait ses patients, il leur semblait que ses yeux plongeaient jusqu'au tréfonds de leur âme. L'infirmière Reinhild avait parfois l'impression qu'il lisait aussi dans la sienne. Elle se sentait toute chose à la seule idée qu'il puisse savoir ce qu'elle éprouvait pour lui.

— Madame Jonas, regardez-moi.

Il s'approcha du lit et toucha le bras de Martha. Elle dormait à poings fermés. Si elle simulait, elle était très forte à ce jeu-là.

— Elle ne peut pas être bien loin, fit remarquer l'infirmière Reinhild. Voulez-vous que je prévienne le service de surveillance ?

— Oui. Détachez les chiens et ordonnez la patrouille.

La « patrouille » était la cote d'alerte n° 2, déclenchée quand un patient s'était sauvé ou égaré dans la forêt. Ou quand des importuns s'introduisaient dans la maison pour prendre des photos, ainsi qu'avaient tenté de le faire quelque temps plus tôt ces reporters de Hambourg. Le médecin tâta le pouls de la patiente, puis la recouvrit avec soin, d'un geste presque tendre.

— Elle reviendra, dit-il.

Il était difficile de savoir à qui ces mots étaient adressés. À Mme Jonas ? À elle, l'infirmière Reinhild, qui n'arrivait pas à s'ôter de la tête qu'elle avait fait une très grosse bourde ?

Ils quittèrent ensemble la chambre et la manche du médecin effleura son avant-bras.

— Je suis désolée, gémit-elle.

Le médecin sourit.

— Allons. Ce n'est pas votre faute. Ces gens sont habiles pour dissimuler leurs intentions. Je vais exiger que Mme Jonas soit transférée au premier étage. Les fenêtres sont un facteur à risque. Mais que voulez-vous, je n'aime pas les barreaux. (Il s'arrêta.) Personne n'aime les barreaux.

Tout en se caressant l'avant-bras, l'infirmière Reinhild le regarda s'éloigner dans le couloir en direction de la sortie.

Judith était sous la fenêtre, le dos plaqué contre le mur de la façade côté mer. Au-delà d'une petite pelouse, le terrain descendait en pente douce vers la forêt. Elle se mit à courir à toutes jambes, mais avant même d'atteindre la barrière du vieux port elle entendit les chiens aboyer. Leurs jappements de triomphe trahissaient qu'ils avaient flairé sa piste.

Judith courut à perdre haleine le long de la clôture, manquant de déraper sur les semelles en caoutchouc de ses tennis, se rattrapant de justesse. Ce qui lui avait semblé être un terrain mal protégé, clôturé d'une simple haie, se révélait être une zone sous haute protection. Les chiens se rapprochèrent, dévalèrent la pente et s'éparpillèrent. Elle voulut escalader le grillage, mais il ploya sous son poids. Du fil de fer barbelé s'entortillait autour des piliers en béton.

Judith serra les dents, prit son élan et sauta. Elle s'agrippa au poteau et ses mains se refermèrent sur les barbelés. Malgré la douleur atroce, elle ne lâcha pas prise et se hissa au sommet. Un doberman fusa hors du sous-bois. Elle lança sa jambe droite par-dessus le rouleau de fil de fer, sa robe se déchira, d'autres pointes s'enfoncèrent dans sa peau. Un grondement avide s'échappa de la gorge du chien, qui bondit pour attraper sa jambe gauche. Elle balança son pied et l'atteignit en pleine truffe. L'animal poussa un hurlement aigu. Deux autres ombres jaillirent des fourrés comme deux flèches. D'autres chiens. Appels au loin. Cri rauque, panique, douleur, adrénaline : aiguillons poussant Judith par-dessus la clôture, au moment même où les chiens déchaînés arrivaient à ses pieds. Une silhouette humaine sortit des buissons.

— Restez où vous êtes !

Judith sauta. Elle se réceptionna sans heurt, trébucha, détala à toute vitesse.

— Vous là-bas ! Arrêtez-vous !

Elle prit à gauche sur les dalles défoncées de l'ancienne route du port. Elle franchit le treillage d'un bond, prenant appui sur ses mains, la douleur fusa jusque dans sa nuque, elle atterrit de l'autre côté et courut comme jamais encore elle n'avait couru.

Les cris s'affaiblirent.

Les entrepôts apparurent au loin. Elle ralentit sa foulée. Ses poumons étaient en feu et son cœur battait à tout rompre, pompant le sang à travers tout son corps. Elle regarda ses mains et se demanda si elle arriverait à tenir le volant.

À la première occasion, elle tourna à gauche et rejoignit le site de l'ancienne conserverie. Elle se cacha dans l'ancienne manufacture, dont seuls les murs carrelés de brun rappelaient qu'ici, autrefois, des poissons avaient été triés à la chaîne. Elle se recroquevilla derrière un canapé crasseux aux coussins éventrés et attendit. Au bout d'une demi-heure, personne n'ayant pointé son nez hormis quelques pauvres rats égarés, elle se leva et quitta l'entrepôt.

Une lune blanche et ronde était suspendue dans le clair ciel d'été. Elle suivit des sentiers balisés et gagna l'immense friche qui montait jusqu'à la Strasse des Friedens. Les garages pour camions, baraques en bois à moitié effondrées, s'alignaient sur le bord du terrain. Elle avait caché la camionnette dans l'un d'eux.

La première chose qu'elle fit fut de désinfecter et de bander ses mains. Puis elle monta à l'arrière et souleva le revêtement en bois sous lequel les gars planquaient les cigarettes de contrebande importées de Pologne. Le rapport d'autopsie était encore là. Elle revissa la boiserie et poussa la boîte à outils devant. Après quoi elle s'assit sur le plateau, fuma une cigarette et s'accorda un début de réflexion.

Elle n'était pas Judith Kepler. Elle était Christel Sonnenberg. Christel. Christina. Elle ferma les yeux et tenta de se rappeler ce que ce nom avait déclenché en elle quand elle l'avait entendu dans la bouche de Martha Jonas. Sonnenberg. Choc. Joie brûlante. Trou noir. Elle chuchota ce nom. Elle le dit à voix haute. Elle le répéta comme une formule magique, comme une incantation vaudoue qui déchirerait soudain le rideau tiré entre elle et son passé. Mais les mots ne servaient plus à rien. Et réfléchir encore moins.

Judith bondit sur ses jambes, claqua les portes arrière et s'assit au volant. Elle démarra, recula, sortit du garage à fond de train, freina sec, braqua, mit pleins gaz et lança le véhicule sur la friche comme un cheval de rodéo. Dans un crissement affreux, elle prit le bord du trottoir et atterrit brutalement sur la route. Passant les vitesses comme dans un film en accéléré, elle laissa les immeubles derrière elle, l'ancien quartier du port, déboucha sur Stralsunder Strasse, entendit le Klaxon indigné d'une voiture à qui elle venait de griller la priorité, arriva à l'autre bout de la ville et atteignit enfin l'enclos verdoyant aux grands arbres centenaires entourant l'église en briques rouges.

Elle stoppa la camionnette devant l'entrée. Le portail était encore ouvert. Horaires d'été jusqu'au coucher du soleil. Elle prit le marteau de forgeron à l'arrière du véhicule, sans se soucier de ses bandages ensanglantés ni de sa robe en lambeaux. Un couple d'un certain âge venait en sens opposé. L'homme entraîna sa femme sur le côté et suivit Judith des yeux.

Des fleurs de toutes les couleurs recouvraient les tombes. Le vent jouait dans les saules pleureurs. Judith se remit à courir, indifférente aux visiteurs tardifs qui posaient leur arrosoir et se redressaient sur son passage. Ses yeux étaient fixés sur le mur au fond du cimetière, sur l'étroite bande d'herbe où s'alignaient des petites dalles en granit noir. Elle tourna à gauche, s'arrêta devant l'avant-dernière, leva le marteau et frappa. Le choc retentit comme une détonation. Elle reprit son élan comme pour briser la terre en deux. Le marteau s'abattit sur la pierre. Encore et encore. La dalle se fendit. De petits éclats volèrent. Judith haletait sous l'effort. Le mur répercutait l'écho des coups par-dessus les tombes. Le « M » se brisa. Puis le « K ». Quelqu'un lui cria d'arrêter. Mais elle ne le voulait pas. Elle voulait continuer jusqu'à ce qu'il ne reste plus rien de cette pierre, la pulvériser, la désintégrer, la rayer de la carte. Le lourd métal démolit les lettres l'une après l'autre, broya les chiffres. Sans importance. La date de naissance, sans importance. La date du décès, sans importance. Le nom, sans importance. Plus rien n'avait d'importance. La pierre était une pierre, et un mensonge. Il fallait détruire les mensonges.

14

Quirin Kaiserley arriva à l'aéroport Franz-Josef-Strauss juste avant la fin de l'enregistrement. Il serait à Berlin vers 22 h 30.

La police, le BND, les renseignements, tous savaient pour Judith Kepler. Dombrowski, son crétin de patron, restait bouche cousue. Où qu'il aille, Quirin avait l'impression d'être dans le conte du lièvre et du hérisson : quelqu'un surgissait d'un buisson et arrivait le premier.

Il s'acheta un journal tout en sachant pertinemment qu'il ne l'ouvrirait pas, puis se dirigea vers la porte d'embarquement. L'expédition à Munich n'avait pas donné grand-chose. Pire, elle avait montré que le gamin et lui n'avaient plus rien à se dire. Quirin grogna. Gamin, tu parles. Toto était adulte, mais continuait de se balader en casquette de base-ball et baskets. À son âge, il y avait longtemps que Quirin avait fondé une famille. Il avait eu le sens des responsabilités. Il était convaincu d'avoir fait son devoir. Il avait pris Toto dans la boîte, malgré un bac médiocre et en usant de beaucoup de persuasion. Recevrait-il jamais le moindre remerciement en retour ? Les raisons de leur brouille étaient peut-être plus profondes qu'il n'avait bien voulu l'admettre jusqu'ici.

Il atteignit la porte d'embarquement. L'hôtesse au sol s'apprêtait déjà à l'appeler au micro. Elle arborait un sourire tendu.

— Monsieur Kaiserley ?

Quirin lui tendit son billet. Il allait éteindre son téléphone portable lorsqu'il vit que Toto avait essayé de le joindre. Il reprit son billet déchiré, s'engagea dans le couloir d'embarquement et composa le numéro.

— Vous devez éteindre votre portable.

— Tout de suite.

L'hôtesse referma le passage avec un cordon.

— Allô ?

Fond musical. Quirin crut reconnaître quelques mesures de *Legs* de ZZ Top.

— C'est moi. Tu as appelé ?

— Il y a du nouveau. Je te donne une avance et retiendrai l'info jusqu'à demain matin 8 heures. Pas une seconde de plus.

La passerelle faisait un coude. Au bout, Quirin vit une hôtesse de l'air qui l'attendait avec impatience.

— Qu'est-ce qui s'est passé ?

L'hôtesse se mit en travers du chemin.

— S'il vous plaît, éteignez votre téléphone portable.

— Ta femme de ménage a été arrêtée. Vandalisme, dégradation de matériel et… hum… d'autres voies de fait en infraction à l'article 168 du code pénal.

— Votre portable !

— C'est quoi, cet article ?

— Vous n'avez pas entendu ? Vous ne pouvez pas monter à bord !

Toto émit un son qui, déformé par le micro, ressemblait vaguement à un rire. Quirin fit un geste de la main signifiant à l'hystérique qu'il avait compris le message et s'apprêtait à suivre ses consignes. Tout de suite.

— Profanation des morts.

— Quoi ? Je ne comprends pas.

— Moi non plus. Mais avec cette femme, faut s'attendre à tout, on dirait. Elle a été arrêtée, mais elle s'est barrée du poste de police.

— Où ça ?

— Tu ne vas pas le croire.

L'hôtesse de l'air le suivit dans les rangées, sous les regards curieux et courroucés des passagers.

— Judith Kepler est à Sassnitz. Bizarre, non ? C'est une des deux raisons pour lesquelles je voulais te parler. L'autre, c'est qu'un avis de recherche est désormais lancé contre elle. D'ici à une dizaine d'heures, Kellermann sera au courant. Je ne peux rien faire de plus pour toi.

— Merci.

— Laisse tomber. Ah, autre chose.

— Oui ?

— Ne m'appelle plus jamais.

Toto raccrocha. Quirin se tourna vers l'hôtesse de l'air et appuya sur une touche de son portable, qu'il lui mit sous le nez.

— Il est éteint. Vous voyez ? Éteint !

Elle pivota sur ses talons et feignit de vérifier que les ceintures de sécurité étaient bien attachées.

Une bonne heure plus tard, arrivé à Tegel, Quirin retira 1 000 euros au distributeur, le maximum autorisé par sa carte, alla chercher sa voiture de location et prit directement l'autoroute en direction de Hambourg. La prudence s'imposait. Dans une station-service à proximité de Greifswald, il paya en liquide, but un café et regarda sur une carte la distance qu'il lui restait à parcourir. Stralsund. Pont de Rügen. Bergen. Sassnitz.

Il arriva peu avant 2 heures du matin. Il ne lui restait que six heures pour trouver Judith Kepler. Une femme qui troublait non seulement le repos des vivants, mais aussi celui des morts. Quirin ne savait pas ce qui, en l'occurrence, était le plus dangereux.

Kellermann ouvrit la porte d'entrée de sa villa et tendit l'oreille. Le silence et l'obscurité l'accueillirent. Éva était déjà couchée. C'était là l'aboutissement d'une lente évolution qui courait sournoisement depuis de longues années, sans qu'on pût la rapporter à quelque cause précise. Kellermann ne s'était jamais demandé comment ils en étaient arrivés là. Peut-être parce que la réponse ne leur aurait pas été d'un grand secours. Il aimait son travail. Il aimait aussi Éva, mais si on lui avait mis un pistolet sur la tempe et demandé de choisir entre les deux, nul doute qu'il aurait opté pour son job.

Il n'en avait pas toujours été ainsi. Il ne savait pas ce qu'il regrettait le plus : que ce temps soit révolu, ou qu'il s'accommode sans états d'âme du présent.

Il posa sa serviette sur la table de l'entrée et alla dans le salon sans faire de bruit. Une assiette de tartines au pâté de foie recouverte de film alimentaire l'attendait sur la table basse. Au moins leur restait-il ce genre de petites attentions. Ce geste le toucha. Il connaissait les dîners de gala et les déjeuners intimes dans des restaurants étoilés. Il avait léché du chocolat fondu sur le ventre d'Angelina et englouti du caviar à la cuiller à soupe au 17, ulitsa Tverskaya, à Moscou, avant que trois demoiselles, cadeau de la maison – ou de son hôte – lisent le moindre de ses désirs sur ses lèvres. Il connaissait par cœur les sandwiches cornichons du château de Bellevue et la carte de midi de la Chancellerie fédérale. Mais une assiette de pâté de foie, il n'y en avait qu'à la maison.

Kellermann la porta à la cuisine et la rangea dans le réfrigérateur. Il sortit un peu de glace du freezer, fit tomber quelques glaçons dans un verre et retourna au salon. Il prit une bouteille de vodka dans le bar, s'affala dans le canapé et sortit son smartphone. Un joujou équipé de quelques outils qui n'étaient pas en vente sur Apple Store. *Du moins pas pour 20 euros*, pensa Kellermann. Pour ça, les collègues en Irak devaient allonger un paquet sur la table. Par exemple, il était équipé d'une « porte dérobée », accessoire fourni d'office, donnant accès au Toughbook de Toto sans qu'il soit besoin de l'infiltrer, à la différence d'un cheval de Troie.

Finalement, le Toughbook n'était rien d'autre qu'une station de passage des données que Kellermann pouvait consulter à tout moment et en toute tranquillité. Kellermann était curieux de voir ce que donnaient les recherches de Toto. Judith Kepler, la femme de ménage, connaissait Kaiserley. Toto finirait bientôt par le découvrir, ce n'était plus qu'une question de temps. C'est pourquoi Kellermann brûlait de savoir ce que Toto allait lui annoncer, et surtout ce qu'il allait lui cacher.

Il leva brièvement la tête. La porte du couloir était ouverte. Il ne voulait pas qu'Éva le surprenne. C'était déjà arrivé une fois, quand il avait visionné en boucle les images de l'assassinat de Borg, essayant de reconnaître la voix, tentant de découvrir le moindre indice dans cette silhouette sombre et masquée. Ces images avaient été terribles.

Il n'avait pas remarqué qu'Éva s'était approchée de lui et avait regardé par-dessus son épaule. Autrefois, il lui avait juré qu'il ne ferait jamais rentrer le mal dans leur maison. À présent il le trimbalait avec lui, jour après jour, comme son ombre. Il écouta. Seul le léger *tic-tac* de la pendule troublait le silence. Mais elle était là, tapie dans l'ombre, la chose qu'il attendait depuis vingt-cinq ans. Ces forcenés l'avaient réveillée. Et il était le plus forcené de tous, car il avait cru qu'elle ne se réveillerait plus.

Il but une longue gorgée de vodka.

Toto avait pisté le nom de Judith Kepler dans le réseau de communication interne de la police. Il avait envoyé une salve de recherches dans le *World Wide Web*, et le nom s'y était pris comme dans une toile d'araignée. Arrestation à Sassnitz pour faits de dégradations dans un cimetière. Kellermann lut le procès-verbal des forces de l'ordre, d'abord avec ennui, puis avec de plus en plus d'intérêt. Kepler avait démoli une sépulture. À la suite de quoi, elle avait été arrêtée et s'était laissé conduire au poste sans résistance. Là-bas, on lui avait dit de s'asseoir et d'attendre. Mais Kepler n'avait manifestement pas attendu. Elle s'était simplement levée, et était partie.

Bien joué, la petite. Kellermann referma le procès-verbal. Toto resterait sur ses talons.

Il cliqua sur la fenêtre avec la photo de Judith et contempla longuement l'image floue et granuleuse. Il avait cru que les fantômes du passé ne reviendraient plus jamais. Mais Borg les avait réveillés. Et Kepler les mettait en fureur.

Une tombe à Sassnitz. La petite s'approchait dangereusement. Il suivrait chacun de ses pas. Elle le conduirait. Si quelque chose restait encore de cette époque, elle était la seule à pouvoir le trouver.

Il sursauta : une ombre passa dans le couloir. Éva se glissa dans la salle de bains, l'interstice entre la porte et le sol s'éclaira. Kellermann vida son verre. Il n'avait pas réussi à arrêter l'alcool, mais Éva l'avait aidé à réduire sa consommation, et à mieux la contrôler. Petite Éva. Il se sentait tenu à plus de gratitude. Au fil des ans, elle avait fait bien plus pour lui qu'il n'avait fait pour elle. Pourquoi, il n'en savait rien et il n'osait pas poser la question.

Il se versa deux doigts de vodka, leva le verre. Les glaçons à moitié fondus produisirent un léger cliquetis. Il aimait ce bruit qui lui rappelait le bon vieux temps, quand on fumait encore des cigares et que le dimanche soir, dans la cave du bungalow du Chancelier, on enregistrait dans son dictaphone l'ordre du jour de la réunion hebdomadaire, qui dès le lundi matin arrivait comme par enchantement sur le bureau d'Ulbricht ou d'Honecker à Berlin-Est.

C'était il y a si longtemps. Un autre monde, divisé en deux par l'Otan et le Pacte de Varsovie, et une guerre que personne ne pouvait gagner. Il avait toujours été passionné par son métier. Mais sa passion aussi s'était émoussée au fil des ans, tandis que devenaient plus flous les ennemis et les objectifs. Défendre la liberté était une entreprise largement plus pénible que de la conquérir.

Parfois le souvenir du temps jadis le rattrapait. Dans les nuits comme celle-ci, quand il se retrouvait seul dans le noir de cette maison où pourtant ils vivaient à deux. Il but et savoura le liquide froid qui se transformait sur sa langue en un feu brûlant. Il repensa à cette femme en blouse bleue qui venait de réveiller en lui l'instinct de chasse qu'il avait cru depuis longtemps perdu. Et au chemin qui s'ouvrait devant Judith Kepler. Elle allait entreprendre un long voyage dans le passé, remontant jusqu'à l'époque d'une guerre où tous les coups avaient été permis : l'amour et la mort. Elle trouverait les deux, car la bataille était restée sans vainqueur. À ce jour et pour l'éternité.

La lumière s'alluma dans le couloir. Une silhouette en chemise de nuit blanche apparut dans l'encadrement de la porte. La lumière, dans son dos, découpait la forme de son corps sous la fine étoffe.

— Tu viens ? demanda-t-elle.

— Oui.

La mort peut survenir à toute heure du jour et de la nuit. À Berlin, en moyenne trente mille fois par an. Environ deux cent cinquante entreprises de pompes funèbres en vivent, plus ou moins bien. La mort ne respectant pas les horaires d'ouverture, le fait d'être joignable vingt-quatre heures sur vingt-quatre représente un avantage compétitif de taille pour beaucoup de ces entreprises.

L'entreprise Schneider Prévoyance vantait les compétences de son personnel qualifié à coup d'annonces en pleine page dans l'annuaire et sur Internet. La hotline était tenue par des étudiants que Schneider senior triait sur le volet en fonction du timbre compatissant de leur voix et de leur efficacité en matière de prise de rendez-vous. Passé 22 heures, les employés des pompes funèbres n'étaient sortis du lit qu'en cas d'urgence absolue. La plupart du temps, il suffisait de prêter une oreille patiente au client et de s'informer de l'heure à laquelle les collègues devaient passer le lendemain. C'était un boulot tranquille. Et comme à la signature de chaque contrat une petite prime venait grossir le salaire horaire, Berthold Geissler ne rechignait jamais à décrocher quand le téléphone sonnait peu avant l'aube, à l'heure de pointe de la mort, dans le centre d'appel du siège social.

Il se présenta avec les saluts d'usage, prenant soin de paraître serviable et constructif dès la première seconde. Une femme était à l'autre bout du fil, qui, sans dire son nom, alla droit au but.

— J'appelle à propos de Christina Borg. Crémation puis rapatriement des cendres en Suède. À quelle adresse, je vous prie ?

— Je… euh… je ne sais pas, répondit-il en toute objectivité. La défunte était-elle une parente à vous ?

— J'ai à traiter une demande du bureau de la ville de Berlin en charge du développement urbain. Cimetières, espaces verts et crématoriums. Je travaille pour la firme Scan Ferries, à Rostock. Nous vous proposons de mettre à disposition une cabine au cas où le voyage serait accompagné. Dans le cas contraire, nous aurions aussi des containers spéciaux dans la soute. Je suis chargée d'établir un devis.

— À cette heure-ci ?

La femme à l'autre bout du fil rit doucement, d'un petit rire franchement sympathique.

— Nos ferries marchent vingt-quatre heures sur vingt-quatre, aussi travaillons-nous vingt-quatre heures sur vingt-quatre. Boucler ce devis tout de suite fera passer le temps plus vite. Et vous, vous faites quoi, toute la nuit ?

Il regarda la pendule. Presque 4 heures. À vrai dire, il attendait que quelqu'un meure.

— Quand c'est calme, je lis.

— Vous lisez quoi ?

Geissler jeta un œil au livre qu'il avait posé à côté de lui.

— Le calcul différentiel fractionnaire.

— Mathématiques ?

— Physique. En licence.

La femme se remit à rire. Elle avait l'air sympa.

— Où vont vos ferries ? demanda-t-il.

— Saint-Pétersbourg, Klaïpeda, Travemünde, Bornholm, toute la Baltique, en long, en large et en travers.

— Ça donne envie de voyager.

— Rien de plus simple. Envoyez-moi un mail, et je vous réserve une cabine extérieure. Je pourrais vous faire bénéficier de la remise pour le personnel. Nous sommes quasiment collègues cette nuit.

Il entendit une annonce par haut-parleur.

— C'est notre bateau pour Rønne. Vous y êtes déjà allé ?

— Non. Je ne connais que la Méditerranée.

— Quel dommage.

Sa voix parut sincèrement affligée. Les dames, là-bas, avaient peut-être reçu la même formation que lui.

— Il va falloir y remédier. Au plus vite. Nous avons un temps splendide là-haut. La mer est calme, le ciel est bleu, c'est une autre façon de voyager, vous savez. Un peu comme jadis. On se donne entièrement. Aux éléments, au capitaine, au temps.

Cette conversation commençait à amuser Berthold Geissler. Il était rare que les personnes qui appelaient Schneider Prévoyance en pleine nuit parlent de la mer et du temps qu'il fait. Une femme inconnue à la voix chaude et séduisante. Il s'imaginait au port, attendant un bateau. Ou l'attendant elle.

— C'est tentant, dit-il. Combien ça coûte ?

— Moins que vous ne le pensez. Venez me voir une fois que vous serez ici.

— Je n'y manquerai pas. Quel nom ?
— Borg. Christina Borg.
— Mais le vôtre ?
— Vous savez quoi ? C'est moi qui vous écris. Promis. Si vous accédez à ma demande. Je ne sais pas quand le laboratoire médico-légal restituera le corps, mais vous devez certainement avoir déjà le contrat ainsi que le nom d'un interlocuteur.

Geissler ouvrit l'onglet de recherche de l'ordinateur et entra le nom.

— L'urne part pour l'église Tyska Kerkan i Sverige, au 23, Köpenhamnsvägen, à Malmö.
— Oh, une minute. Je note.

Il répéta l'adresse.

— Merci, dit la femme. Votre aide m'a été précieuse.

Elle raccrocha.

— Allô ? (Il fixa le combiné des yeux.) Allô ?

Berthold googlelisa Scan Ferries. Il essaya toutes les orthographes qui lui vinrent à l'esprit, sans trouver aucune trace de la firme. Il repassa la discussion dans sa tête et fut forcé d'admettre que, contrairement à lui, elle n'avait fourni aucun renseignement. Il hésita à informer son chef. Mais comme il n'arrivait pas à s'expliquer l'intérêt de cette femme pour une urne mortuaire, il abandonna l'idée. Il reprit son livre et se replongea dans le tenseur de courbure de Riemann, tout en se disant qu'il aurait bien aimé la rencontrer.

Quirin Kaiserley freina brutalement et recula de quelques mètres, jusqu'à ce que les arbres cessent de lui cacher la vue sur l'église et le petit parking. Il se frotta les yeux, croyant que la fatigue lui jouait un mauvais tour. Mais non, là-haut stationnait bel et bien une camionnette et, à moins d'être victime d'une hallucination, il pouvait lire distinctement le logo *Dombrowski*.

Quirin regarda autour de lui. Les rues étaient désertes, quelques mornes réverbères baignaient le cimetière d'une lumière spectrale. Pendant presque deux heures, il avait erré à travers la ville, se maudissant lui-même. Peu de chances que Judith Kepler soit restée à l'attendre à un arrêt de bus. Et au moment même où il allait renoncer, il avait aperçu la camionnette.

Une aube blafarde éclairait déjà l'horizon. Il gara la voiture et gravit la pente herbeuse jusqu'à la camionnette. Comme il pouvait s'y attendre, elle était verrouillée. Mais il n'y avait ni scellés ni sabots, preuve qu'elle n'avait pas encore été signalée comme volée, et que la police n'avait pas fait le lien entre elle et Judith.

Une vague admiration se mêlait à son dépit. Dépit, car Dombrowski lui avait menti. Et admiration, car elle avait réussi à venir jusqu'ici, et n'était pas encore au bout de son voyage. Profanation des morts, avait dit Toto. Quoi que cela signifie, la camionnette était garée devant une église et un cimetière.

L'église était fermée, mais pas le portail en fer encastré dans le mur en brique du cimetière. Quirin commença par faire le tour complet de l'église. Il ne trouva pas la moindre trace de dégradation ni de vandalisme. Il regrettait d'avoir laissé sa lampe de poche dans la voiture, mais il ne voulait pas y retourner. C'était un vieux cimetière, sans chemins définis, qui épousait la pente de la colline. De jour, il devait offrir une vue à couper le souffle sur la Baltique. Quirin se souvint que beaucoup de villes situées en bord de mer enterraient leurs morts sur les hauteurs. Peut-être de peur que la mer ne les prenne.

Il avait presque traversé le cimetière sur toute sa longueur lorsqu'il découvrit une tombe cinéraire entourée de rubalise. Il s'approcha et sentit des fragments de pierre sous ses pieds. Quelqu'un s'était acharné sur la sépulture et l'avait démolie. Quirin ramassa un petit morceau de granit et contempla ses arêtes. Elles étaient sèches et récentes. Soudain, il entendit des pas, mais c'était trop tard pour s'enfuir.

— Que faites-vous ici ?

Une lumière brutale l'aveugla. Quirin porta la main devant ses yeux.

— Qui êtes-vous ?

Une silhouette sombre braquait sur lui le faisceau de la lampe.

— Les gens ne respectent plus rien ! Un cimetière n'est pas un dancing ! Il y a un règlement ici ! Ouverture du lever au coucher du soleil ! Déguerpissez !

Quirin lâcha le morceau de pierre.

— J'enquête sur cet incident.

Le faisceau lumineux glissa à terre. Quirin baissa la main. Devant lui se tenait un petit homme assez âgé à la chevelure blanche et hirsute, portant un pyjama sous son manteau en popeline.

— Au milieu de la nuit ? Et moi, je suis le pape.

— Elle a vraiment fait ça ?

— Cette folle ? On n'a jamais vu une chose pareille. Qui êtes-vous ?

— Mon nom est Quirin Kaiserley. Je viens de Berlin. Cette femme est en fuite. Nous devons la retrouver afin d'éviter le pire.

— Parce que ça lui prend souvent ?

— Ça, elle ne nous l'avait encore jamais fait.

— Mmm. Évadée d'un asile de fous, hein ?

Quirin le laissa croire ce qu'il voulait. L'homme explora le tas de pierres avec le faisceau de sa lampe de poche. Quelques lettres se distinguaient çà et là, guère plus.

— À qui appartenait cette tombe ?

— À une certaine Marianne Kepler. La concession allait arriver à son terme dans quelques années. Personne ne s'en est jamais occupé. C'est la commune qui a payé le bail.

— Vous êtes le gardien du cimetière ?

Le petit homme hocha la tête. Quirin s'éloigna de la tombe et alla s'asseoir sur un banc. Le gardien le suivit, tout en s'arrêtant à chaque pas pour écarter des feuilles mortes avec son pied. Quirin se renversa sur le dossier et fixa un moment la nuit étoilée au-dessus de sa tête.

— Comment peut-on démolir une tombe ? demanda le petit homme. (Le faisceau de sa lampe se figea sur une tombe verdoyante avec une bordure en marbre noir.) Il faut être malade. Encore heureux que ça n'ait pas été un cimetière juif. Vous imaginez le bazar. Sûreté de l'État et tout le tralala. On a déjà assez d'histoires ici avec les jeunes.

— C'est sûr, approuva Quirin. C'est arrivé quand ?

— Vers 21 heures, peu avant la fermeture des portes. Elle est entrée dans le cimetière avec des yeux comme des roues de moulin. Elle avait un marteau, quelque chose dans le genre. Cette bonne Mme Lüttich s'en est trouvée mal. La pauvre femme est cardiaque, il a fallu l'emmener à l'hôpital.

— Elle a été menacée ?

— Non, mais elle a eu peur. Fracasser la pierre comme ça. À tous les coups, ce sera dans le journal demain.

— Seulement la pierre ? s'enquit Quirin. (Une idée absurde lui était venue tout à coup ; dans le cas de Judith Kepler rien n'était impossible.) Ou bien est-ce qu'elle s'est aussi attaquée à la terre ? Elle cherchait peut-être quelque chose ?

Le gardien s'assit à côté de lui.

— Non. Elle était juste en furie. Au bout d'un quart d'heure, la police a fini par arriver et l'a embarquée. Il ne restait déjà plus rien. C'est à n'y rien comprendre.

— Cette femme était Judith Kepler. Ce nom vous dit quelque chose ?

L'homme éteignit la lampe. L'obscurité était si profonde que Quirin ferma les yeux sans percevoir de différence. Il entendit son voisin respirer. Un bruit doux et sifflant.

— Oui. Je ne savais pas.

Le silence qui suivit dura longtemps.

— Judith, dit-il enfin. La petite Judith.

Judith sortit de la cabine téléphonique. Le terminal s'était vidé. Partout traînaient des cartons éventrés remplis de canettes de bière et de bouteilles de schnaps à moitié pleines. Elle s'empara de deux canettes intactes que leurs propriétaires n'avaient sans doute plus eu la force de vider. Sur le chemin des plates-formes, elle en ouvrit une et la but tout en courant.

Poids lourds, voitures et camping-cars s'alignaient en longues files devant les rampes d'accès. Judith longea les rangées tranquillement, comme quelqu'un qui chercherait sa voiture. Dans quelques minutes, les barrières se lèveraient. À gauche direction Lituanie, à droite direction Suède. Deux gigantesques bateaux étaient à l'ancre dans le port. Les camions de marchandises se pressaient sur les plates-formes, pare-chocs contre pare-chocs, avant de disparaître dans les immenses soutes. Les cris des dockers se mêlaient au grondement des moteurs. Une lumière aveuglante éclairait les moindres recoins. Impossible de passer clandestinement les contrôles.

Les cendres de Christina Borg avaient pour destination une église allemande de Malmö. Judith se faufila dans la rangée de droite et se cacha dans l'ombre d'un petit camion de fleurs hollandais, tout en épiant les postes de garde. Elle avait pris une douche sommaire sur la plage, mais n'avait pu se brosser les cheveux et, avec sa robe déchirée, elle avait toujours l'air d'une clocharde. Les paumes de ses mains étaient en feu. Elle n'avait ni papiers, ni clé, ni portable, ni argent. Son voyage prenait peut-être déjà fin ici.

Elle s'assit sur le bord du trottoir et décapsula la seconde canette. La bière était tiède, mais au moins elle étancha sa soif. Les policiers l'avaient conduite au poste et lui avaient confisqué son portable, tout comme son portefeuille contenant ses papiers. Elle avait dû attendre sur une chaise devant le guichet, pendant que les agents débattaient à voix basse afin de déterminer si son cas relevait plutôt de l'hôpital, de l'asile de fous ou du procureur de Schwerin. Au bout de dix minutes, Judith s'était levée sans bruit et avait quitté le poste. Personne ne l'avait remarquée. Les deux agents devaient être encore à cette heure en train de discutailler.

Dans les vapeurs de l'alcool, elle fixait les gros pneus d'un camion. Elle songea vaguement à s'accrocher sous le châssis et à s'y tenir cramponnée jusqu'à ce qu'elle soit à bord. Exclu. Elle n'était plus en état.

Elle essaya de ne pas penser à ce que Martha Jonas lui avait raconté. Elle essaya de ne penser à rien. Même pas au fait qu'elle avait perdu la camionnette et les dossiers. Dombrowski lui arracherait la tête.

Qu'il aille se faire foutre, Dombrowski. Elle but la seconde canette jusqu'à la dernière goutte, la jeta dans le caniveau et la piétina pour l'aplatir. Il fallait qu'elle monte sur ce bateau. Pas d'argent. Pas de papiers. Pas de billet. Et les flics auraient sans doute envie de lui redire un petit mot. Au loin retentit un signal, puis une sonnerie stridente. Comme sur commande, tous les moteurs s'allumèrent. Le camion de fleurs se mit lentement en branle, accompagné du sifflement hydraulique, mais s'arrêta de nouveau au bout d'un demi-mètre.

La porte côté passager s'ouvrit. Un homme se pencha au-dehors.

— *You want a trip ?*

Judith se leva. Elle tituba. Elle n'aurait pas dû boire la bière si vite.

— Malmö ? demanda-t-elle.

L'homme détailla du regard son anatomie. C'était le genre de type dont la vue vous fait immédiatement changer de trottoir. Fringues crasseuses, regard inquiet. Elle ne devait pas présenter beaucoup mieux. Conditions grandioses pour une rencontre fortuite.

— *Yes. Malmö.*

Les freins crissèrent. Judith tressaillit. Le camion continua de rouler au pas, portière ouverte. Elle regarda autour d'elle. Un couple était assis dans le camping-car derrière elle. La femme, une Thermos à la main et un gobelet dans l'autre, regarda Judith avec des yeux ronds tout en parlant à son mari. Sa bouche se tordit en une grimace méprisante.

Le routier haussa les épaules, se pencha de nouveau et voulut refermer la portière. Judith s'élança.

— *Wait !*

Elle se hissa à bout de bras sur le siège passager. Il fit un bref geste de la main.

— *Go down.*

Judith se baissa et se recroquevilla au sol. La portière claqua. Le camion avança cahin-caha sous la barrière, passa devant les contrôles et s'engagea sur la rampe. Judith tâtonna prudemment sous le siège et trouva l'extincteur. Elle défit le verrouillage. Le routier se rangea dans la soute. Les tôles qui recouvraient le sol s'entrechoquèrent. L'air était saturé de gaz d'échappement et des cris de l'équipage. Le véhicule finit par s'immobiliser.

— *OK. Come up.*

Judith rampa sur le siège. M. et Mme camping-car s'engagèrent sur la droite et se garèrent à leur hauteur, suivis d'autres voitures. Le manège continuerait ainsi jusqu'à ce que tous soient entrés dans le ferry. Le routier lui adressa un sourire carnassier. Il avait des dents jaunies et un visage comme un punching-ball. Il fit un signe vers l'arrière. Judith se retourna et vit une banquette avec des couvertures sales jetées en boule.

— *Time to have some fun*, dit-il.

Il glissa la main sous le tas de couvertures et en sortit une bouteille d'eau-de-vie à moitié pleine.

15

Marianne Kepler était morte en août 1985. Peu après que trois membres d'une même famille eurent disparu à Sassnitz. Au même moment, ces personnes étaient censées avoir péri tragiquement dans un accident de voiture en Roumanie. Le cimetière de Sassnitz, c'était la fin du hasard. Ici les fils isolés commençaient à former un semblant de filet.

— Qui était Marianne Kepler ?

Quirin fit un geste en direction de la sépulture en ruine.

Le petit homme soupira en grattant la terre avec ses semelles. Sa colère s'était dissipée.

— Je la connaissais à peine, expliqua-t-il. C'était une de ces femmes qui… eh bien…

Il cherchait ses mots.

— … elle travaillait à l'Hôtel Rügen. Le gros bâtiment carré près du port. Les Suédois l'ont construit dans les années 1970 pour les touristes en transit.

— Des touristes de l'Ouest.

— Oui.

Un détail qui avait son importance. Toute personne ayant des contacts professionnels avec l'Ouest avait été obligée de signer une déclaration sur l'honneur. Marianne Kepler devait donc avoir été connue du MfS de Schwerin. Il devait y avoir un dossier sur elle. Quirin espérait qu'il n'avait pas pris le même chemin que celui de Lindner et sa famille.

— Elle était quoi ? Cuisinière ? Femme de chambre ?

— Elle était, eh bien… prostituée. Elle traînait toujours sur le port, et puis un jour un client lui a fait une gosse. Je crois que plus tard Horch & Guck[1] l'a recrutée, et a dû faire pression sur elle. Elle a commencé à boire. Je l'ai vue quelquefois, elle habitait dans la Bachstrasse, dans l'une des cabanes de pêcheurs qu'ils ont rénovées depuis. Plus tard, ils lui ont retiré la garde de la gosse, qui a été placée au foyer. Elle est morte peu après. Intoxication par l'alcool, cachets. Personne n'en sait trop rien.

— L'enfant a été placée au foyer peu avant sa mort ?

— Ouais. Quelques semaines ou quelques mois, je ne me rappelle plus très bien.

— Et elle ? La fillette ?

— Judith ? Tiens, c'est bizarre, quand j'y pense. Je ne l'ai plus jamais revue. Pourtant on les croisait tout le temps, les mômes de Gagarine. Mais on ne se pose pas plus de questions. Peut-être que la petite avait été adoptée. Ou placée ailleurs. En tout cas, elle n'est pas restée longtemps à Gagarine.

— Gagarine ?

— Youri Gagarine. Cosmonaute. Le premier homme dans l'espace. C'est lui qui a donné son nom au foyer.

Parce que Borg était une enfant placée. Comme moi.

— Alors comme ça, vous n'avez plus jamais revu la petite Judith ?

— Plus jamais.

---

1. Signifie littéralement « Écoute et regarde ». Surnom donné à la Stasi (*N.d.T.*).

Pourtant la Judith que Quirin connaissait avait passé dix ans à Sassnitz. Puis une fois adulte, l'idée lui était subitement venue de démolir la tombe de sa mère, de défier le BND et de se retrouver, en moins de temps qu'il n'en fallait pour le dire, sous le coup d'un mandat d'arrêt. Et elle possédait quelque chose qui avait un lien avec Christina Borg.

Il s'était passé quelque chose qui avait amené Judith Kepler, femme de ménage, nettoyeuse de scènes de crime, à péter les plombs après toutes ces années. Mais pas à Berlin, non : à Sassnitz, en empruntant le même chemin que trois autres personnes trente ans plus tôt. Transit Berlin-Malmö.

— Est-ce que les enfants du foyer savaient ce qu'on reprochait à leurs parents ?

— Je ne peux pas vous dire, mais je suppose qu'on le leur mettait sous le nez à tout bout de champ. Après tout, c'était pour le bien de l'éducation socialiste.

— On peut donc supposer que Judith Kepler connaissait le métier de… qu'elle savait comment sa mère gagnait sa vie.

— Ils le lui ont sûrement dit. Après la chute du Mur, on a eu droit nous aussi à notre table ronde. Grand déballage, beaucoup d'histoires, mais pas toutes.

— Lesquelles sont restées sous le boisseau ?

Le gardien du cimetière recommença à retourner la terre avec ses pieds.

— Les cheminées fumaient pas mal à cette époque.

— Je vois.

L'homme assis à côté de Quirin soupira. Les premiers oiseaux du matin se réveillèrent. L'aube pointait. La sirène d'un bateau retentit au large.

— Malmö, dit le petit homme. 4 h 45. On peut régler sa montre dessus. Eh bien, je crois que je vais rentrer. Et tâchez d'attraper cette fille. C'est un véritable danger public.

— Mme Kepler a peut-être un rapport bizarre à la mort, mais son acte n'a rien à voir avec la folie.

— N'est-ce pas vous qui avez dit qu'elle était folle ?

— C'est ce que pensent beaucoup de gens, concéda Quirin. Mais elle est aussi normale que vous et moi.

— Alors pourquoi s'en prendre à cette tombe ?

Quirin se leva. Il aurait pu lui donner une réponse, mais ce n'était pas la peine d'empêcher cet homme de se rendormir.

— C'est bien ce que je compte lui demander. Encore merci. Et bonne nuit.

— Bonne nuit, le salua le petit homme.

Judith faisait seulement semblant de boire. Deux fois déjà elle avait tenté de descendre et deux fois l'homme l'avait retenue de force en l'obligeant à rester sur son siège. Judith lui repassa la bouteille. Elle avait gagné assez de temps. La cale était pleine, les passagers depuis longtemps montés sur les ponts. Les moteurs vrombirent et le ferry se mit en route. Peu de risques qu'il fasse demi-tour pour un passager clandestin.

Le chauffeur se croyait déjà arrivé au bout de ses rêves. Il reprit une gorgée. Ils étaient seuls dans la cale du ferry et Judith avait sa petite idée de la façon dont le Hollandais s'imaginait la suite de la traversée. Elle avait réussi à pousser l'extincteur sous ses pieds.

L'homme donnait des petites tapes sur la misérable couchette.

— *Come on.*

— *No.*

Elle se baissa à la vitesse de l'éclair et attrapa l'extincteur, mais elle avait sous-estimé l'ampleur de ses blessures. Elle était incapable de le tenir fermement, et l'homme le lui fit sauter des mains d'un coup de poing. L'instant suivant, il lui renversa la tête en arrière. Elle sentit son haleine et se débattit comme une folle, mais l'homme était plus fort qu'elle ne l'avait cru. Quand elle cria, il mit ses mains autour de son cou et serra. Elle tapa des pieds contre la vitre et heurta le boîtier GPS qui se brisa dans un craquement. Il la lâcha, mais pas pour la laisser partir.

— *Fucking bitch !*

Le coup en pleine figure faillit lui faire perdre connaissance. Elle déglutit, inspira et se mit à crier. Le coup suivant l'atteignit au menton. Sa blessure à la joue s'ouvrit. Elle roula sur le siège passager, tendit le bras pour attraper la poignée, mais l'homme saisit ses cheveux et la tira vers lui. Soudain la porte passager s'ouvrit, et avant même de comprendre ce qui lui arrivait, le Hollandais fut éjecté hors de la cabine. Judith entendit un bruit sourd de coups de poing, les hurlements furieux du routier, puis un dernier coup qui avait tout l'air d'un crochet au menton. Enfin, le silence.

Elle rampa par-dessus le siège côté gauche et, regarda l'étroit couloir qui courait entre les voitures dans le ventre du bateau. Un homme était penché sur le Hollandais. Il l'avait saisi par le col et le laissait glisser, inconscient, sur le sol huileux. La silhouette de l'homme lui était familière. Elle voulut dire quelque chose, mais elle était trop ivre, ou trop abasourdie par les coups. Prise de nausée, elle vomit sur le plancher du camion. L'homme la regarda s'essuyer du dos de la main, puis s'approcha et l'aida à quitter la cabine.

— Judith Kepler. Ravi de vous revoir.

Le froid réveilla Judith. La couverture avait glissé, un courant d'air glacial frôlait son dos. Elle cligna des yeux. Elle était allongée sur le lit étroit d'une minuscule cabine. Il y avait un hublot juste au-dessus de sa tête. En tendant le bras, elle aurait pu toucher Kaiserley couché sur l'autre lit. Il avait les bras croisés derrière la tête et les yeux fermés, mais Judith sentait qu'il ne dormait pas. Elle aurait voulu lui demander comment il l'avait retrouvée, mais cela aurait signifié se remettre à réfléchir, et elle comptait bien retarder ce moment le plus longtemps possible. Elle se contenta de tirer la couverture sur ses épaules. Il ouvrit les yeux et se tourna vers elle.

— Ça va mieux ?

Elle palpa sa joue. Quelqu'un avait collé un pansement sur la coupure. Et ses mains étaient impeccablement bandées.

— Où est ma robe ?

— Vous parlez de cette loque que j'ai dû vous ôter à coups de ciseaux ?

Il sourit. Elle l'avait trouvé séduisant, ce fameux jour où elle s'était introduite dans son appartement dans le but de découvrir pourquoi le BND employait des nuls comme ce Karsten Michael Oliver Connard. Ce jour-là ? C'était il y avait à peine vingt-quatre heures. Elle montra ses pansements.

— C'est vous, ça aussi ?

Il acquiesça.

— Merci.

Kaiserley se redressa et attrapa un sac plastique posé sous la minuscule tablette. Bruits de verre.

— J'ai dû acheter trois bouteilles de bourbon pour avoir droit à un tee-shirt. La boutique à bord offre un choix plutôt monothématique.

Il lui lança un petit paquet rouge.

— XXL. Avec un peu de chance, ça vous arrivera jusqu'aux genoux.

Elle déchira l'emballage. Le tee-shirt était gigantesque et portait le logo d'une marque de whisky. Il désigna une petite porte à côté du lit de Judith.

— Le coin toilette.

La cabine était si étroite que ses coudes se cognaient sans cesse contre la paroi. Elle fit couler l'eau sur son corps jusqu'à ce que la température commence à refroidir, puis elle se sécha. Kaiserley avait déniché Dieu sait où un peigne et une brosse à dents jetable. Le peigne se cassa en deux et elle tenta de se démêler les cheveux avec les deux moitiés. Elle finit par abandonner.

— Où sont mes sous-vêtements ?

La porte s'entrebâilla, et il lui passa ce qu'elle désirait. Elle enfila le tee-shirt. White Eagle Bourbon. Une dégaine comme à sa pire époque. Il avait dû voir ses cicatrices. Cette idée la tracassait plus encore que de songer qu'il avait dû la traîner à moitié dans les vapes pour arriver ici, d'abord dans l'étroit ascenseur, puis à travers un couloir sombre. Elle tenta de se faire une natte. Sans plus de succès. Elle ne sut plus quoi inventer pour retarder le moment des retrouvailles.

— Ravissant.

Il eut un sourire moqueur. Elle chercha du regard ses tennis et les trouva au pied de son lit.

Kaiserley n'avait pas de bagages avec lui. Il avait dû dormir tout habillé. Son pantalon en lin était froissé et sur ses joues pointait l'ombre d'une barbe.

— Vous n'aviez rien d'autre avec vous ? Il ne reste plus rien dans le camion de ce salaud ?

Judith secoua la tête. Il y eut un grésillement au-dessus d'elle. Passé quelques crachotements, le haut-parleur au plafond annonça en trois langues que l'arrivée dans le port de Malmö était prévue dans une heure. Kaiserley se leva.

— Comment m'avez-vous retrouvée ?

Kaiserley sortit la carte magnétique de la fixation murale et ouvrit la porte.

— Je vous le raconterai quand vous m'aurez dit ce que vous allez faire à Malmö.

Il attendit. Judith se fraya un chemin entre les deux lits et s'approcha du hublot. Le ferry passait à cet instant sous un énorme pont qui s'étendait au loin jusqu'aux falaises plongées dans la brume matinale d'une belle journée d'été. Une ville surgit à l'horizon. Des banlieues, des tours de bureau, puis d'élégantes villas et d'anciennes maisons en brique. Elle entendit Kaiserley refermer la porte.

— Qu'allez-vous faire à Malmö ?

Elle posa son front contre la vitre. La sensation de fraîcheur atténua un peu ses douleurs.

— Un break, dit-elle.

La cafétéria ne servait plus de petits déjeuners, juste du café. Tout à l'avant, près des grandes vitres panoramiques, ils trouvèrent une table qu'une famille horriblement bruyante s'apprêtait à quitter. La salle se vidait, car les passagers voulaient suivre depuis le pont l'entrée au port et les manœuvres d'accostage. Une musique d'ascenseur dégoulinait des haut-parleurs. *Time after time*, version pour orgue Hammond. Quirin revint à la table chargé d'un plateau en plastique. Judith s'était assise près de la fenêtre, dos aux autres voyageurs, et jouait avec une serviette en papier.

— Café ?

— Merci.

Elle prit le gobelet dans ses deux mains, comme elle l'avait fait déjà lors de leur première rencontre dans l'appartement. Quirin s'assit à ses côtés. Pendant un moment ils regardèrent en silence le bastingage blanc et les immenses grues qui défilaient lentement sous leurs yeux.

— Vous avez mal ? Vous faut-il un médecin ?

Elle secoua la tête. Il l'avait déshabillée et pansée. Il savait qu'elle n'avait rien sur elle. Même pas un peu de tabac.

— Envie de fumer ?

Elle acquiesça. Quirin alla acheter un paquet de Marlboro et une boîte d'allumettes à la caisse de la cafétéria. Leur gobelet à la main, ils se rendirent sur l'entrepont. Des installations portuaires modernes avec lofts et immeubles de bureaux vitrés passaient lentement devant eux. Il était presque 10 heures. Judith tenta d'allumer sa cigarette, sans y parvenir. Quirin lui prit la boîte d'allumettes et lui donna du feu.

— Qu'est-ce qui est arrivé à vos mains ?

— Je me suis coupée.

Elle inhala profondément la fumée et posa ses avant-bras sur le bastingage. Il s'approcha d'elle.

— Ces blessures sont visiblement dues à du barbelé. Vous avez fait un cambriolage ?

Elle se détourna.

— Je touche à pas mal de merdes. Par moments, on ne fait plus attention.

Il faisait froid sur le pont. Le vent jouait avec son tee-shirt. Elle avait l'air d'une gamine de quatorze ans : cheveux en bataille, tee-shirt trop large, jambes maigres. Il aperçut les cicatrices sur ses bras.

— Comment est-ce arrivé ?

— Vous êtes médecin maintenant ? Je n'aime pas jouer au docteur. L'autre, qui a essayé dans le camion, je lui aurais fait passer un sale quart d'heure, avec ou sans vous.

— Ça n'en avait pas l'air.

— À quoi jouez-vous ?

Impossible d'ignorer l'agressivité dans sa voix.

— D'ailleurs, qu'est-ce que vous fichez là ? Je ne vous ai pas demandé de me suivre. Et ne venez pas me dire que tout ça n'est que pur hasard.

— Non, répondit Quirin. Pas plus que votre idée de passer vos vacances dans le coin. Même si quelques jours de repos vous feraient le plus grand bien. Vous avez pété les plombs au cimetière de Sassnitz, à ce qu'il paraît.

Elle secoua la tête avec mépris. Traduction : « Tu n'as pas idée. »

— Je vous ai donné un conseil. Je vous ai dit de vous tenir à l'écart de l'affaire Borg. Au lieu de quoi, vous vous tirez sans crier gare et laissez des ruines derrière vous. Pourquoi ?

— Ce sont mes oignons.

— Détrompez-vous. Qu'allez-vous faire à Malmö ?

Elle jeta son mégot par-dessus bord et voulut rentrer. Quirin lui barra le passage.

— Qu'avez-vous trouvé dans l'appartement de Borg ?

— Rien !

La réponse avait fusé trop vite pour être vraie.

— Fichez-moi la paix !

— Vous n'irez pas loin. Pas comme ça.

Il pointa du doigt son tee-shirt rouge et comprit qu'il aurait mieux fait de s'abstenir. Le visage de Judith se ferma instantanément.

— Pourquoi m'avez-vous suivie ? Qu'est-ce que j'ai de si intéressant pour que vous me couriez après jusqu'en Suède ?

— C'est à vous de me le dire.

— Non, à vous.

— On n'avancera pas comme ça.

— Si vous le dites.

La politesse onctueuse de Judith camouflait mal la bête traquée qui guettait la première occasion de s'échapper. Quirin le sentait bien. Il était redevenu le chasseur prêt à se jeter sur sa proie mais, en la voyant, il n'éprouvait ni triomphe ni joie, seulement de la honte.

— Je ne vous ferai aucun mal. J'aimerais simplement comprendre. Je pourrais vous conduire dans un hôtel et vous donner un coup de main. Mais pour cela, vous devez jouer cartes sur table, du moins avec moi.

Il avait parlé avec calme et, espérait-il, avec conviction. Elle semblait réfléchir à sa proposition, car elle s'empara d'une cigarette et lui demanda du feu. Il dut s'y prendre à plusieurs reprises, le vent éteignant les allumettes les unes après les autres. Sa cigarette enfin allumée, elle arbora un sourire.

— Quirin Kaiserley.

Ses sombres yeux bleus le toisèrent d'un air mystérieux.

— Que croyez-vous donc que j'aie en ma possession ? Soyez honnête et je le serai avec vous.

Sans hésiter il déclara :
— Des microfilms.
Elle le regarda et souffla la fumée face au vent.
— Des microfilms, répéta-t-elle. Vous êtes sérieux ?
— Oui.
Elle retourna près du bastingage, se pencha au-dessus de la rambarde et éclata de rire.

16

Le pasteur Volfram Vonnegut balayait les premières feuilles dans l'allée de son jardin. L'été avait été trop sec cette année. Les nuages n'arrivaient pas à traverser la Baltique. Les creux dépressionnaires se formaient loin d'ici et les averses éclataient beaucoup plus au sud, dans le Mecklembourg, en Poméranie, en Prusse-Orientale, mais sans parvenir jusqu'en Scandinavie. Il ne se rappelait plus la dernière fois qu'il y avait eu pareille sécheresse.

Il posa le balai contre un arbre et s'assit sur un banc. Satisfait, son regard glissa sur le presbytère, blotti contre l'église Sainte-Anne comme s'ils avaient toujours été inséparables. Pourtant il n'en était ainsi que depuis les années 1960. L'église datait du début du siècle, et la sévérité sans fioritures de sa façade avait dû paraître assez avant-gardiste pour l'époque.

Le pasteur se réjouissait à l'idée de leur excursion prévue pour le week-end. Toute la paroisse se retrouverait à Salsjön, un lac en pleine forêt non loin de Malmö, près de Bråkne Hoby. Les enfants se défouleraient avec des jeux de plein air au lieu de rester assis devant leurs ordinateurs. Les parents et grands-parents se retrouveraient entre amis, chacun apporterait quelque chose à manger, et lui-même serait préposé au barbecue. On souhaiterait la bienvenue aux nouveaux paroissiens et renouerait avec d'anciennes relations. La vie de la paroisse était dynamique et prospère. Chaque jour, Volfram remerciait le Seigneur de lui avoir permis de trouver sa place sur ce joli coin de terre.

Le téléphone sonna. Volfram se leva en veillant à ne pas trop solliciter sa hanche artificielle. L'opération datait de quelques années déjà et s'était bien passée, mais depuis quelques mois les douleurs revenaient, et le médecin parlait d'opérer à nouveau.

— Oui, oui, cria-t-il comme si le téléphone pouvait l'entendre.

Il monta les marches du perron et arriva dans le bureau. Sur le secrétaire trônait le vieux poste que Volfram aurait bien troqué contre un de ces nouveaux appareils sans fil pour s'éviter tous ces pénibles déplacements. À Noël, peut-être. Rutger, qui dirigeait un grand magasin d'électroménager, lui avait si gentiment demandé ce qui lui ferait plaisir. Il se voyait mal expliquer à ses ouailles (à la fin de l'office) que les deniers du culte passeraient dans l'achat d'un nouveau téléphone pour la paroisse.

— *Tyska Kyrkan Malmö och Blekinge*[1], annonça-t-il.

La ligne était brouillée, comme souvent avec ces vieux postes.

— Je suis bien chez Volfram Vonnegut ?

Bien que la voix fût déformée, il la reconnut immédiatement.

— Oui, hésita-t-il.

Il regretta que Gillis n'ait pas pris cet appel, mais elle était dans la cuisine en train de préparer le dîner pour Madita.

1. Église allemande de Malmö et Blekinge (*N.d.T.*).

— Vous vous souvenez de moi ?

— Ça fait… un moment.

La voix à l'autre bout du fil se mit à rire, altérée par la membrane du téléphone. On eût dit une tempête balayant la Baltique.

— Oui, un très long moment. Comment allez-vous ?

— Bien, répondit-il.

Ne trouvant rien d'autre à dire, il ajouta :

— Ma hanche. Je ne suis plus tout jeune.

— Le temps est un assassin qui n'épargne personne. Je me réjouis que vous soyez encore parmi nous. Nous sommes de moins en moins nombreux.

— Je… je ne suis plus actif, à vrai dire.

Il y eut un court silence. Volfram aurait voulu raccrocher, mais il savait que cela ne réglerait pas le problème.

— Je suis vieux. Les choses ont changé. Moi y compris.

— Vous êtes toujours pasteur. Un berger qui soulage les peines et les souffrances de ses brebis. Et elles peuvent prendre les formes les plus diverses, n'est-ce pas ?

— À l'époque, c'était une question d'humanité. Ça n'avait rien à voir avec la politique. Apparemment je n'ai pas réussi à me faire comprendre.

Il espérait avoir été clair.

— Moi aussi, j'ai parfois du mal à me faire comprendre, rétorqua la voix. Surtout aujourd'hui. Je ne vous retiendrai pas longtemps. Votre petite-fille va bientôt rentrer de l'école. Elle s'appelle Madita, je crois. Une mignonne petite fille. Qu'est-ce que votre femme lui prépare pour le dîner ?

Une main glacée étreignit le cœur de Volfram. Il posa le combiné sur la table et se précipita aussi vite qu'il put dans la cuisine. Gillis, devant la gazinière, faisait frire des boulettes de viande.

— Où est Madita ? demanda-t-il.

Gillis secoua la poêle au-dessus de la flamme. Une mèche de ses cheveux gris s'était détachée de son chignon et lui tombait devant le visage. D'un geste de la main, elle la remit derrière l'oreille et regarda la pendule.

— Si tard ? Elle devrait être déjà rentrée.

Ignorant son regard interrogateur, il retourna à toute vitesse dans le bureau.

— Où est-elle ? Que lui avez-vous fait ?

— Il arrive parfois que les petites filles s'égarent en chemin. Ne vous faites pas de souci.

— Sale racaille !

Il se retourna brusquement. Gillis l'avait suivi et se tenait sur le pas de la porte. Il lui fit signe de partir, sans succès. Elle séchait fébrilement ses mains sur son tablier.

— Calmez-vous, monsieur Vonnegut. À votre place je réfléchirais à deux fois avant de refuser de reprendre du service.

— Laissez ma famille tranquille ou j'appelle la police !

— Non !

C'était Gillis. Elle se rua sur lui et lui arracha le combiné des mains.

— Qui êtes-vous ? Que voulez-vous ? Mon mari est malade. Il ne travaillera plus pour vous.

Volfram leva les mains, mais elle se détourna pour écouter la voix au bout du fil.

— C'est tout ? demanda-t-elle.

Il s'assit et attendit. *Seigneur,* pensa-t-il, *fais qu'il ne soit rien arrivé à Madita. Je sais de quoi ils sont capables. J'ai été l'un d'eux. J'ai causé d'amères souffrances. Mais elle, elle n'est qu'une enfant. Ne lui fais pas payer mes erreurs. Seigneur, punis-moi. Mais de grâce, protège cette enfant qui nous a été confiée.*

La voix de Gillis n'était plus qu'un chuchotement. Des bribes parvenaient, lointaines, aux oreilles de Volfram. Un nom, une adresse… Elle ne cherchait pas dans l'ordinateur, mais dans les vieux dossiers qui croupissaient, presque oubliés, dans l'armoire à classeurs. Il sentit à quel point il s'était affaibli avec le temps, et quelle chance il avait de pouvoir compter sur Gillis. Depuis toutes ces années, elle l'aidait à porter ce fardeau, elle agissait à sa place. Mais cela ne rendait pas la chose plus facile. Peut-être avait-ce été une erreur de rompre tout contact. Pas de contact – pas de protection. Plus personne ne viendrait les sortir du pétrin.

Elle inspira profondément avant de déclarer :

— Je m'en porte garante. Mais à condition que vous laissiez ma famille tranquille. Pour toujours. Vous entendez ? Allô ?

Elle pressa le combiné contre son oreille, puis appuya plusieurs fois sur la fourche. La ligne avait été coupée. Elle raccrocha lentement.

— Gillis…, commença-t-il.

À cet instant, ils entendirent grincer le portail du jardin, puis s'approcher le pas aérien d'un enfant.

— Gillis ? Volfram ? Vous êtes là ?

Gillis se rua dehors, si vite que le pasteur eut peine à la suivre. Madita se jeta dans les bras de sa grand-mère qui la couvrit de baisers.

— Où étais-tu ? Où es-tu allée traîner si longtemps ?

— J'ai aidé un chaton à traverser la rue.

Madita évita leurs regards.

Le froid glacial disparut. Volfram eut un soupir de soulagement. Pendant un instant, il revit une autre enfant devant lui, une petite fille aux cheveux noirs et au regard buté, qui elle aussi, autrefois, il y avait longtemps, avait passé le seuil de cette porte. À l'époque, il avait cru servir la bonne cause, et pourtant il n'avait été qu'un instrument dans les mains d'une bande d'impies. La petite fille était devenue une femme, et cette femme était partie. Et maintenant elle revenait dans une urne. Serait-elle encore en vie s'il avait agi autrement ? Il repensa à ce qu'elle lui avait confié avant de partir pour son voyage vers la mort, et au fait que lui aussi n'était qu'un homme, très vulnérable. Un secret n'en était pas un si l'on n'était pas prêt à le défendre au péril de sa vie. Volfram ne connaissait que trois raisons pour lesquelles il valait la peine de sacrifier sa vie. Deux d'entre elles se trouvaient sous ses yeux. Il avait honte. Il sentait qu'il avait été déloyal envers tous ceux qui lui avaient fait confiance. Mais pire encore, il avait honte devant Dieu.

Gillis serra Madita contre elle de toutes ses forces. L'enfant se libéra de son étreinte et courut dans la cuisine.

— Des *köttbullar* ! Chouette !

Gillis voulut la suivre, mais Volfram la retint.

— Pour l'amour de Dieu, qu'est-ce que tu viens de faire ? chuchota-t-il.

Un jean, un sweat-shirt.

Debout dans la cabine d'essayage, Judith feignait de ne pas arriver à se décider, espérant que Kaiserley ne soupçonnerait pas son petit jeu. Gris ou noir ? Il se tenait de l'autre côté du rideau. Elle pouvait voir ses chaussures en se baissant. Des bottines cuir cognac. Visiblement chères.

— Trop grand, dit-elle. Il me faut la taille en dessous.

Il s'adressa à la vendeuse en anglais, sans quitter son poste de garde. La femme les avait immédiatement identifiés comme un couple de touristes. Il lui avait suffi de voir Judith pour se dire qu'il valait mieux ne pas poser de question et essayer de tirer un avantage maximal d'un besoin qui sautait aux yeux. Au moins elle avait l'œil pour les tailles de pantalon, le jean allait à Judith comme un gant.

Kaiserley lui tendit un autre sweat-shirt par la fente du rideau. Elle le posa sur la pile qui ne cessait de grossir. Elle avait espéré que ces emplettes lui donneraient l'occasion de prendre la poudre d'escampette, mais l'ex-agent ne la quittait pas des yeux.

— Ça ne doit pas être si difficile, l'entendit-elle dire. Le jean au moins, c'est bon ?

— Oui.

Elle écarta le rideau et sortit vêtue du jean et du premier sweat-shirt qu'elle avait pioché dans les rayons. Ensemble ils se rendirent à la caisse. Tandis que Kaiserley payait, la vendeuse coupa les étiquettes des vêtements que Judith avait toujours sur elle, plia du bout des doigts l'ancien tee-shirt whisky et le glissa dans un sac plastique qu'elle passa par-dessus le comptoir.

— *Adjö*, lança-t-elle.

— *Hejdå*, répondit-il.

Le grand magasin se trouvait près de la Stortorget, une place animée, dominée par la façade renaissance de l'hôtel de ville. L'endroit regorgeait de restaurants, de cafés et de boutiques. C'était la fin de la matinée. La zone piétonne grouillait de monde, autochtones aussi bien que touristes. Kaiserley n'avait pas encore daigné lui expliquer comment il imaginait la suite de leur petite excursion. Pour sa part, elle comptait bien le larguer au plus vite pour prendre la direction de l'église allemande.

Il ne l'avait pas quittée d'une semelle. Au début, il avait discrètement tenté de lui saisir le bras pour traverser la rue. Elle s'était aussitôt dégagée ; depuis il évitait tout contact physique. Mais sa simple présence était aussi palpable, aussi gênante qu'une paire de menottes. Elle savait qu'il suivrait ses moindres faits et gestes, et elle feignit d'ignorer l'attention qu'il lui portait.

— Si on allait boire quelque chose ? proposa-t-il.

Judith acquiesça. Ils s'assirent à la terrasse d'un café. Judith cala sous sa chaise le sac avec le vieux tee-shirt, bien décidée à l'abandonner là.

— Joli.

Le regard de Kaiserley glissa sur son jean.

— Merci, grogna-t-elle.

Elle ne l'avait pas obligé à prendre en charge son look. D'un autre côté, sans lui, ses marges de manœuvre à Malmö étaient assez limitées.

Il commanda deux cafés *macchiato* auprès d'une étudiante débordée et se renversa sur sa chaise. Des nuages blancs comme la neige défilaient dans le ciel bleu. Dès qu'un rayon de soleil les perçait, il faisait chaud pendant quelques secondes.

— Nous voilà arrivés à votre destination, commença-t-il. Oublions votre crise de fou rire sur le ferry, et dites-moi enfin ce que vous avez en tête.

— C'est privé.

— Erreur. Depuis le meurtre de Christina Borg, votre sphère privée est pratiquement réduite à zéro. Une chance que vous n'ayez plus rien sur vous. Vous avez pu échapper à mes collègues, au moins pour quelques heures.

— Par collègues, vous entendez le BND, je suppose ?

— Pas seulement. Alors répondez à mes questions, ou d'autres vous les poseront. Et ils ne seront pas aussi charmants que moi.

Judith plissa les yeux, éblouie par le soleil. Et parce qu'à cet instant le mot charmant était bien le dernier qui lui serait venu à l'esprit pour qualifier Kaiserley.

— Où sont les microfilms ?

— Je n'ai pas la moindre idée de ce dont vous parlez.

— Ne vous faites pas plus bête que vous ne l'êtes.

— Sérieusement. Je ne sais pas. Est-ce que ça a à voir avec ces fichiers dont il était question dans votre émission l'autre jour ?

— Rosenholz. Oui.

L'étudiante posa deux tasses de café au lait devant eux en réussissant l'exploit d'en renverser la moitié sur la table. Elle s'excusa dans un flot de paroles.

— *Det gör detsamma*, dit Kaiserley. *Du kan inte hjälpa det. Tack.*

Il saisit le distributeur de serviettes en papier et nettoya l'accident, tandis que l'étudiante s'éloignait à grands pas.

— Vous parlez suédois ?

— L'une des langues étrangères les plus importantes dans mon métier.

— C'est quoi au juste votre métier ? demanda Judith. Je croyais que le BND vous avait viré.

Kaiserley souleva la tasse de Judith et déposa une serviette dessous.

— Nous nous sommes séparés d'un commun accord.

— Alors pourquoi vous vous impliquez tant dans cette affaire ?

— À mon tour de dire que c'est privé.

Judith se tut. Elle attrapa sa tasse maladroitement et avala une gorgée du café tiède qui n'avait de *macchiato* que le nom.

— Vous avez trouvé quelque chose et je veux savoir ce que c'est.

La voix de Kaiserley était dure. Judith se demanda s'il avait mené des interrogatoires autrefois. En quoi pouvait bien consister une formation d'agent secret ? Tuer sans faire de bruit ? Disparaître sans laisser de traces ? Sens tactique et guerre psychologique ? Elle n'avait pas la moindre idée des domaines dans lesquels Kaiserley avait opéré, mais pour sa propre protection elle imaginait le pire.

Elle reposa sa tasse avant de lancer :

— Si vous voulez que je vous aide, je dois savoir ce que vous avez en tête.

— C'est vous qui me dites ça ?

— Une information contre une autre.

— D'accord. Je suis déjà allé voir la police, alors je peux tout aussi bien en parler à la presse. Ou à vous. Je crois que Borg a été assassinée parce qu'elle détenait des microfilms. Une vraie bombe explosive. Des originaux des années 1980 qu'on a longtemps crus perdus. Nous pensions que la Stasi les avait trouvés et détruits.

— La Stasi.

Judith secoua la tête.

— Et quand l'aurait-elle fait ?

— En août 1985.

Elle rattrapa de justesse la tasse qu'elle avait reprise et qui lui glissait des mains. Kaiserley la dévisagea un moment.

— Le nom « Rosenholz » vous dit-il quelque chose ?

— Non.

— Le fichier Rosenholz contenait les noms des agents étrangers de la Stasi. Jusqu'à ce jour, cette liste est lacunaire. Borg possédait le seul original complet.

— Comment… comment le savez-vous ?

— Borg m'a montré les films. Trois mille noms de code, avec les vraies identités, les adresses. Des informations top secret de l'Otan, numéros d'enregistrement et de dossier, données administratives et code postal sous l'état civil de chaque agent…

— Pourquoi est-ce encore si important aujourd'hui ? lança Judith, interrompant son énumération. Après tout, c'est de l'histoire ancienne, aussi éventée que ce café insipide. Il n'y a pas prescription ?

— Il n'y a pas prescription pour meurtre.

— Quel meurtre ? Christina Borg a été assassinée il y a seulement…

Elle s'interrompit, car il avait levé la main en jetant des regards à la ronde. Il semblait avoir perdu un peu de son assurance de grand seigneur.

— Chut, souffla-t-il.

Son regard scanna les clients des tables voisines, l'ossature de la marquise au-dessus de leurs têtes, le lampadaire de l'autre côté de la rue. Cas typique de paranoïa. Judith inspecta à son tour les environs. Elle vit un couple bras dessus, bras dessous devant une vitrine. Observaient-ils Kaiserley dans le reflet ? Deux tables plus loin, un monsieur d'un certain âge leva son journal devant son visage au moment précis où les yeux de Judith se fixèrent sur lui. Pour ne pas être reconnu ? À quelques pas, au rez-de-chaussée d'un bel immeuble en brique, se trouvait l'agence d'une banque avec un distributeur de billets. Ces appareils n'étaient-ils pas toujours équipés de caméras ? L'œil invisible les observait-il ?

Le couple passa son chemin, l'homme au journal continua sa lecture, et le distributeur de billets était de toute façon trop loin. Kaiserley s'était calmé. Il se pencha en avant et dit d'une voix très basse :

— Au milieu des années 1980, des déserteurs de la RDA ont été trahis à Sassnitz. Personne n'a jamais su par qui. Il y a quelques jours encore, je pensais qu'aucun d'eux n'avait survécu.

— Et maintenant ?

— Maintenant ?

La voix de Kaiserley se fit encore plus basse, jusqu'à devenir à peine audible. Il eut de nouveau ce regard bizarre.

— Maintenant je pense qu'une personne ressuscitée d'entre les morts est assise devant moi.

Debout devant un bureau au premier étage du département central n° 2 à Stockdorf – nom de couverture : Office fédéral de la statistique sur les télécommunications –, Toto se consacrait avec ardeur à la vérification d'un émetteur satellite PSC-5 qui avait rendu l'âme en pleine opération. L'antenne ressemblait à un parapluie renversé. Le terminal portable Spitfire était censé se monter et se démonter en moins de dix minutes, mais Toto le bidouillait déjà depuis le début de matinée, sans obtenir mieux qu'une chose proche du séchoir araignée. La nervosité, sans doute. Il avait envoyé le matin même à Kellermann un protocole crypté *via* le réseau interne. Un résumé des maigres informations qu'il avait pu récolter concernant Judith Kepler. *Pourvu que Kaiserley ne fasse pas de conneries*, se disait Toto. Si l'on apprenait qu'il avait refilé à Kaiserley des informations destinées à un chef de département, il n'aurait plus besoin de papiers du tout. Sauf pour s'inscrire au chômage.

Kellermann n'avait pas encore donné de signe de vie. Toto alla à son ordinateur et lança une nouvelle salve de recherches dans l'éther virtuel. Les programmes tournaient à plein régime. Il suffisait que cette Kepler tousse quelque part – et on la tiendrait. Mais apparemment elle avait bien appris sa leçon. Elle s'était évaporée dans la nature.

Toto se glissa dans le couloir et regarda autour de lui. Il était seul. À midi, tout le monde se trouvait à la cantine ou au Corbeau. Il ferma la porte derrière lui avec précaution et sortit son Toughbook de sa sacoche. Le temps que le PC démarre et se connecte au système, Toto réfléchit au baratin qu'il pourrait servir si jamais sa rencontre avec Kaiserley était découverte. Excès de zèle ? Ou bien – et cette idée le fit sourire – esprit d'initiative ? N'était-ce pas toujours ça qu'on valorisait ? Mais personne ne parlait jamais des conséquences concrètes. Probablement parce que même alors il fallait attendre des ordres d'en haut.

Quirin Kaiserley.

Il saisit le nom et sentit son pouls s'accélérer. Quelques secondes suffirent pour contrôler partout dans le monde les faits et gestes de Kaiserley selon la procédure habituelle, et la liste des différentes opérations défila sur l'écran.

Lufthansa, vol LH 236, 21 h 45 à destination de Berlin.

Retrait de 1 000 euros à l'aéroport de Berlin-Tegel.

Voilà pour les deux derniers résultats. Toto cliqua pour remonter dans le temps. Ce qu'il lut l'inquiéta.

Lufthansa, vol LH 235, 15 h 45 pour Munich.

Se présente à la section VI de la police judiciaire, Keithstrasse, Berlin.

Plusieurs coups de fil à Dombrowski Facility Management.

Pensif, il ferma l'application et éteignit le Toughbook. L'antenne gisait sur la table comme une araignée morte.

Il n'aurait jamais dû voir Kaiserley. Sa piste était aussi visible que des traces de pas dans la neige. Et elles menaient directement à lui, Toto.

Son portable sonna. Il sursauta. Numéro inconnu. Il attendit. La sonnerie retentit dans la pièce silencieuse. Au bout de cinq fois, elle s'arrêta. Toto patienta une minute, puis consulta le répondeur.

« *Sweetheart* », entendit-il. La voix d'Angelina Espinoza. Pas de nom. Elle avait l'air pressée, comme sur le point de traverser une rue. «Je suis en ville. Derniers instants avant la grande fiesta. Je te revois avant ? Appelle-moi.»

La grande fiesta n'était autre que la conférence sur la sécurité. Il avait dû assurer, finalement. D'un coup, il se sentit plus léger. Elle connaissait la terre entière, et c'était justement lui qu'elle avait envie de voir. Il entendit des bruits de pas, quelques rires et échanges de banalités à travers la porte fermée. Les collègues qui rentraient. Il composa son numéro et sentit les paumes de ses mains devenir moites.

— Quand ? lança-t-il quand elle décrocha.

17

Le soleil au-dessus de la Stortorget avait imperceptiblement changé sa position. Judith poussa sa chaise dans l'ombre et se retrouva plus près de Kaiserley. Qu'ils eussent ainsi l'air d'un couple d'amoureux observant sans malice les passants dans la rue était certes fâcheux, mais elle n'y pouvait rien.

— Ressuscitée d'entre les morts. Qu'est-ce qui vous fait dire ça ?

— J'ai été au cimetière de Sassnitz et j'ai vu votre œuvre. Pour faire une chose pareille, il faut avoir un sacré compte à régler. Je crois que jusqu'à cette fameuse nuit, vous aviez un tout autre nom. Vous savez lequel ?

Judith hocha la tête, maussade.

— Votre mère s'appelait Irene Sonnenberg. Elle était technicienne dans un laboratoire photo. Votre père se prénommait Richard. C'était…

Kaiserley hésita un instant avant de poursuivre :

— … un agent du renseignement extérieur. Il travaillait pour la Stasi en RFA sous le nom de Lindner. Vos parents voulaient commencer une nouvelle vie mais, étant donné la situation, ils n'avaient pas l'ombre d'une chance de pouvoir quitter la RDA par voie légale. Alors, ils nous ont proposé ce fichier.

— Haute trahison.

— Aux yeux de la Stasi, oui.

Judith serra les lèvres. Ce que Kaiserley lui racontait ne lui plaisait pas du tout, mais elle ne pensait pas qu'il mentait.

— Comment était-elle ?

— Je ne l'ai jamais rencontrée.

— Et mon père, ce… cet agent double ?

Elle avait pratiquement craché ce dernier mot. Kaiserley devait se rendre compte de son malaise, car il avança la main pour la toucher, mais la retira juste à temps.

— C'était un type bien.

— Il nous a mis en danger de mort, lui, elle, moi ! J'ai passé dix ans dans ce foyer. Dix ans !

— Je sais.

— Vous ne savez rien, Kaiserley. Rien du tout.

Kaiserley mordilla sa lèvre inférieure. Il ne fallait surtout pas détruire l'impression d'harmonie qu'ils avaient eu tant de mal à instaurer.

— J'avais fini par croire ce qu'ils m'avaient raconté, murmura-t-elle. Que ma mère était une des filles de la Bachstrasse. Et mon père un de ses clients. Chaque fois que je protestais, je recevais des baffes. À douze ans, j'ai fait ma première fugue. À seize ans, j'étais SDF.

Elle tripota de nouveau sa manche.

— Vos cicatrices datent de cette époque ?

Hésitante, elle finit par hocher la tête.

— De cette époque et des années qui ont suivi. Pas facile de remonter la pente après ça. Mais à un moment on se retrouve face à un choix : la taule ou la thérapie.

— Et vous avez fait une thérapie.

— Trois fois de la taule et une douzaine de sevrages, je n'ai pas compté. Puis j'ai atterri chez Synanon. Ensuite chez Dombrowski. Alors j'ai pensé… j'ai pensé que je m'en étais sortie. Que j'arriverais à m'assumer comme je suis. Et voilà que soudain…

Elle s'interrompit.

— Judith, êtes-vous venue ici pour savoir si votre mère a finalement réussi à rejoindre la Suède ?

Elle cligna des yeux et détourna son regard.

— Peut-être.

— C'est une illusion.

— Ah oui ? Et ces vingt-cinq dernières années, pour moi, c'était quoi ?

— Quand bien même elle aurait réussi. Une femme qui se tire à l'étranger avec nos passeports et un enfant qui n'est pas le sien ? Et qui ne donne plus jamais le moindre signe de vie ? C'est un monstre. Pas une mère.

Judith sentit son cœur se serrer, une douleur comme une brûlure. Elle n'avait jamais pensé à ça. Elle n'avait eu qu'une seule idée en tête, qu'un seul but : trouver quelqu'un capable de lui expliquer ce qui s'était réellement passé. Et un instant, c'était vrai, elle avait eu ce fol espoir que quelqu'un de sa famille s'en était sorti.

Un monstre. Les enfants placés avaient souvent des parents de cette espèce. Seuls ceux qui avaient grandi en foyer pouvaient comprendre qu'un monstre, c'était toujours mieux que personne.

— Christina Borg a vécu ma vie, murmura-t-elle. Elle l'avait découvert et voulait entrer en contact avec moi. Enfant, elle est partie en Suède à ma place. Elle n'y serait jamais parvenue toute seule, pas vrai ? Elle avait mon âge. Alors quelqu'un était avec elle. Une femme. Sa mère. Ma mère. Mais sûrement pas celle qui est enterrée au cimetière de Sassnitz. Alors, que s'est-il passé à l'époque ?

— À Berlin-Lichtenberg, Irene Sonnenberg est montée avec vous dans le train des chemins de fer est-allemands Berlin-Malmö. L'idée était de rejoindre notre compartiment à Sassnitz avec la complicité d'un contrôleur suédois. Il était convenu qu'elle aurait sur elle la clé du dépôt où se trouvaient les films. Un membre de la CIA avait pour mission de vérifier le contenu du dépôt à Sassnitz avant de donner le feu vert. On vous aurait fourni les passeports à ce moment-là. Tout devait se passer pendant l'heure que durait l'arrêt à Sassnitz. C'était ça, le plan.

— Un plan de merde. Depuis quand les Allemands de l'Est pouvaient grimper l'air de rien dans un train pour Malmö ?

— Pas l'air de rien, c'est sûr. Lindner et moi sommes montés dans une voiture directe à la gare de Berlin-Zoologischer Garten, voiture qui a été ensuite raccrochée au Sassnitz Express en gare de Ostbahnhof, tout en restant fermée. Les Berlinois de l'Ouest et les ressortissants de la RDA prenaient le même train, mais sur l'île de Rügen leurs chemins se séparaient. La voiture directe y était décrochée et embarquée sur le ferry pour Trelleborg tandis que les autres voitures continuaient jusqu'à Bergen-en-Rügen. Toute la procédure durait au moins une heure à cause des contrôles frontaliers. Pendant cette heure, votre mère aurait dû passer en catimini du wagon de la Reichsbahn à notre wagon.

— Et ? chuchota Judith, dont le cœur battait la chamade. Qu'est-ce qui a foiré ?

— Quelqu'un vous a, vous et votre mère, fait descendre du train et vous avez disparu. Votre père commençait à s'inquiéter. Le temps pressait. Pour moi, l'opération était foutue à ce moment-là. Nous pouvions nous estimer heureux si nous arrivions au port sains et saufs et parvenions à attraper le ferry pour Malmö. Mais soudain Lindner a cru vous voir, vous et votre mère, dans le hall de la gare. Il a voulu descendre pour vous rejoindre. Peut-être aviez-vous réussi à tromper la PKE ? Peut-être restait-il une lueur d'espoir ?

— La PKE ?

— La *Passkontrolleinheit*, la douane si vous préférez. Nous étions en zone militaire. J'ai essayé de le retenir, mais il était comme enragé. Il voulait être auprès de vous quoi qu'il arrive. Il a exigé que je lui donne les passeports. Il pensait que si vous pouviez passer pour des ressortissants de la RFA victimes d'une panne de voiture au moment du transit, vous auriez peut-être une petite chance. Je lui ai dit…

Kaiserley s'interrompit.

— Quoi ? Vous lui avez dit quoi ?

— Sans microfilms, pas de passeports.

Judith le dévisagea longuement.

— Vous êtes un salopard fini, une ordure sans âme ni conscience.

Judith aurait voulu lui balancer un extincteur à la figure. Elle aurait voulu le jeter à terre, le rouer de coups de poing et de coups de pied jusqu'à lui briser les os un à un.

— Vous avez raison, murmura-t-il. Mais essayez de comprendre, l'intérêt du pays était en jeu.

— Fermez-la si vous ne voulez pas que je vous démolisse le portrait.

— Judith, depuis ce jour, je n'ai…

— Ta gueule !

Les autres clients sursautèrent et se retournèrent vers eux. Elle baissa la voix.

— Il n'y a aucune excuse. Aucune. Vous nous avez livrés aux bourreaux.

Elle aurait voulu se lever, partir en courant, crier.

— Qu'est-ce qui est arrivé à mon père ? demanda-t-elle d'une voix étranglée.

— Vous voyez cette cicatrice ?

Il pointa du doigt sa tempe droite. Un trait blanc à peine perceptible courait du front jusqu'à la naissance de ses cheveux.

— Causée par le marteau de secours. Quand je me suis réveillé une heure plus tard, le wagon était déjà sur le ferry, Lindner avait disparu et avec lui les passeports.

— Vous n'avez jamais essayé de savoir ce qui nous était arrivé ?

— Bien sûr que si. La famille Sonnenberg avait eu un accident de la route pendant ses vacances en Roumanie. Tous morts.

— La Roumanie ? Pourquoi la Roumanie ?

— Ç'aurait tout aussi bien pu être l'Oural. Quand les autorités est-allemandes voulaient faire disparaître un de leurs citoyens, n'importe quel pays du bloc de l'Est faisait l'affaire. On vous a simplement effacés.

— Effacés, répéta Judith.

Kaiserley hocha la tête.

Judith regarda le soleil en clignant des yeux. Sa colère et sa haine s'estompaient. Elle sentit monter un sentiment inconnu, timide, prêt à se dissoudre à tout moment pour disparaître dans le néant aussi vite qu'il était venu.

— Cet homme… mon père… il savait qu'il risquait sa vie en descendant du train ?

— Je pense que oui.

— Et ma mère ?

— Je n'en sais rien. Vos parents voulaient commencer une nouvelle vie. Ils n'en avaient pas après l'argent. Ils auraient reçu une aide d'installation de 5 000 marks, or les microfilms valaient au moins un million.

Des parents. Ses parents. Quelle différence avec « père inconnu » et « mère asociale » ! Le sentiment étrange lui remontait dans la gorge, l'étouffant presque. Deux personnes avaient existé qui s'étaient occupées d'elle, qui l'avaient aimée. C'était infiniment plus que ce qu'elle avait espéré de ce voyage. C'était si immense qu'elle n'avait plus assez de place pour l'accueillir, ni dans sa tête ni dans son cœur.

— Il n'a même pas pris les 5 000 marks, Judith. Ou dois-je vous appeler Christina ?

— Non.

Judith regarda par-dessus l'épaule de Kaiserley vers le distributeur de billets, où s'attardait un jeune homme. Il semblait avoir oublié son code car il fixait l'écran en pianotant par intermittence sur le clavier.

— Vous avez des souvenirs de votre vie d'avant le foyer ?

— Aucun.

— Un nom ? Une scène, une image ? Quelque chose ? Vous êtes le seul témoin, vous étiez à la gare ce jour-là.

De l'or. Un cliquetis, du verre étincelant.

— Lénine, dit-elle.

— Comment ?

Judith passa la main devant ses yeux.

— Judith, essayez de vous rappeler. Il doit bien vous rester quelque chose, même si vous n'aviez que cinq ans. Des impressions, des images, des sensations.

Elle ouvrit la bouche, voulut dire quelque chose, mais s'aperçut que les mots lui manquaient. Ce n'était pas comme si elle capitulait devant un mur. Elle était le mur.

Elle soutint son regard interrogateur jusqu'à ce qu'il se détourne, désappointé.

— Je vais vous emmener en lieu sûr et continuer tout seul.

Il fallait absolument qu'elle trouve cette église allemande. Là-bas on saurait ce qu'il était advenu de la mère de Borg. Quelqu'un dans cette ville avait bien dû la connaître. On ne vit pas un quart de siècle dans un pays sans laisser de traces. Qui sait, peut-être y avait-il eu un miracle à la gare de Sassnitz…

— Vous m'entendez ?

— Oui.

Peut-être qu'elle tomberait sur un monstre. Ou peut-être trouverait-elle un être qui l'avait attendue pendant toutes ces années. Quelqu'un à qui l'on avait menti aussi. Quelqu'un qui ignorait qu'elle était en vie, mais se rappellerait la petite fille qu'elle avait été autrefois. Quelqu'un qui saurait ouvrir une brèche dans ce mur. Quelqu'un qui savait qui elle était vraiment.

— Vous m'entendez ? Judith ?

Elle sursauta.

— Borg est morte. Quel que soit ce qui vous passe par la tête en ce moment, songez que Borg a vécu à votre place…

Kaiserley la dévisagea et ses yeux s'assombrirent, comme s'il était réellement touché par sa douleur.

— … et qu'elle est aussi morte à votre place.

Toto savait qu'il ne serait jamais propriétaire. Il n'était pas du genre à s'endetter sur trente ans et à se battre les flancs pour finir dans un lotissement pavillonnaire sinistre. Il préférait dépenser son argent en voyages, voitures et gadgets technologiques. Sa piaule était celle d'un célibataire insouciant délesté du fardeau de toute contrainte, avec ses marqueurs symboliques de statut social, comme le gigantesque écran plat, l'éclatante machine à expressos chromée, qu'il n'utilisait jamais par flemme de lire chaque fois le mode d'emploi, ou encore sa console Wii, avec laquelle il apprenait ces temps-ci à jouer au tennis.

Son appartement était chichement équipé de quelques meubles modernes. Il avait une femme de ménage qui travaillait pour une agence conseillée par le BND, et un vide-ordures dans le couloir, assez large pour qu'on y jette les cartons de pizzas sans avoir à les plier. Les draps avaient été fraîchement changés, et lui-même venait de sortir de la douche quand la sonnette retentit comme prévu à 18 heures. Il alla ouvrir, la serviette de bain nonchalamment nouée autour des hanches.

Sans dire un mot, elle l'embrassa.

Ce fut rapide, brûlant et hâtif. Après l'amour, elle glissa sur le côté et posa la tête dans le creux chaud du ventre de Toto, dont la main caressa ses cheveux défaits.

— Depuis quand tu es en ville ?

— Depuis hier. Le ministre iranien des Affaires étrangères vient d'annoncer sa visite. *Grande confusione*. Mais garde ça pour toi. Les agences de presse ne seront informées que dans deux semaines, quand tout le monde aura fini les préparatifs.

Elle ronronna lorsqu'il se mit à lui masser la nuque.

— Je suis descendue à l'Hôtel Bayerischer Hof en attendant de récupérer mon appartement à Bogenhausen la semaine prochaine. Les Israéliens habitent deux étages au-dessus, et tous les matins, quand je fais mon jogging sur les bords de l'Isar, je croise les Égyptiens et les Russes. Le monde est petit. Le nôtre du moins. J'aime Munich. Tu as des cigarettes ?

— Tu fumes ?

— Seulement après...

Il se leva et alla dans la cuisine, où il gardait un paquet entamé de Marlboro en haut d'un placard. Il en alluma deux, prit une soucoupe en guise de cendrier et retourna dans la chambre. Angelina sourit, lui prit une cigarette des mains et inhala profondément. Il se recoucha près d'elle et fit disparaître son portable dans le tiroir de sa table de nuit. Fâcheux qu'il n'y ait pas pensé plus tôt. Ils devraient organiser des stages « *De l'usage des téléphones portables – Guide à l'intention des agents des services de renseignements entretenant des relations intimes avec des membres d'un service ami* ». Ce pourrait être aussi utile aux hommes mariés.

— Et toi ? Sur quoi tu travailles en ce moment ?

— Je décortique un Spitfire portable, répondit-il en se retournant vers elle.

— Cette saloperie que les Anglais ont vendue aux Afghans ?

— Exactement.

Elle s'étira et tapota un oreiller pour le caler confortablement sous sa tête. Le regard de Toto glissa sur ses petits seins. Sa peau avait un hâle doré, tout son corps était parfait. À côté d'elle, il se sentait lourdaud et poilu comme un singe.

— Je ne peux pas m'empêcher de penser à Kaiserley, dit-elle.

Toto écrasa sa cigarette. D'abord, il ne la trouvait pas bonne, et puis il était contrarié que ce nom fût prononcé dans sa chambre à coucher.

— Pourquoi ça ?

— Je n'arrive pas à m'ôter de la tête l'expression de son visage quand cette journaliste l'a poussé dans ses retranchements. Il me fait pitié. Ça fait des années qu'il court après un fantôme. Pourquoi il s'inflige ça ? Après tout, il était l'un des nôtres autrefois.

Toto haussa les épaules, d'un geste qui voulait dire « je n'en sais rien et d'ailleurs ça ne m'intéresse pas ». Il passa la soucoupe à Angelina.

— Comment l'as-tu rencontré ? l'interrogea-t-il.

Kaiserley le lui avait déjà raconté, mais il voulait connaître sa version à elle. Elle fit tomber sa cendre.

— C'est une longue histoire. Nous nous sommes rencontrés pour la première fois quelques années avant la chute du Mur. J'étais encore très jeune, comme qui dirait une débutante. Mais nous nous sommes assez vite perdus de vue.

— Vous avez monté ensemble l'opération à Sassnitz, pas vrai ?

S'il l'avait surprise, elle n'en laissa rien paraître. Elle fumait et un sourire énigmatique effleurait ses lèvres.

— Qu'est-ce qui a foiré exactement ? demanda-t-il.

— Tu sais bien que nous n'avons pas le droit d'en parler.

— Est-ce vrai que trois personnes sont mortes ?

— Le fait est que nous n'avons jamais obtenu ce qu'on nous avait promis. Nous devions recevoir ces microfilms, en premier, j'entends. C'était l'époque. Malheureusement, nous avons juste été associés à la préparation, pas à l'opération proprement dite. Celle-là, Kaiserley seul en avait la charge… Et il a échoué.

Elle écrasa sa cigarette et poussa la soucoupe sous le lit.

— Quirin Kaiserley a dirigé seul l'opération ?

— Bien sûr que non. Il était sous observation. Contrairement à vous, nous suivions la législation alliée et pouvions nous déplacer assez librement en RDA. Kaiserley a été surveillé jusqu'à Sassnitz. Il accompagnait le transfuge, et avait les passeports pour exfiltrer les cibles. À cause des formalités de la procédure de transit, il y a eu un arrêt d'une heure environ à la gare de Sassnitz. Il n'existe aucun rapport écrit sur ce qui s'est déroulé pendant ce laps de temps. Sassnitz et le port étaient zone militaire est-allemande, alors même nous, nous devions faire une croix dessus.

— Ça m'a tout l'air d'une version officielle.

Elle rit. Un rire si cristallin que Toto eut le sentiment que des petites perles de verre lui parcouraient le dos.

— Bien entendu, nous avions des gens à nous à bord du train. Plus tard, d'après le procès-verbal, un contrôleur suédois a déclaré que les cibles avaient quitté le train, tandis que Kaiserley avait joyeusement continué son voyage vers la Suède. La suite, tu devrais pouvoir la lire dans le dossier.

— Documents classifiés. Jusqu'à aujourd'hui.

— Alors, tu n'as qu'à demander à *Killerman*.

Elle se pencha sur lui et l'embrassa. Sa langue se glissa dans sa bouche, commençant un petit jeu excitant auquel Toto ne s'adonnait que trop volontiers. Il se mit à gémir quand les mains d'Angelina lui caressèrent les hanches, les cuisses, mais elle les retira juste avant qu'il s'abandonne.

— Il en sait plus long que tu ne crois.

Les yeux noirs d'Angelina se plissèrent. Toto y perçut un mélange de désir et d'amusement à le faire languir un peu.

— Tout ce que nous avons reçu, c'est un message lapidaire nous informant que les cibles avaient disparu, de même que les passeports, et que Kaiserley ne savait rien. Il paraît qu'il aurait dormi ou été assommé. À moins qu'il n'ait trop forcé sur la Danziger Goldwasser. En tout cas, pour nous, l'affaire était close. Après tout, ce n'étaient pas nos passeports. Kaiserley a été retiré du terrain et muté à l'administratif, à la centrale. Tout portait à croire qu'il arriverait à digérer cet accroc dans sa carrière. C'est seulement des années plus tard que nous nous sommes revus, à Föhrenweg.

Le Föhrenweg était la légendaire boîte aux lettres du BND dans le Berlin d'après la chute du Mur. Une villa des années 1930 qui pendant la Seconde Guerre mondiale avait servi de Q.G. secret au maréchal et commandant suprême des forces armées allemandes, Wilhelm Keitel. Après la guerre, les lieux avaient fait office de succursale de la CIA, équipée, depuis la clim jusqu'au labo photo, de tous les raffinements classiques des services secrets modernes. Le BND s'y était installé en sous-locataire, sans même sa propre machine à café. Comme de coutume, il avait pris ses quartiers dans les sous-sols de l'histoire mondiale.

— Kaiserley cherchait toujours la taupe. Il est allé trop loin, c'est tout. Il soupçonnait n'importe qui. Tout le monde, Kellermann, moi, même le commandant de secteur de Berlin. Il n'avait pas la moindre preuve. Ce n'était plus tenable, il fallait qu'il parte. Kaiserley était un aventurier, une tête brûlée, mais plutôt du genre torturé. Il avait en lui quelque chose d'obsessionnel, de profondément désespéré. Ces gens-là attirent les ennuis. Mieux vaut s'en tenir éloignés.

Toto se laissa retomber sur le dos et fixa le plafond. Si seulement il avait suivi ce conseil plus tôt.

— Peu après, les Russes ont proposé de nous vendre le fichier Rosenholz. Nous avons remis officiellement la liste des noms à l'Allemagne réunifiée. Mais ceux qui espéraient y découvrir un second Guillaume en ont été pour leurs frais. Du moins pour l'instant.

En 1974, Günter Guillaume, conseiller du chancelier fédéral Willy Brandt, avait été démasqué comme agent de l'Est. Brandt avait dû démissionner. Dur revers pour les deux camps, l'affaire avait lourdement pesé sur la toute nouvelle politique de détente. Markus Wolf, dit Mischa, à l'époque chef des services de renseignements extérieurs de la RDA, était allé jusqu'à qualifier la chute de Brandt de « but contre son propre camp ».

Tout ça, c'était bien avant l'époque de Toto. Tout ce qu'il en savait, il l'avait appris au cours de sa formation et ça ne l'avait jamais beaucoup intéressé.

— Rosenholz est incomplet. Vous avez soustrait tout un fichier.

— Pas nous, les Russes, mon chéri.

— Encore la version officielle ? À ce jour, rien n'est vraiment éclairci.

— Il n'y a pas d'autres versions.

Toto ferma les yeux et sentit qu'elle changeait ses appuis pour se pencher au-dessus de lui.

— Si un jour tu devais entrer en contact avec lui…

— Ça n'arrivera pas.

— Si jamais…

— Je ne connais pas de Kaiserley. Jamais entendu ce nom.

— Si jamais il te demande de l'aider…

La bouche d'Angelina s'ouvrit, sa langue se mit à le chatouiller et sa main glissa sur son ventre jusqu'à l'épicentre de son désir, là où le sang affluait par chaudes pulsations. Il gémit et eut toutes les peines du monde à se concentrer sur ce qu'Angelina lui chuchotait à l'oreille.

— Dis-lui d'arrêter. Il ne fait que réveiller les mauvais démons.

Le Linneaholm Slott & Pensionat se dressait au milieu d'un petit parc plutôt mal entretenu, entouré de bruyantes voies rapides, non loin d'une centrale thermique. L'hôtel n'avait que trois chambres et avait dû être une ferme dans un autre temps. Le bâtiment, édifié au XIXe siècle, avec ses murs blancs typiques de l'architecture balte, sa tourelle originale et ses fenêtres en demi-lune, était comme une relique des temps anciens perdue au milieu de l'échangeur autoroutier.

Ils étaient les seuls clients, le parking était désert. Tandis que Kaiserley attendait à la réception que quelqu'un veuille bien réagir à ses coups de sonnette, Judith faisait semblant d'admirer le parquet luisant et les stucs du plafond. Que dirait-elle s'il prenait une chambre double ? Elle était suffisamment grande pour savoir que l'occasion faisait le larron. Il était assez bel homme et elle ne ressentait plus de colère contre lui, mais de là à parler de sympathie... L'assurance affichée de Kaiserley laissait penser que, dans ce genre de situation, il savait ce qu'il faisait. Un homme et une femme dans une ville étrangère, dans la même chambre, dans le même lit. Pour une fois, peut-être, il en coûterait plus à Judith de résister à la tentation que d'y céder.

Elle était épuisée et avait des élancements dans la paume des mains. Elle ne désirait rien d'autre que de se mettre au lit et sombrer dans un sommeil sans rêves. En même temps, un flot d'émotions la submergeait, et elle aurait voulu partir sur-le-champ pour Köpenhamsvägen.

Pas question de laisser Kaiserley mener ses recherches seul.

Il fallait qu'elle se débarrasse de lui, mais aussi qu'elle dorme. Il fallait qu'elle se tire. Et qu'elle reste. Que lui arrivait-il, bon sang !

— Thomas !

Une femme d'une quarantaine d'années, aussi jolie qu'enjouée, arriva du jardin en souriant à pleines dents. Judith regarda autour d'elle. À part elle et Kaiserley, il n'y avait personne dans le hall.

— Ça fait un bail !

— Sofie.

Kaiserley ouvrit les bras. La femme courut à sa rencontre, le serra contre elle, l'embrassa, passa sa main dans ses cheveux puis lui donna quelques tapes sur le ventre. Bras dessus, bras dessous, ils se tournèrent vers Judith.

— Sofie Kersenberg, l'heureuse propriétaire de ce petit bijou. Sofie, je te présente Judith Kepler.

Judith tendit la main par réflexe et le regretta aussitôt. Elle poussa un cri de douleur. Sofie lâcha sa main et désigna les pansements.

— Vous êtes blessée ? demanda-t-elle dans un allemand qui sonnait curieusement aux oreilles de Judith. Vous avez besoin d'un médecin ?

— Non, ça va aller. Merci.

Ainsi collés ensemble, Kaiserley et Sofie semblaient avoir beaucoup d'affection l'un pour l'autre, comme deux vieilles connaissances. Les yeux bruns de Sofie brillaient. Elle faisait une tête de moins que Kaiserley, ses boucles sombres lui tombaient à hauteur de menton, son visage large avait les joues en feu, peut-être de joie, ou peut-être parce qu'elle venait de jardiner, ce qu'indiquaient les traces de terre sur ses bottes en caoutchouc, sur son jean et son tee-shirt bleu. Elle était mince, mais dans un autre genre que Judith, plus féminin, avec une légère tendance à l'embonpoint.

Sofie se détacha des bras de Kaiserley et, mal à l'aise, écarta une mèche de son front.

— Tu aurais dû appeler, je vous aurais préparé la chambre.

Quand elle prononça le mot « vous », son regard, involontairement, s'attarda un peu trop sur Judith.

— Au premier, comme d'habitude ?

Kaiserley hocha la tête.

— Comme d'habitude.

Quelque chose dans leur familiarité gênait Judith. Elle s'en voulait de sa naïveté. Un cinq à sept dans une chambre d'hôtel ? Kaiserley et Sofie semblaient depuis longtemps partager ce genre d'expérience.

— Je prends une chambre individuelle, se hâta-t-elle de préciser.

Peut-être un peu trop vite. Kaiserley fronça les sourcils.

— Ce n'est pas une bonne idée.

Il se tourna vers Sofie et rectifia :

— Une chambre double.

Sofie se glissa derrière le comptoir en bois sculpté tandis que Kaiserley sortait sa carte d'identité de la poche de son costume pour la lui tendre. Sofie y jeta un regard furtif et voulut la lui rendre, mais Judith fut plus preste.

— Belle photo, fit-elle remarquer en examinant la carte. M. Thomas Weingärtner.

La photo n'avait pas deux ans. La carte plastifiée avec hologramme, délivrée par la mairie d'arrondissement de Berlin-Pankow, était valable encore huit ans. Comment Kaiserley s'était-il procuré un faux aussi récent et aussi parfait ? Elle lui rendit le bout de plastique. Il ne dit rien. Sofie sortit d'un tiroir une grande clé avec une lourde breloque en laiton.

— Petit déjeuner pour deux ?

Tu peux te le garder, ton petit déjeuner pour deux, pensa Judith. Elle prit la clé et se dirigea vers l'escalier de la tourelle.

— Non merci, répondit-elle.

L'escalier en bois grinçait si fort qu'elle aurait entendu si Kaiserley l'avait suivie.

La chambre au fond du couloir, jolie et meublée sans chichis, était équipée d'une grande salle de bains et de deux lits jumeaux espacés l'un de l'autre. Les fenêtres donnaient sur trois côtés. Au sud sur la centrale thermique, à l'ouest sur le parc, et au nord sur le trafic dense de l'Ystadvägen.

C'étaient des fenêtres anciennes. Lorsque, à peine entrée, Judith se jeta sur le lit de droite, elle eut l'impression de se coucher sur le bas-côté de l'autoroute, tant le bruit des camions semblait proche. Elle repensa au routier hollandais, à Martha Jonas et aux chiens de Sassnitz. Et aux blessures sur ses avant-bras, qui la démangeaient encore, et lui rappelaient l'échec de ses recherches.

Furieuse, elle maltraita l'oreiller à coups de poing et le cala sous sa tête. Amour. Confiance. Sécurité. Chaleur. Rien que des mots creux. Et Kaiserley était maître dans l'art de les manipuler. Un court moment, sur la place Stortorget, elle avait vraiment cru que Kaiserley s'intéressait à elle. Tout ce qu'il voulait en fin de compte, avec ses histoires minables de traîtres trahis, c'était obtenir ces foutus microfilms. Et retrouver sa belle à Malmö par la même occasion.

Elle était trop fatiguée pour le détester. Elle aurait voulu retrouver ce sentiment inconnu qu'elle avait ressenti quand Kaiserley lui avait parlé de ses parents, mais ne lui connaissant pas de nom, elle ne trouva rien.

Tous les muscles de son corps la tiraillaient, elle se sentait emportée et ensevelie par une avalanche. Elle comprit soudain que ce poids n'était rien d'autre que le sommeil. Elle étendit les bras et s'y adonna.

Une odeur de noix de coco et de curry réveilla Judith. Le soleil entrait par la fenêtre côté ouest et projetait des ombres étranges au plafond. Elle entendit un bruissement et, clignant des yeux, se retourna péniblement.

Kaiserley, assis sur le petit canapé, sortait un repas d'un sac plastique. Il posa deux assiettes sur la table basse et disposa des couverts autour.

— J'espère que vous aimez la *Thai Kök*. J'ai traversé la moitié de la ville pour trouver ce Pad Kra Thao.

Il ôta le papier aluminium des barquettes. Judith se redressa. Elle avait l'impression d'émerger d'une anesthésie. Lentement les souvenirs lui revenaient.

Kaiserley avait également acheté un bagage. Un autre petit sac en plastique au logo d'une chaîne de droguerie discount laissait espérer qu'il avait pris du shampooing et des brosses à dents. Une bouteille de vin et deux verres étaient posés sur la table. Il poussa une assiette vers elle.

— C'est quoi ?

— Des légumes sautés au wok avec du poulet et du basilic thaï. Tiède. Mais la mangue verte valait tous les détours du monde. J'ai loué une voiture sur le chemin du retour.

Il saisit une fourchette en plastique et commença à manger. Judith approcha son assiette. Ça sentait bon. Elle avala une bouchée, et prit conscience qu'elle mourait de faim.

— Une Toyota équipée d'un GPS est garée en bas. Je sais que vous avez quelque chose en tête, mais je ne vous laisserai pas partir seule. Dès qu'on a fini de manger, on peut se mettre en route, si vous voulez.

— Quelle heure est-il ?

— Presque 18 heures. Où voulez-vous aller ?

Judith tendit son verre à Kaiserley qui lui servit à boire. Il avait pris une douche et s'était rasé. Elle le préférait avec sa barbe de trois jours. Fallait croire que Sofie n'aimait pas ça…

Judith se ressaisit. *Après tout, ce n'est pas plus mal que Kaiserley ait ce qu'il lui faut de ce côté-là*, pensa Judith. *Mon lit simple ne deviendra pas un lit pour deux*. Elle pesa rapidement ce qu'elle y gagnerait de refuser la proposition de Kaiserley. Pour le moment, rien.

— À l'église allemande. C'est là qu'iront les cendres de Borg après la crémation, et une fois l'enquête close. Si elle doit être enterrée là-bas, sa famille est forcément au courant.

Kaiserley baissa sa fourchette. La surprise se lut sur son visage, mais il se ressaisit en une fraction de seconde. Il avala d'un trait la moitié de son verre.

— Jolie enquête, bravo. Je préfère ne pas vous demander comment vous avez obtenu ces informations. Mais si jamais Borg a encore de la famille, il faut que je la voie. Dès ce soir. Le plus vite sera le mieux.

— Il faut que nous la voyions.

— Non, moi.

— Pourquoi êtes-vous si pressé ?

— Parce que je n'ai pas envie qu'après Borg vous soyez la prochaine sur la liste. Nous laissons des traces.

Quoi que nous fassions. Un jour ou l'autre, l'assassin de Borg nous retrouvera. Il est sans doute du métier et les contacts du bon vieux temps n'ont pas tous disparu, loin de là.

— C'est pour ça que vous êtes descendu à cet hôtel sous un faux nom ?

— Oui.

Judith reprit une bouchée. Pauvre Sofie. Elle avait eu l'air si heureuse en reconnaissant Kaiserley. Il devait lui avoir menti dès le premier jour.

— Seuls les agents secrets en activité et les criminels ont de faux papiers, dit-elle. Vous êtes quoi alors ?

— Il me reste encore quelques bons amis du temps jadis.

— Vous ? Des amis ?

— Il y a quantité de gens au sein du BND qui sont aussi mécontents que moi.

— Et ils vous fabriquent des faux papiers ?

Kaiserley secoua la tête. L'évidente naïveté de Judith l'amusait.

— Des papiers modélisés.

— Modélisés ?

— Les papiers d'identité servant de couverture proviennent de fait de l'Imprimerie fédérale. Le BND a des relais dans les administrations de toutes les grandes villes d'Allemagne. Ces employés remplissent les formulaires conformément aux instructions du BND – nom, adresse, lieu de naissance, photo d'identité – moyennant quelques euros supplémentaires. Puis ils les glissent au milieu des vraies demandes avant d'expédier le tout à l'Imprimerie fédérale. Au bout de quatre semaines, l'agent reçoit ses papiers, plus vrais que nature. Avec son faux CV, ça lui fait une seconde identité absolument indétectable.

Il m'est arrivé d'en avoir six en même temps. Thomas Weingärtner, par exemple, est un courtier d'assurances qui ne saurait trop vous conseiller de souscrire au plus vite une assurance-vie.

— Et il arrive qu'on fasse aussi des faux papiers pour des gens qui ne travaillent pas pour le BND ?

— Des papiers modélisés, corrigea Kaiserley.

Il enfourna une énorme quantité de légumes au curry et continua de parler la bouche pleine.

— Les passeports étrangers, le BND les fabrique lui-même. Il dispose pour cela d'un atelier spécial qui emploie de véritables artistes. Ils font des chefs-d'œuvre. Pas des faux, ce serait illégal.

— Donc, votre identité serait empruntée à un certain Thomas Weingärtner ? Je n'en crois pas un mot.

— Modélisée. C'est la terminologie officielle.

— Et à quoi vous servent ces faux papiers, pardon, ces papiers modélisés ?

— À louer une voiture, par exemple. À descendre dans un hôtel, sans qu'une notification soit immédiatement envoyée aux services concernés.

— Pratique, vous pouvez m'en commander aussi ?

Kaiserley prit un air sérieux et reposa la fourchette.

— Je pourrais. Mais à la condition que vous arriviez à me convaincre que vous en avez réellement besoin. Et que vous saisissiez toutes les implications d'une fausse identité. Rares sont ceux qui en ont conscience. Une couverture n'est pas un jeu. Pensez aux programmes de protection des témoins. Aux agents infiltrés. Au trafic d'armes ou au terrorisme international. Mais surtout songez que ces personnes ont aussi une famille. Quand une couverture saute, ils ne sont pas seuls à en subir les conséquences. Tout leur entourage en fait les frais.

Judith balaya cette pensée : dans son cas, les personnes concernées ne seraient pas bien nombreuses. Elle et Kaiserley avaient un certain nombre de points communs, auxquels ils réagissaient différemment. Judith s'était faite à l'idée de son isolement, pas Kaiserley. Il vivait comme un loup solitaire dont plus personne ne voulait suivre la piste. Et il en souffrait, même s'il ne l'admettrait jamais.

— Il y a toujours des gens au BND pour vous aider ?

— Pourquoi êtes-vous si incrédule ? Oui, il y en a.

— Et comment pouvez-vous être sûr que la couverture Thomas Weingärtner ne sera pas éventée ?

Kaiserley fourra le papier d'alu dans le sac plastique.

— Risque résiduel. Vous avez déjà fini ?

Il désigna l'assiette à moitié vide. Judith acquiesça.

Kaiserley dépendait de la loyauté d'un agent de liaison du BND. Et elle, qu'elle le veuille ou non, dépendait de Kaiserley, lequel semblait s'accommoder de ce risque résiduel, comme il disait.

Il jeta les restes dans le sac plastique et fit un nœud.

— Bientôt 18 heures, dit-il. L'heure d'aller à la messe.

18

Plus ils s'approchaient de la plage, plus les clôtures barrées d'enseignes d'entreprises de surveillance étaient hautes. Fridhem, Västervang et Bellevue comptaient parmi les quartiers les plus chics de Malmö. L'église était nichée au bout d'une petite rue à sens unique, un peu à l'écart. Quirin n'aurait jamais trouvé sans son GPS.

Ils croisèrent des promeneurs, accompagnés pour la plupart de grands chiens bien dressés. À y regarder de plus près, on s'apercevait que toutes les villas étaient équipées de caméras de surveillance. Les jolies palissades basses avaient cédé la place aux hautes grilles en fer forgé. Une ville se préparant à l'invasion.

Quirin avait du mal à croire que la criminalité en Suède ait augmenté au point de justifier un tel repli sécuritaire. Il regrettait que toutes ces belles demeures fussent désormais à l'abri des regards. Il se souvenait d'une belle journée d'été où il s'était promené avec Sofie jusqu'au centre historique de Linhamn, et au ravissement qui avait saisi son cœur juvénile ce jour-là face à ces impressions nouvelles – le spectacle de la mer et le bonheur dans les yeux de l'autre.

Il observa Judith. Elle dévorait des yeux tout ce qu'elle voyait. L'Øresund, qui de temps à autre brillait au loin entre les cimes des arbres. Les hauts pylônes du pont qui reliait la Suède à Copenhague. Les mots étrangers sur les enseignes des boutiques. Les pignons des villas fin de siècle, qui laissaient deviner la splendeur cachée derrière ces murs. Elle était avide d'images, impatiente de tout ce qui promettait de s'offrir à sa vue au prochain coin de rue. Quirin sentit à quel point son propre cœur avait pris de l'âge.

— Êtes-vous déjà venue en Suède ? demanda-t-il.

— Non.

— Ou simplement allée à l'étranger ?

— Dans le Brandebourg, précisa-t-elle, sourire en coin.

Il ralentit l'allure, passa devant l'église et, ne trouvant pas de place pour se garer, dut rejoindre la file des voitures sur le Linhamnsvägen.

— Une fois, j'ai été en Italie, ajouta-t-elle. Quelque part au bord de la Méditerranée. J'ai oublié le nom de l'endroit. Il faisait chaud, c'était bruyant, avec de la musique horrible.

— Que faites-vous alors pendant vos vacances ?

— Je rattrape ce que j'ai laissé en plan. Je n'ai pas besoin de voyager. C'est ridicule de faire des milliers de kilomètres pour se retrouver coincé dans un hôtel où la bouffe est infecte et où on crève de chaud.

Du bout des doigts, elle pinça la manche de son sweat-shirt. Quirin avait déjà remarqué qu'elle faisait ce geste machinal chaque fois que la conversation prenait pour elle un tour désagréable.

— Alors vous ne connaissez pas les pyramides. Ni la tour Eiffel, les chutes du Niagara, l'Alhambra de Grenade ou le tombeau de Frédéric II de Hohenstaufen dans la cathédrale de Palerme.

Elle regarda, impassible, par la vitre de la portière.

— De superbes voyages-découvertes sont organisés pour les célibataires. On a de la compagnie, et puis le guide vous donne des…

— Je me passe de vos conseils ! siffla-t-elle. Si j'ai envie de voir quelque chose, je vais le voir, d'accord ? Jusqu'à présent je n'ai pas eu envie de découvrir la tour Eiffel. D'accord ? Ça vous va comme ça ?

Il hocha la tête. Quel imbécile il faisait !

La voiture tourna de nouveau dans la ruelle à sens unique. Cette fois, Quirin longea plus lentement la Köpenhamnsvägen. L'église Sainte-Anne apparut. Il continua sur une bonne centaine de mètres, puis s'arrêta au bord de la chaussée sous un panneau de stationnement interdit. Pas de caméra. Parfait. Il vérifia les alentours et ajusta le rétroviseur de manière à voir la rue derrière eux.

— Rien à craindre ? demanda Judith.

— On dirait que non. On n'est jamais sûr à cent pour cent. Nous ne sommes certainement pas les seuls à nous intéresser à cette paroisse après tout ce temps. C'est la première adresse vers laquelle se tournent les émigrés fraîchement venus d'Allemagne. Le pasteur était un des nôtres dans le temps.

— Vous infiltrez même les églises ?

Quirin regarda une dernière fois dans le rétroviseur avant de dire :

— Attendez-moi ici.

— Jamais de la vie.

Elle détacha sa ceinture, mais Quirin lui bloqua les mains. Pendant une fraction de seconde, il se dit que ce contact physique lui était agréable. Des mains fines, mais robustes.

— Vous ne pouvez pas assister à une conversation entre deux ex-agents.

— Foutaises.

Il la lâcha, sortit de la voiture et enclencha le verrouillage automatique des portes. Judith voulut lui emboîter le pas, mais la portière était fermée.

— Hé ! cria-t-elle en tapant du poing contre la vitre. Ça veut dire quoi, ça !

Quirin fourra la clé dans sa poche.

— C'est pour votre propre sécurité.

— Salopard ! Ouvrez !

— Je reviens tout de suite.

Il descendit la rue au pas de course, en direction du presbytère.

Judith secoua encore la poignée de la porte, puis finit par abandonner. Cette bagnole était sans doute un modèle spécial pour agent secret, vendu à prix d'ami. Après tout, ces messieurs dames aussi avaient – parfois – besoin de prendre l'air.

Elle examina l'habitacle, mais ne trouva rien pour déverrouiller la portière. Elle ne pouvait même pas ouvrir les fenêtres. Encore heureux, pensa Judith, que la voiture soit garée à l'ombre. Elle donnait à Kaiserley exactement une demi-heure, après quoi il ne restait plus qu'à espérer que la vitre soit assurée tous risques.

Elle tourna le rétroviseur vers elle et se mit à observer la rue. Une femme promenait un énorme doberman. À la vue de la bête, Judith fut prise de panique. Elle tenta de calmer sa respiration. La femme au chien changea de trottoir et disparut du champ de vision de Judith.

Tu es hystérique, pensa-t-elle, *tu es en train de devenir une vraie mauviette. Borg n'était pas comme toi. Elle était courageuse, elle. Elle a posé des questions. Elle a fouiné sans relâche et sans se laisser intimider*. Soudain Judith eut honte. *Ils ont tout effacé de toi, comme ça, et tu les as laissés faire. Tu n'es qu'une ratée.*

La vitre de la portière vola en éclats. Judith leva instinctivement les bras et crut apercevoir du coin de l'œil une batte de base-ball. L'alarme se mit à hurler. Une pluie de bris de verre lui dégringola dessus. Le deuxième coup l'atteignit au coude. Elle cria de douleur et se recroquevilla. À cause de ses blessures aux mains, elle ne put parer le troisième coup. Un feu d'artifice éclata dans sa tête.

Elle sentit à peine l'injection, mais une chaleur se propagea soudain dans tous ses membres. Une vague immense, infinie, qui la soulevait sur sa crête, toujours plus haut, inexorablement, vers l'horreur. Ou l'infiniment beau.

Des myriades de soleils défilèrent devant ses yeux, la propulsant dans un trou noir. Judith se désagrégeait à vue d'œil, plus vite que jamais auparavant. Elle abandonna son corps et, emportée sur les ailes de son âme comme sur un aigle géant, s'envola vers l'ailleurs.

Quelqu'un fredonnait une comptine.

— … demain matin, si Dieu le veut…

Il flottait un parfum de rose, de lait et d'amour.

— Dors maintenant. Fais dodo.

Elle était si fatiguée. Un lac de miel la retenait prisonnière et voulait l'entraîner dans ses profondeurs d'or. Elle était couchée, recroquevillée comme un fœtus. Un sentiment de confiance et de bonheur l'enveloppait comme une couverture chaude. Elle tenta d'ouvrir ses yeux, mais elle n'avait plus d'yeux.

— Maman ?

Il fit plus frais.

— Maman !

— Chut. Tiens-toi tranquille. Nous sommes bientôt arrivées.

Rouge et or. Velours et soie. Un cri d'oiseau, très fort et rauque, comme pour la prévenir d'un danger imminent. La lune déversait une pluie d'argent sur la roue à aubes d'un moulin qui claquait. *Tac, tac. Tac, tac.*

Quelqu'un la souleva. Elle aurait voulu se débattre, mais comment faire quand on n'était rien, rien qu'un souffle d'air, à peine plus palpable qu'une pensée confuse ? Quand on était réduite à une conscience sans corps ?

— Tout va bien se passer.

Elle entendit la peur. Le miel s'épaissit, sembla se figer. Lénine se pencha sur elle et la dévisagea de ses yeux de bronze.

— Maman !

Un homme tout de blanc vêtu descendit du ciel comme Jésus. Les bras grands ouverts, il lui sourit. Elle sentit qu'elle s'envolait avec lui dans la froide nuit étoilée. Elle aurait voulu jeter un dernier regard sur la terre, mais elle ne voyait plus rien, bien que tout fût si clair, si évident. Si net. Elle était un univers parallèle. Elle était Dieu. Elle savait parfaitement ce qui se passait. L'homme la tenait fermement et volait avec elle vers une sonde spatiale en orbite autour de la lune.

— Je suis Youri Gagarine, dit-il. Et voici Kiki.

Un petit animal à fourrure brune s'approcha en sautillant.

— Tu ne dois pas le perdre. Jamais. Tu entends ? Jamais.

L'animal fit un tour complet sur lui-même, lentement, suspendu dans l'espace en apesanteur, et dans son ventre un soleil rougeoya.

Quirin était assis dans une cuisine dont le décor cosy frisait la caricature. Une montagne de boulettes de viande fumantes, tout juste sorties de la poêle, garnissait un grand plat, mais personne n'avait le cœur de se servir. Gillis et Volfram se tenaient en face de lui, droits comme des I, le visage de marbre. Seul un œil exercé pouvait y lire une peur mortelle. Madita était une jolie et robuste petite fille au hâle d'été typique des Suédois. Assise sur les genoux de Gillis, elle se blottit contre sa grand-mère.

Le silence était tel que le bourdonnement de la mouche voletant autour du plafonnier semblait assourdissant. Dehors une alarme hurlait. Quirin pensa un instant à Judith, mais ne s'inquiéta guère : pour fracturer cette voiture, il fallait un peu plus que ses deux poings nus. La voiture n'était blindée que contre les impacts à quarante kilomètres à l'heure, autrement dit : classe sécurité la plus basse. À Moscou, ça ferait rire tout le monde. Mais elle était équipée d'un système de localisation par GPS et d'un bon dispositif de blocage des portes. Pour ouvrir la voiture de l'intérieur, il fallait connaître l'endroit où étaient cachés les loquets de sécurité.

Il se tourna vers Volfram. Quand il l'avait recruté, il avait eu à peu près l'âge de Quirin aujourd'hui. Et maintenant il était grand-père. Dieu, que le temps passait vite. Kaiserley avait remarqué les fils d'argent dans les cheveux du pasteur et les profonds sillons qui marquaient son visage, et n'étaient pas uniquement dus à l'âge.

— Peut-être ferions-nous mieux de parler en tête à tête ?

Le pasteur ne répondit rien. Madita s'agrippa un peu plus à Gillis.

— Faites au moins sortir l'enfant.

Madita secoua la tête. Gillis lui donna un baiser sur le front et lui dit :

— Monte. Maman va bientôt rentrer du travail et venir te chercher.

— Je ne veux pas.

— Madita ?

Gillis prit le menton de la fillette et lui souleva la tête.

— Fais ce que je te dis. Et maman ne saura rien de l'histoire du petit chat.

Madita sauta des genoux de Gillis et sortit à toute vitesse.

— Quel petit chat ?

— Elle s'est fait accoster par un homme en rentrant de l'école. Accent russe. Il a demandé à Madita de l'aider à retrouver un petit chat… Nous avons pensé…

Gillis s'interrompit.

— … qu'il devait y avoir un rapport avec le coup de fil, dit Volfram. Elle nous a contactés et forcés à accepter une mission.

Il avait l'air soulagé de pouvoir en parler à quelqu'un.

— Elle ? demanda Quirin. Qui ? L'une des nôtres ?

S'il utilisait le « nous », ce n'était pas par fidélité à son service, mais simplement pour distinguer, comme autrefois, l'Ouest de l'Est, le Bien du Mal.

— Je pense que oui, je ne sais pas. C'est elle qui nous apportait l'argent, à l'époque, pour que nous… je pensais que tu étais au courant.

Quirin se pencha en avant et prit Volfram dans sa ligne de mire.

— Je ne suis au courant de rien. J'étais ton agent de liaison, tu aurais dû me contacter immédiatement !

— Mais c'est ce que j'ai fait ! J'ai essayé ! Ils m'ont dit que tu n'étais plus de la maison et que quelqu'un d'autre allait prendre la relève. Après je n'en ai plus jamais entendu parler. Jusqu'à ce que cette femme apparaisse.

— Pour qui apportait-elle de l'argent ?

— Deux personnes en fuite. Une mère et sa fille.

— Combien ?

— 100 000.

— Pour quoi faire ?

— Ça non plus, je n'en sais rien. J'ai fait suivre, c'est tout. 10 000 revenaient à la paroisse. Nous avions besoin de cet argent. Après la chute du Mur, les gens du bloc de l'Est affluaient en masse dans le pays. Mais avec leur monnaie qui ne valait pas un clou, ils n'allaient pas bien loin.

Quirin sentit monter une envie irrésistible d'attraper le bonhomme par le col et de lui secouer les puces.

— Elle est venue combien de fois ?

— Quatre, cinq fois. Dix fois. Je ne sais plus. Tous les ans ou deux ans. Mais ça s'est arrêté il y a longtemps. Ça fait déjà plus de vingt ans que le Mur est tombé.

— Elle apportait toujours autant d'argent ?

Volfram hésita, puis hocha la tête.

— Elle portait une perruque, ça se voyait au premier coup d'œil. Et des lunettes de soleil. C'était un peu comme dans les vieux James Bond. Elle avait toujours une enveloppe avec l'argent en liquide. Parfois elle prenait un café. Un jour, je lui ai demandé d'où venait l'argent. Elle m'a ri au nez et m'a rétorqué que c'était l'argent de la quête.

— Et la dîme pour l'église.

Gillis se leva et alla chercher des assiettes dans le buffet. D'une main tremblante, elle posa une assiette devant Quirin. Elle sortit d'un tiroir des couverts et des serviettes.

— Tu transmettais l'argent à Irene Borg. Sait-elle que sa fille est morte ?

— Oui.

— Où puis-je la trouver ?

Le couple échangea un bref regard.

— Elle a déménagé, se hâta de dire Volfram.

— Où ça ?

— Kristianstadt, je crois.

Quirin tapa du poing sur la table. Les assiettes cliquetèrent, une *köttbullar* roula sur la toile cirée au motif démodé de roses. Volfram sursauta.

— Où est Irene Borg ? Ou plutôt la femme qui a vécu presque trente ans en Suède sous ce nom et avec nos passeports ? 10 000 marks ! Trois, cinq, dix fois ! On ne vous les a pas donnés pour rien ! Avez-vous falsifié les registres de recensement ? Les registres paroissiaux ?

Gillis se rassit. D'une main, elle lissait sa jupe, encore et encore.

— Nous n'avons pas gardé un seul centime pour nous. Rien. Nous avons tout donné. Tout.

Les larmes lui montèrent aux yeux. Quirin étouffa l'élan de compassion que lui inspirait la vue de ces deux pauvres vieux. Bientôt il les aurait. Encore un demi-tour de vis et ils lâcheraient le morceau. Il y avait longtemps qu'il ne s'était pas senti aussi mal. Un salopard fini, une ordure sans âme ni conscience.

— Vous mettez Madita en danger, si vous ne parlez pas maintenant.

— Non ! (Gillis criait presque.) Les ordres étaient stricts. Je ne devais donner l'adresse qu'à une seule personne.

— Quelle adresse ? Vous voulez dire que vous l'avez donnée à la femme qui vous a téléphoné ?

Gillis baissa les yeux. Kaiserley sentit croître en lui l'inquiétude. Quelque chose ici ne tournait pas rond. Quelque chose échappait à son contrôle. Soudain la peur l'envahit à l'idée qu'il arriverait peut-être trop tard.

— Ils ont l'adresse de Borg ? Et ils attendent là-bas ? Ils attendent qui ?

Il toisa Volfram, qui saisit la main de sa femme. Kaiserley ne savait pas très bien qui réconfortait qui.

— Judith Kepler ?

Gillis hocha la tête.

— Oui, lâcha-t-elle d'une voix étouffée. Mais personne ne doit savoir que je vous l'ai dit. Sinon ils viendront chercher notre petite. C'est pour ça qu'elle a recruté ces Russes. Ils font le sale boulot pour quelques centaines d'euros à peine.

Des larmes coulaient sur ses joues. Volfram leva sa main et la posa sur l'épaule de sa femme. Il tremblait.

— Où cet homme a-t-il guetté votre petite-fille ?

— À moins de deux cents mètres d'ici. Au coin de la Vikingagatan.

— Quand ?

— Peu avant 17 heures.

L'aiguille de la pendule indiquait 18 h 30. Ils étaient ici. Et ils avaient un train d'avance. Ils avaient observé la maison et savaient sans doute qu'il parlait aux deux vieux à cet instant même. Ils avaient tendu un piège à Judith et attendaient tranquillement qu'elle tombe dedans. L'alarme avait cessé de hurler. Le silence l'alerta soudain comme une sirène. Ils avaient dû repérer la voiture. Et Judith. Une seule chose le retenait encore de se précipiter dehors : la pensée du dispositif de blocage des portes, et le fait que la voiture n'allait pas se mettre toute seule à rouler à plus de quarante à l'heure.

— Dites-moi sur-le-champ où je peux trouver Irene Borg. Si entre-temps on a touché ne serait-ce qu'à un de ses cheveux, je ferai en sorte qu'on vous en tienne responsables. Peut-être pas moralement. Mais financièrement, c'est certain. Vous avez monnayé votre silence. La République fédérale voudra récupérer ses fonds. Avec intérêts et intérêts des intérêts.

— Ça nous est égal, dit Volfram. Pourvu qu'il n'arrive rien à notre petite-fille.

— Conduisez Madita en lieu sûr. Ils vous laisseront tranquilles, vous avez accompli votre mission et n'êtes donc plus dans leur ligne de mire. Si jamais la femme reprend contact avec vous, informez-en immédiatement Sofie à Linneaholm. Compris ?

Gillis hocha la tête et répondit :

— Elle habite à Rönneholm, Ryttmästareg, numéro 4. À dix minutes d'ici.

Quirin se leva et partit. Il avait depuis longtemps fermé la porte derrière lui que les sanglots de Gillis le poursuivaient encore.

19

Judith revenait du froid et du néant. Elle ouvrit les yeux et comprit qu'elle était allongée par terre en chien de fusil. Ses yeux de nouveau-née fixaient des petits vers de couleur claire qui dansaient sous son nez. Il y en avait tant qu'on eût dit l'herbe jaunie d'un pré balayée en été par le vent. La masse des vers se tortillait, ondoyait, en une nuée de tentacules semblables aux anémones de mer dans les profondeurs de l'océan.

Elle cligna des yeux et étendit le bras. Les petits vers étaient moelleux, laineux. Elle était allongée sur un tapis à longs poils dont les mèches ondulaient comme des créatures vivantes. Mais les yeux qui la fixaient, eux, étaient bien morts, et un couteau bien planté dans le cou de la femme.

Judith tenta de remuer, mais elle n'avait toujours pas repris possession de son corps. L'héroïne coulait encore dans ses veines ; le trip s'estompait doucement, tandis qu'un serpent sifflait dans ses entrailles, réclamant : « encore ».

Défoncée, pensa-t-elle. Des hallucinations. Elle essaya de se rappeler son rêve. Après une si longue abstinence, la drogue semblait faire sur elle l'effet d'un « ouvre-porte ». Elle réussit à se remémorer encore quelques images, sans parvenir à franchir le seuil.

Sa langue était une grosse boule enflée. *De l'eau. Il faut que je boive.*

Elle savait que le serpent était près de se réveiller. Ce n'était qu'une question de temps, et alors la vraie descente aux enfers commencerait. À côté de ça, Lénine, Gagarine et la morte au couteau planté dans le cou, c'était de la rigolade.

Elle essaya de se tourner sur le dos et fut surprise d'y arriver. Elle leva les mains et se toucha le visage. Les pansements étaient trempés de sang, ses bras barbouillés jusqu'aux coudes. Dans un râle, elle se redressa et s'assit. Les murs dansaient un tango endiablé. Un pas en avant, un pas en arrière. Chassé-croisé. Elle regarda à gauche. La femme était toujours là, noyée dans une mare rouge. Le fauteuil était renversé, les tiroirs de l'armoire arrachés et leur contenu éparpillé.

Judith se mit péniblement debout et, les jambes en compote, rejoignit le couloir. Elle s'agrippa au cadre de la porte pour ne pas perdre l'équilibre. La salle de bains. À gauche. À droite. Là. La douche.

Elle prit appui sur le mur carrelé et y laissa une marque rouge. Quand elle ouvrit le robinet, un torrent d'eau glacée se déversa sur sa tête. Elle s'installa tout habillée sous la douche et observa étonnée l'eau rose pâle qui gargouillait en cherchant son chemin vers la bonde. Le serpent dans son ventre se mit à remuer. Judith commença à trembler, et fut à peine capable de refermer le robinet. Une pensée traversa sa tête cotonneuse : le manque. Bientôt. Elle avait besoin de cachets.

Elle sortit de la douche et se traîna dégoulinante jusqu'au lavabo. Elle eut du mal à reconnaître son visage dans la glace. Ses yeux et son nez étaient enflés, la pommette gauche anormalement rouge. Elle ouvrit la porte miroir du placard d'un coup sec. Dentifrice, crèmes, lotions diverses, shampooing. D'un geste nerveux, elle balaya l'étagère. Tout dégringola dans le lavabo. Elle fouilla frénétiquement dans son butin, sans rien trouver. Des somnifères. Tout le monde avait des somnifères.

Högt blodtryck. Antipsykodika. Akut stressreaktion. Bingo.

Elle fourra une demi-douzaine des comprimés bleus dans sa bouche et but directement au robinet. Elle se fichait de l'effet qu'ils produiraient, pourvu qu'elle arrête de voir des cadavres. Elle espérait que ces cinq années sans toucher à rien suffiraient pour lui donner la force de résister. Que son corps tiendrait bon, et sa tête. Qu'elle s'en sortirait comme d'un simple accident. Qu'elle trouverait assez de cachets. Elle s'apprêtait à en reprendre une poignée quand elle entendit un bruit.

Un son étouffé. Elle leva la tête. Quelqu'un entrait dans l'appartement. Prise de panique, elle regarda autour d'elle. La fenêtre au-dessus des toilettes était beaucoup trop petite. Sans bruit, elle s'éloigna du lavabo et se cacha derrière la porte à moitié ouverte. Les pas s'approchèrent, prudents, feutrés. Judith tenta de se concentrer sur le carrelage dont les joints se tortillaient sous ses yeux en une sorte de toile d'araignée informe. Ses tremblements ne cessaient pas. Elle serra les dents, mais rien n'y fit, ses dents claquaient toujours. Elle s'effondra en glissant le long du mur.

Akut stressreaktion.

Ses genoux heurtèrent la porte qui se referma au ralenti, trahissant sa présence. Les pas au-dehors s'arrêtèrent. Elle bascula sur le côté. Quelqu'un cherchait à ouvrir la porte, mais son corps barrait le passage. Elle était incapable de bouger. Elle se sentit poussée sur le côté, aperçut une chaussure, une bottine cuir cognac, visiblement chère.

— Judith ?

Elle connaissait la voix, sans que le nom veuille lui revenir. Quelqu'un la secoua, tenta de la relever, mais elle était trempée et la salle de bains trop étroite.

— Judith !

Il la gifla. De très loin, son cerveau l'informa qu'elle avait senti quelque chose.

— Réveillez-vous !

Elle cligna des yeux. Le visage de Kaiserley, curieusement déformé, s'approcha tout près d'elle. Il avait de ces naseaux, on aurait dit un cheval. Le jour où elle lui dirait ça... Elle sourit.

— Nous devons décamper. Tout de suite.

Elle essaya de lever la main pour le chasser comme une mouche.

— Irene Borg est morte. Partons ! ordonna-t-il.

Quel emmerdeur. À cet instant, elle avait d'autres soucis.

Il la saisit sous les aisselles et la remit sur ses pieds. Les tennis de Judith patinaient sur le sol, elle gigotait désespérément, mais finit par réussir à se tenir debout, tremblante, vacillante, pliée en deux comme un couteau suisse. Il la redressa en l'appuyant contre le mur.

— Ça va aller, ça va aller, dit-il.

Il l'examina et comprit ce qui était arrivé. Soudain il l'attira contre lui.

— Ça va aller. Je n'aurais jamais dû vous laisser seule.

— Vous...

Elle suffoqua et sa gorge se noua. Elle avait une terrible envie de vomir, mais dans la confusion de son esprit elle parvint à se dire qu'il ne méritait tout de même pas ça.

— Connard, tu m'as enfermée.

— Je suis désolé, Judith… Mon Dieu.

Elle se dégagea, à bout de forces. Les cachets apaisaient le serpent en elle, tout en dérobant le sol sous ses pieds. Elle passa le dos de sa main sur sa bouche, se décolla du mur et tituba jusque dans le couloir. Le cadavre gisait toujours sur le tapis.

Quelque chose en Judith se brisa. Son cœur battait à tout rompre et elle se demanda pourquoi, maintenant si proche de ce qu'elle avait désiré le plus au monde, tout cela virait au cauchemar. Elle s'agenouilla en chancelant auprès de la femme, tendit la main et la toucha du bout des doigts. La peau était encore chaude.

— Non, dit Kaiserley.

Il la reprit dans ses bras et l'éloigna de la morte.

— Ce n'est pas elle. Ce n'est pas elle, Judith. J'ai vu une photo de ta mère à l'époque. Judith !

Pourtant ç'aurait pu être elle. Judith le repoussa et se pencha sur la morte. Irene Borg avait des cheveux noirs parsemés de quelques mèches grises. Son rouge à lèvres était barbouillé, sa bouche ouverte comme pour pousser un cri de surprise. Elle avait peut-être été belle autrefois, d'une beauté séduisante et agressive, qui pouvait facilement tourner au vulgaire. De nouveau Judith tendit la main, mais Kaiserley l'attrapa et la serra contre lui.

Les larmes qu'elle attendait ne venaient pas.

— Nous devons partir, dit-il. Vous avez touché quoi ici ?

— Je… aucune idée.

Elle était incapable de détacher ses yeux de la morte. Kaiserley dégagea quelques mèches mouillées de son front et la soutint. Elle s'en fichait. Ça ne voulait rien dire.

— Qu'avez-vous pris ?

— J'en sais rien.

Il tourna vers lui le visage de Judith et l'obligea à le regarder dans les yeux.

— C'est vous qui avez fait ça ?

Elle repoussa sa main.

— J'étais dans la voiture. Quelqu'un a brisé la vitre. Et puis…

Elle s'interrompit et regarda ses bras. Elle remonta ses manches, examina la peau. Rien. Kaiserley lui posa son index sur le cou.

— Le point d'injection est là. Héroïne ?

Elle acquiesça. Le serpent dans son ventre leva faiblement la tête, puis se recoucha.

— Overdose, enfin presque. Autrefois j'étais accro à mort, d'où le fait que mon corps résiste assez bien. N'importe qui d'autre aurait claqué tout de suite. On tombe raide, la gueule dans la merde. Et on meurt comme ça, ou alors, avec un peu de chance, on se relève.

— Nous devons effacer toute trace de votre passage et foutre le camp.

Il essaya de relever Judith. Au bout de la troisième tentative, il abandonna et la laissa assise.

— L'eau de Javel, dit Judith. Tout le monde a de l'eau de Javel chez soi. Ça détruit les composés aminés. Et du savon noir pour les empreintes digitales. Mes mains, dans la douche… vous arriverez à les effacer, mais pas ça…

Elle pointa du doigt le cadavre gisant dans la mare de sang. Pour cela, il aurait fallu la camionnette de Dombrowski. Kaiserley alla dans la cuisine et revint avec une éponge gorgée d'eau.

— Encore une fois : qu'avez-vous touché ? Eh, je vous parle !

Elle haussa les épaules. Il essuya le cadre de la porte. Peu après, elle entendit l'eau couler dans la salle de bains. Puis il revint et se pencha sur Irene Borg.

— Mieux vaut embarquer ça.

Il retira le couteau du cou de la morte et le fourra dans un sac plastique. Judith se détourna.

— Ils trouveront quelque chose, dit-elle. Des cheveux, des empreintes. Il restera forcément une trace. Et je suis connue des services de police…

Kaiserley hocha la tête.

— … Ils croiront que c'est moi qui ai fait ça.

Elle leva les yeux vers l'ancien agent, mais il ne répondit rien. À peine étaient-ils sortis dans la cage d'escalier qu'elle entendait déjà les sirènes de la police.

Les mouettes criaient. Allongée sur la banquette arrière, Judith observait le ciel bleu et les façades qui défilaient à toute allure. Kaiserley et Sofie étaient à l'avant. Le vent s'engouffrait par la fenêtre sans vitre. Des grues apparurent. L'air changea, devint plus humide, chargé d'une odeur lourde d'eau stagnante. Ils s'approchaient du port. Kaiserley freina si brutalement que Judith faillit tomber de la banquette. Sans plus dire un mot, il l'avait traînée dans la voiture et était allé chercher Sofie à l'hôtel – Sofie à qui il tendait à présent la clé de la voiture.

— Tâche d'effacer les traces dans la voiture et abandonne-la quelque part. Je ferai une déclaration de vol.

Sofie hocha la tête et prit la clé. Kaiserley ouvrit la portière arrière. Il tenait à la main le sac en plastique contenant le couteau. Judith se redressa. Elle se sentait comme un rouleau de moquette. Sale, piétinée, bazardée. Impassible, il attendit qu'elle descende.

Ils étaient face à l'embarcadère. Ce devait être déjà le soir, mais le soleil était encore haut, comme scotché dans le ciel. Un homme, accoudé nonchalamment à la rambarde en fer, contemplait un chalutier. Il portait un costume gris qui jurait dans le décor. En entendant claquer les portières, l'homme se retourna. Kaiserley plissa les yeux. Judith n'aurait su dire s'il était ravi de voir cet homme ou s'il aurait voulu l'envoyer au diable.

— Kaiserley ! s'exclama l'homme. Dommage qu'on se retrouve dans de telles circonstances.

— *Long time no see.*

— Mais quand il faut, ce bon vieux Winkler sert encore à quelque chose, pas vrai ?

Winkler n'était pas vieux. Cinquante-cinq ans tout au plus. Mais il avait l'air d'avoir passé sa vie entière cloîtré dans son bureau, et de n'en être sorti que par inadvertance. C'était un homme de taille moyenne, mince, avec un front dégarni et un visage quelconque qu'on oubliait sitôt qu'on l'avait vu. Il s'était adressé à Kaiserley en l'appelant par son vrai nom. Sofie avait l'air de trouver parfaitement normal que son chéri s'appelât tantôt Weingärtner tantôt Kaiserley. À moins qu'elle n'eût rien entendu, car elle venait seulement de sortir de la voiture.

— Qui est-ce ? demanda Judith.

Kaiserley ignora la question. Il s'approcha lentement de la rambarde, ouvrit le sac en plastique et fit tomber le couteau dans l'eau. Winkler le regarda faire sans sourciller. Sofie ne quittait pas les deux hommes des yeux. Lorsqu'ils commencèrent à parler à voix basse, elle entraîna Judith vers le coffre de la voiture.

— Des anciens collègues, dit-elle. Ils ont sûrement un tas de choses à se raconter. Tenez, j'ai quelque chose pour vous.

Judith se retourna. Sofie tenait à la main une robe qu'elle considérait d'un air vaguement nostalgique.

— Vous ne pouvez pas rester comme ça. Changez-vous quand vous aurez embarqué et jetez vos anciens vêtements par-dessus bord.

Elle lui donna la robe. Elle était en coton bleu marine et chintz avec patte boutonnée sur toute la longueur. Élégante et sportive à la fois. Elle avait dû coûter une fortune.

— Merci.

— Qu'est-ce qui s'est passé ? Vous avez une tête à faire peur. Quelqu'un vous a tabassée ?

Judith haussa les épaules. Mal à l'aise, elle tritura la robe sans savoir qu'en faire. Le serpent dans son ventre commençait à avoir faim.

— Ne vous en faites pas. J'ai compris, c'est secret. Prenez bien soin de lui.

Judith se tourna de nouveau vers les deux hommes. Ils ne donnaient pas l'impression d'être des amis proches. Les mains dans les poches, Kaiserley regardait le bateau derrière Winkler, tandis que celui-ci lui racontait quelque chose qui n'avait pas l'air franchement plaisant. Le couteau avait disparu pour de bon.

— Que voulez-vous dire ?

Kaiserley était le genre d'homme à prétendre pouvoir s'en sortir seul même sous les roues d'un camion.

— Il en est toujours au même point que le jour où il a tout plaqué. Dans sa tête, je veux dire. Mais la roue recommence à tourner. Un jour, il aura loupé l'occasion de décrocher.

— Je crois au contraire qu'il sait parfaitement ce qu'il fait.

— Vous le connaissez bien ?

— Pas du tout.

Sofie regarda dans la même direction que Judith, et ses yeux s'attendrirent.

— Un conseil : ne faites rien pour que ça change.

Winkler posa ses avant-bras sur la rambarde. Il cherchait à se donner une allure décontractée, ou du moins l'air de celui qui sait tirer les ficelles.

— Un premier périmètre de recherche est bouclé. À minuit, ils l'élargissent. Contrôles d'identité sur les ferries, renforts de vigiles dans les aéroports. Discret, mais efficace. Je ne sais pas comment tu te débrouilles chaque fois, mais vous avez quitté les lieux deux minutes seulement avant l'arrivée de la police.

— C'est Sofie qui t'a alerté ? Je lui avais formellement interdit de…

— Elle n'est pas la seule à se faire du souci pour toi. Pour une fois, tais-toi et écoute ce que j'ai à te dire.

Winkler pointa le chalutier du doigt.

— C'est notre passeur entre Kaliningrad et Copenhague. Ce soir, il fera une sortie supplémentaire rien que pour tes beaux yeux. Dans six heures, vous serez à Sassnitz. Faites pas de conneries et rentrez demain matin à Berlin chacun de votre côté. Kepler doit se rendre à la police. D'elle-même. Je ne sais pas quelle merde vous remuez, mais elle est trop impliquée pour rester. Alors veille à ce qu'elle rentre saine et sauve et faites comme si elle n'était jamais venue ici. Compris ?

— Autrement dit, nous devons payer vos conneries de notre tête ?

— Estimez-vous heureux de l'avoir encore, votre tête.

— Qui a mis la pression sur les Vonnegut ? Qui a tué Irene Borg ?

— Je ne sais pas. Mais nous y travaillons. Le bruit court que quelqu'un aurait recruté des types de la mafia russe pour un *special job*. Notre indic ne peut pas nous en dire plus pour l'instant.

— Les Borg n'étaient pas des agents, mais des gens simples qui avaient fui la RDA avec des passeports volés… et apparemment des informations qui leur permettaient de vous faire chanter.

— Personne ne nous fait chanter.

— Dans ce cas, pourquoi ont-elles été assassinées ? Dans le cas de la mère, j'entrevois les raisons. Mais sa fille n'avait rien à voir là-dedans !

— Ah non ? Alors pourquoi vient-elle en Allemagne pour vendre au plus offrant les originaux du fichier Rosenholz ?

— C'est un mensonge.

— Va voir Kresnick à Schwerin. Ou Kellermann. C'est juste bête qu'aucun des deux ne veuille te parler. Tu n'aurais pas dû tout plaquer, Kaiserley. Les choses seraient bien plus simples. Christina Borg n'était pas ce que tu crois, une vengeresse au cœur noble. C'était une sale roublarde, tout comme sa mère.

— Être roublarde suffit de nos jours à vous condamner à mort ?

Winkler rit sous cape. À le voir, on ne s'attendait pas à cette voix caverneuse qui vous prenait de court. Tout comme son esprit clair, son sens de l'analyse et son efficacité redoutable. En cela, il était l'exact contraire de son supérieur direct, Kellermann. Tout le monde dans le service pensait qu'il allait damer le pion à Kellermann lors des prochaines nominations. Certains voyaient déjà en lui le futur chef des services de renseignements.

Winkler fit un geste de la tête en direction de Judith, qui s'avançait vers eux en clopinant.

— Tu crois que celle-là serait encore en vie dans ce cas ? demanda-t-il. Une toxico ? Je vois ça du premier coup d'œil.

— C'est que tu as la vue courte.

Winkler adressa un sourire à Judith, puis baissa la voix afin qu'elle n'entende pas la suite.

— Intéressant. Je ne te connaissais pas comme ça. Tu m'expliqueras ça en temps voulu.

Puis il dit à voix haute :

— Peter Winkler. Surveillance des télécoms, secteur sud. Enchanté de faire votre connaissance.

— Kepler. Pour le reste, consultez mon dossier au BND. Sur ce, bien le bonjour, messieurs.

Elle ignora sa main tendue, s'engagea sur la passerelle et monta à bord. Quirin et Winkler la suivirent du regard.

— Charmante, commenta Winkler. Il ne me reste plus qu'à te souhaiter un agréable voyage.

Debout près du hublot de la cambuse, Judith regardait au-dehors les chaussures de Winkler. Hongroises, de Budapest. Cousues main. Un fonctionnaire gagnait-il tant que ça ? Le mur du quai arrivait pile à hauteur d'yeux. En se hissant sur la pointe des pieds, elle pouvait voir la voiture. Winkler et Kaiserley se dirent au revoir. Les chaussures de Budapest se dirigèrent à gauche, les bottines vers la voiture.

Elle alla à l'évier, prit un verre sur l'égouttoir et le remplit d'eau. Un matelot fit une brève apparition et la salua d'un signe de tête, sans dire un mot. C'était probablement mieux ainsi. Elle but et se demanda si elle pourrait trouver des somnifères à bord. Ou ces fichus médocs contre le mal de mer. Dix fois la dose lui ferait peut-être passer la prochaine heure sans encombre. Elle retourna au hublot.

Kaiserley rejoignait Sofie et la prenait dans ses bras. *Vas-y, embrasse-la*, pensa Judith. *C'est ce qu'elle attend depuis le début.* Quand il le fit, elle les regarda jusqu'au dégoût.

La pharmacie de bord se trouvait dans les douches. Judith fouilla le petit placard. Des antidouleurs de base, des crèmes et des lotions. Un flacon de gélules. *Aplicabile la insomnie.* C'était quoi ? De l'italien ? Du roumain ? Elle essaya de se rappeler ce que Kaiserley lui avait dit à propos de la Roumanie, mais elle n'arrivait plus à se concentrer. Le serpent se baladait dans ses veines comme un poison brûlant. Elle prit quatre cachets d'un coup et fourra le reste dans sa poche. Puis elle se traîna à travers l'étroit couloir, trouva une minuscule cabine sombre et malodorante avec deux lits superposés, se laissa tomber sur celui du bas et ferma les yeux. Elle essaya de se remémorer ce sentiment pour lequel elle n'avait pas de nom, il avait disparu. Envolé. *Évite à l'avenir de regarder les gens s'embrasser.*

20

Kaiserley réveilla Judith peu après minuit. Il l'attendit sur le pont, le temps qu'elle recouvre ses esprits. Elle se doucha puis enfila la robe de Sofie qui dégageait un léger parfum de rose et d'assouplissant. Elle la boutonna jusqu'au cou, laissa ses vieilles affaires pour le matelot, qui s'en servirait sûrement comme chiffon, et monta la petite échelle en fer menant au pont.

Debout dans la cabine de navigation, à côté du capitaine, Kaiserley regardait droit devant lui à travers des jumelles de vision nocturne. Il les posa aussitôt que Judith entra.

— Bonsoir, lança-t-elle.

Le capitaine fit un bref signe de tête : « *Bună seara.* »

Il était tout petit et trônait sur son siège tel l'empereur des Lilliputiens. Le radar balayait la nuit de sa lumière fluorescente, plongeant le peu que Judith pouvait voir dans une lumière verdâtre.

— Café ?

Le capitaine pointa l'index devant lui.

— Beau temps, voyage facile.

Au loin scintillaient quelques lumières. Kaiserley reprit les jumelles et observa la côte. Le petit capitaine tendit à Judith un gobelet dans lequel lui-même venait visiblement de boire. Incapable de distinguer ce qu'il contenait,

Judith avala le tout sans rechigner. Du Nescafé tiède. Tout à fait passable.

— Où accostons-nous ? demanda-t-elle.

— Où vous voulez.

— Sassnitz, si possible.

Il fallait qu'elle retrouve sa camionnette au plus vite. Elle croisait les doigts pour que le véhicule soit encore devant le cimetière, car dans le cas contraire elle devrait demander de l'argent à Kaiserley. Le petit bonhomme hocha la tête. Il bougea une manette et les moteurs se mirent à rugir. Le bateau accéléra l'allure.

— Comment vous sentez-vous ? demanda Kaiserley.

— On ne peut mieux. Je peux ?

Elle désigna le paquet de cigarettes du capitaine, qui acquiesça. Elle tituba dehors pour s'en griller une. Les lumières se rapprochaient. Peut-être une demi-heure encore, et elle serait enfin débarrassée de Kaiserley.

Elle était arrivée au bout du chemin. Elle ne saurait jamais ce qui s'était vraiment passé. Tous les témoins étaient morts. Et les microfilms, à supposer qu'ils aient jamais existé, engloutis à tout jamais dans la fange de l'histoire. Tout ça pour rien.

Sauf peut-être ce sentiment nouveau, inconnu, cette espèce de désir, cette vague nostalgie. Était-ce possible ? La nostalgie qui la portait vers des êtres depuis longtemps disparus ? Elle leva la tête et fut surprise de voir les étoiles si proches. La mer était la quintessence du *dark spot*. Elle trouva Cassiopée, mais l'étoile Polaire était cachée derrière un nuage. Elle essaya de se rappeler l'histoire du personnage qui avait donné son nom à cette constellation. Parce qu'elle avait provoqué le courroux des dieux, la reine Cassiopée avait été contrainte de sacrifier sa propre fille.

Elle tira sur sa cigarette et observa Kaiserley derrière la vitre barbouillée d'eau saline. Il semblait être le calme personnifié. Selon la légende, Andromède avait été attachée à un rocher, condamnée à être dévorée par un monstre marin. Elle était perdue. Un héros du nom de Persée était alors venu la sauver. Comme s'il sentait l'attention de Judith sur lui, Kaiserley tourna la tête. Leurs regards se croisèrent. Elle s'empressa de détourner les yeux.

Kaiserley en Persée. Ridicule. C'était sans doute à cause de cette promiscuité forcée des derniers jours. Elle n'avait pas l'habitude. C'était trop pour elle. Plusieurs fois elle avait tenté de nouer une relation normale, se disant qu'après tout cela faisait partie d'une vie normale. Mais vouloir vivre une relation pour avoir une vie normale, ce n'était pas une raison suffisante. La présence d'autrui la mettait mal à l'aise.

Une puissante vague souleva la coque du bateau. La proue fendit la masse d'eau qui gicla par-dessus le bordé en une pluie d'écume. Elle frissonnait toujours, mais ne claquait plus des dents. Ses fonctions corporelles repassaient doucement du rouge à l'orange.

Il ne pouvait tout de même pas croire qu'elle avait tué la fausse Irene Sonnenberg. Elle s'efforça de se remémorer l'appartement dans le moindre détail. Elle se souvint du chaos, des tiroirs arrachés et des vêtements éparpillés. Scénographie idéale pour une pièce à sensation intitulée « La drogue et le crime ». Qui était au courant qu'elle avait été toxico ? Qui avait accès à son passé ?

Le vent poussa dans leur direction un nuage huileux empestant le diesel. Cette odeur lui rappelait Sassnitz, la ville qui, à l'image d'elle-même, avait perdu son passé. Le bateau ralentit, le moteur n'émit plus qu'un doux ronronnement. Ils s'approchaient de la baie de Prorer Wiek. Elle avança vers la proue en se tenant au bastingage. Le clair de lune perça les nuages laminés par le vent, et elle put distinguer les falaises crayeuses. Derrière les sombres forêts surgirent les premiers feux des lampadaires, scintillants comme un délicat collier de perles.

Le bateau fit cap sur le vieux port. Judith se demanda s'il existait encore des infrastructures permettant le mouillage d'un bateau de cette taille. Le petit capitaine, lui, semblait s'en moquer comme d'une guigne. Il s'approcha le plus près possible de l'ancienne jetée. Le mur du quai n'était plus qu'à un mètre. Le matelot, près du garde-corps, criait des ordres vers le haut. Les machines tournaient à plein régime. Soudain quelqu'un surgit à côté d'elle.

— Sautez !

Kaiserley escalada le bastingage, sauta et atterrit d'un pied léger sur la côte. Il se tourna vers Judith en lui tendant les bras.

— Allez-y !

Elle resta agrippée au bastingage.

— C'est facile ! Judith !

Le matelot lui adressa un geste de la main dont le sens, compréhensible dans le monde entier, signifiait à peu près : « Tire-toi de là. »

Les moteurs rugirent, le bateau se cabra. Judith s'élança par-dessus le bastingage. Le bordé se pencha doucement vers la côte.

— Maintenant ! hurla Kaiserley.

Elle sauta. Il la rattrapa avant de la relâcher aussitôt, si bien qu'elle perdit pied et manqua de peu de tomber à l'eau. Le bateau regagna le large. Le sol tanguait sous ses pieds, mais elle tint bon.

De l'autre côté du môle, des brise-lames domptaient la force des vagues. Les paquets de mer fouettaient les rochers dans un bruit tonitruant. Il faisait plus froid ici qu'en Suède, plus moche. Ils se mirent à courir vers la plage où se dressait un grand bâtiment dont la façade, avec ses quelques fenêtres éclairées, ressemblait à une pièce noire de domino géant. L'Hôtel Rügen. Ils arrivèrent presque en même temps à l'entrée. Judith s'arrêta, à bout de souffle. Les derniers clients s'attardaient dans le restaurant. Sur les tables, des bougies allumées créaient une ambiance romantique. Un homme tenait la main d'une femme et lui disait quelque chose. La femme sourit et leva son verre. Judith entendit des pas derrière elle. Elle ne savait pas comment lui dire au revoir.

— Le bar est encore ouvert, dit Kaiserley.

Gabi Jensen était occupée à essuyer un verre tulipe qu'elle tenait face à la lumière. Le juke-box passait *Du hast mein Herz entführt*[1]. Elle rangea le verre au-dessus du comptoir et jeta un œil à la pendule en forme de gouvernail, l'une des innombrables babioles de navigateurs censées procurer à l'endroit une ambiance marine. Presque minuit et demi. Si aucun autre client ne se pointait à la dernière minute, elle pourrait fermer à l'heure.

Svenja, la serveuse, entra et épingla un ticket sur le clou à côté de la caisse.

— Une bière, annonça-t-elle, et repartit aussitôt.

Gabi reprit le verre qu'elle venait de ranger et le posa sous la tireuse. Tandis que la mousse montait à la surface du verre, elle remarqua un couple qui s'apprêtait

1. Littéralement : « Tu as kidnappé mon cœur », chanson populaire (et ringarde) de la chanteuse d'origine néerlandaise Chantal (*N.d.T.*).

à passer la porte tambour pour entrer dans le hall de l'hôtel. Un bel homme vêtu d'un costume en lin dont les jambes étaient trempées, accompagné d'une femme d'une petite trentaine d'années qui paraissait un peu perdue. Ils avaient l'air d'avoir échappé de justesse à un naufrage ou à une autre catastrophe du même genre. Sans s'attarder à la réception, ils se dirigèrent directement vers la porte vitrée. L'homme laissa passer la femme, qui entra puis attendit à son tour qu'il repasse devant. Gabi avait l'impression d'avoir déjà vu cet homme.

— Bonsoir.

La bière déborda. Elle lâcha brusquement le robinet.

— Monsieur Weingärtner ?

La femme affichait une moue renfrognée, mais Gabi avait depuis longtemps perdu l'habitude de se soucier du comportement de la clientèle féminine. Après tout, c'étaient toujours ces messieurs qui réglaient la note et donnaient le pourboire. Elle accueillit le client tardif avec un large sourire.

— Ça alors, vous repassez nous voir ! J'ai failli ne pas vous reconnaître.

Weingärtner enleva sa veste et la suspendit au dossier de sa chaise.

— Vous me reconnaissez ! Comment allez-vous ? C'est Gabi, n'est-ce pas ?

Elle sourit, ravie qu'il ne l'ait pas oubliée. La femme qui l'accompagnait se hissa sur la banquette à côté du comptoir et se glissa dans un coin, comme pour ne pas être vue.

— Vous servez encore, j'espère.

— À vous, toujours, monsieur Weingärtner. À vous, toujours. Nous n'avons plus le Erlauer Stierblut sur la carte des vins, mais je peux vous proposer un très bon bordeaux.

Il approuva d'un signe de tête. Elle ouvrit le placard où était rangé le vin servi au verre et en sortit une bouteille. Puis elle se tourna vers la femme.

— Pour vous aussi ?

Quelque chose dans les yeux de cette inconnue clochait. Tout son visage avait l'air de sortir d'une bagarre. Gabi fut tentée de lui proposer un sac de glace. Elle connaissait bien ce genre de blessures. Mais d'habitude les femmes qui portaient des traces de coups ne ressemblaient pas tellement à celle-ci. Elles n'étaient pas aussi, comment dire… pas aussi fières.

— N'importe quoi de plus de 40 degrés.

Gabi hocha la tête.

— Notre liqueur d'argousier est…

— Pas de liqueur, un whisky.

Gabi jeta un regard incertain à Weingärtner, qui acquiesça. Bien. Si c'était ce qu'elle voulait, et s'il payait… Elle versa le vin, continua à tirer la bière et finit par poser devant la femme un verre de Jim Beam généreusement servi.

— De la glace ? proposa-t-elle.

La femme secoua la tête et but le whisky cul sec.

— Un autre, dit-elle.

Svenja vint chercher la pression.

— Dites-moi, ça fait combien d'années que vous travaillez ici ? demanda Weingärtner.

— Trente ans. Cet automne, c'est l'anniversaire.

Elle tint le tumbler sous le verseur doseur et le leva plusieurs fois jusqu'à obtenir la quantité souhaitée.

— Où sont les filles ce soir ? Elles ont déjà fini le service ?

Gabi était étonnée qu'il évoque les prostituées en présence de la femme.

— Karin et Anita sont montées dans leurs chambres. Les autres ont rendu leur tablier. La concurrence était devenue trop rude avec toutes ces Estoniennes et Polonaises qui débarquent ces temps-ci. Elles sont jeunes, très jeunes.

Gabi soupira. Elle examina ses formes généreuses dans le reflet de la porte vitrée.

— Et *cheap* avec ça… je veux dire, pas chères. Mais, vous n'êtes pas venu pour ça, je me trompe ?

— Non, merci. Vous vous souvenez de Marianne Kepler ?

La femme, qui jusque-là s'était contentée de fixer le fond de son Jim Beam, leva brusquement la tête.

— Non, ce nom ne me dit rien.

— Elle a travaillé ici au milieu des années 1980. Comme hôtesse.

— C'était avant que j'arrive.

On lui avait dit de fournir cette réponse en pareille circonstance. Le passé de la RDA et le rôle joué par l'Hôtel Rügen à l'époque du transit étaient des sujets qui ne faisaient pas bon ménage avec les chansons de marins et « *Tu as kidnappé mon cœur* ».

— Gabi. Trente ans. L'anniversaire. Faites vous-même le calcul.

— Au milieu des années 1980, vous dites ? (Elle se détourna et se mit à trier les bouteilles.) Oui, exact. C'était la belle époque. L'été, on faisait du camping sauvage sur la plage, et il y avait des concerts de rock. J'y allais moi aussi. Dirk Zöllner, Feeling B et Herbst in Peking. (Elle gloussa.) Autrefois je n'avais pas froid aux yeux, j'écoutais même des groupes de « l'autre côté ». Et Zöllner. J'étais folle de Dirk Zöllner dans le temps.

Il ne restait plus grand-chose à trier. Elle examina l'arrangement des bouteilles, puis ferma le placard.

— Mais ce n'était pas réciproque, malheureusement.

— Vous vous souvenez forcément d'elle. Elle venait de Sassnitz et habitait dans la Bachstrasse.

— Une fille de la Bachstrasse ?

— Taille moyenne, boucles brunes.

Sa femme, copine, rencontre d'un soir ou covictime d'accident, avait sifflé le whisky comme de l'eau. Sans un mot, elle tendit le verre vide à Gabi.

— Je crois que, d'un point de vue médical, vous avez votre dose, lui fit remarquer Weingärtner.

— Mais pas du point de vue psychique, répliqua la femme d'une voix claire.

Le juke-box jouait à présent *Te quiero* d'Ellen Krenz. Gabi prit le verre, le déposa dans le lave-vaisselle et en descendit un autre de l'étagère.

— Je me souviens d'une fille de la Bachstrasse, oui. Mais elle était blonde. Enfin, la plupart du temps. Elle portait une perruque. Une fois, elle a glissé de travers, et j'ai vu qu'en fait c'était une brune. C'est d'elle que vous parlez ?

Elle servit un triple, espérant que l'autre ne tombe pas raide de la banquette après ça.

— Elle connaissait qui ici ?

— C'est si loin. Les filles venaient travailler ici parce qu'elles voulaient s'acheter un jean Levi's à l'Intershop. Ou du café Jacobs. Et peut-être que parfois l'une d'elles espérait rencontrer un homme qui l'épouserait et la sortirait du pays.

— C'est ce qu'espérait Marianne Kepler ?

Gabi hésitait à se servir un verre de liqueur d'argousier pour fêter la fin de la journée. Weingärtner l'encouragea d'un hochement de tête qui signifiait qu'elle était son invitée.

— Elle n'était pas comme ça. Elle ne le faisait pas pour l'argent. En tout cas, pas pour l'argent que les clients lui filaient. De temps en temps, il y avait un type qui passait. Je crois que c'était son officier traitant.

— Son nom ?

— Vous ne pensez quand même pas l'apprendre ici. Ils ne descendaient jamais sous leur vraie identité. Stanz qu'il s'appelait. Hubert Stanz. Je me souviens encore que ce nom lui allait comme un gant. Stanz, le « poinçonneur » ! Il avait la tête d'un petit employé des postes chargé de découper la dentelure des timbres. Santé.

Weingärtner trinqua avec elle. L'étrange créature qui l'accompagnait haussa les sourcils d'un air amusé, comme si tout ce qu'elle entendait ici n'était qu'une vaste blague. Peut-être qu'elle était folle. Ou simplement cuite, sous son air aussi sobre qu'un chameau.

Gabi but sa liqueur et sentit qu'elle se détendait après sa longue journée de travail. Svenja passa en coup de vent.

— Deux sambuca.

Gabi hocha la tête et sortit la bouteille de l'étagère.

— Un type de Schwerin ?

— Probable. Je crois qu'elle lui fournissait pas mal d'informations. Elle était populaire auprès des clients. Et elle faisait du chiffre. Tout le monde ici en profitait quand les messieurs étaient de bonne humeur. Aujourd'hui, naturellement, je vois ça d'un autre œil. Mais à l'époque, nous autres, on prenait notre poignée de couronnes ou de marks, sans songer un instant à poser de questions aux filles. Il était clair qu'elles bossaient toutes pour la Stasi.

— *Skål*, fit la femme. Je crois que je vais gerber.

— Pas ici ! dit Gabi d'un ton ferme. Vous ne voulez pas prendre un peu l'air ?

Pour toute réponse, la femme leva son verre vide. Weingärtner le lui prit des mains et le posa sur le comptoir.

— Ça suffit pour aujourd'hui, chuchota-t-il, d'un ton qui laissait clairement entendre qu'il ne parlait pas de l'alcool.

Il se retourna vers Gabi.

— Que lui est-il arrivé ?

Gabi jeta un grain de café dans chaque verre de sambuca, puis se resservit une liqueur d'argousier. Aux frais de la maison.

— J'ai entendu parler de médocs et d'alcool, continua-t-elle. Ça arrivait parfois. On ne parlait pas beaucoup de suicide en RDA. Elle a disparu, du jour au lendemain.

— Et Stanz ?

— Tiens, c'est curieux, maintenant que vous le dites…

Svenja revint. Elle posa les deux verres de sambuca sur un plateau et les fit flamber à l'aide d'un briquet.

— L'addition pour la n° 2, s'il te plaît.

— Tout de suite. Un autre… ?

Gabi regarda la femme assise à côté de Weingärtner. Elle tenait toujours son verre vide, mais s'était adossée contre le mur, les yeux fermés et la bouche entrouverte. Elle semblait endormie. Gabi se pencha en avant vers son dernier client, aussi loin que sa poitrine et la décence le permettaient.

— Stanz n'est jamais réapparu, chuchota-t-elle.

La femme glissa le long du mur et sa tête atterrit sur l'épaule de Weingärtner.

— L'addition, s'il vous plaît, fit-il. Merci.

Gabi alla à la caisse et demanda :

— Besoin d'une chambre ?

Weingärtner hocha prudemment la tête.

— Ça m'en a tout l'air.

Les deux partirent. Quand Svenja eut rangé son tablier et pris congé, Gabi ferma le bar.

Marianne Kepler. Ça faisait si longtemps.

Gabi s'approcha du téléphone. Le numéro n'était sans doute plus bon. Elle ne l'avait jamais noté, les chiffres auraient suffi pour la trahir. Mais elle l'avait gardé en tête, jusqu'à ce jour.

Elle souleva le combiné et composa le numéro. À sa grande surprise, quelqu'un décrocha.

21

Le soleil matinal se reflétait, éblouissant, sur les vagues. À l'horizon, un léger voile flottait sur la surface de l'eau. Judith cligna des yeux. Elle n'arrivait pas à voir si c'était déjà la Suède ou simplement la courbure de la terre.

Elle était assise au dix-huitième étage, à une table du restaurant panoramique, tenant tant bien que mal une tasse de café entre ses mains blessées. Kaiserley était encore à la réception en train de téléphoner. Il cherchait à savoir quelles charges étaient retenues contre elle à Berlin. Elle pensait que Dombrowski avait peut-être fait une déclaration de vol pour sa camionnette de merde. Pas la peine d'en faire tout un plat, ce n'était pas la première fois que quelqu'un l'empruntait pour un petit week-end prolongé.

Une assiette de toasts et d'œufs brouillés était posée devant elle. Elle approcha lentement la fourchette de sa bouche. Il fallait qu'elle mange. À midi, elle serait de retour à Berlin. Elle essaya de se remémorer le planning de la semaine. L'équipe du matin, l'hôpital. Elle pouvait prendre son temps, de toute façon il y avait de fortes chances pour qu'elle arrive après la fin du service. Les images des derniers jours surgirent de nouveau, mais elle les repoussa de toutes ses forces. La fourchette dans sa main se mit à trembler, l'œuf brouillé retomba dans l'assiette. *Allez*, se dit-elle, *recommence*.

Tout en bas s'étendait le vieux port. Les pontons des ferries, réhabilités, menaient désormais à un musée. Des promeneurs flânaient sur la grève. Judith allongea le cou, regarda vers la droite, mais les cimes des arbres cachaient l'ancienne conserverie et le terrain derrière. Il était peu avant 10 heures. Des jeunes femmes en tablier blanc commençaient à débarrasser le buffet.

Judith se leva, alla taxer une cigarette à un couple de jeunes amoureux et sortit sur le balcon. Le vent froid ébouriffa ses cheveux. Elle avait pris une longue douche, et pour une fois s'était peignée à fond. Elle se sentait en piteux état, mais au moins elle était de retour parmi les vivants. Sa tête et ses mains lui faisaient encore mal, mais l'alcool l'avait suffisamment anesthésiée pour qu'elle puisse dormir quelques heures. Encore dans la même chambre que Kaiserley. Quand elle s'était réveillée, son lit à lui était vide. Il avait commencé la journée par quarante minutes de crawl à la piscine de l'hôtel. Super. Il était repassé dans la chambre juste au moment où elle s'apprêtait à sortir. Détendu, revigoré, les cheveux mouillés, laissant dans son sillage une odeur d'eau chlorée. « Juste un coup de fil », avait-il dit. Pas de son portable, pas depuis la chambre, mais en bas dans la cabine publique.

Ça existait encore, les cabines publiques ? Il ne devait plus en rester qu'à Sassnitz, où le temps semblait s'être arrêté quelque part entre le rêve d'un nouveau départ et la résignation.

Quelqu'un ouvrit la porte coulissante et la rejoignit sur le balcon. Elle ne se retourna pas, ni Kaiserley ni personne d'autre n'en valait la peine. Elle ne savait pas ce qui la mettait de nouveau en colère contre lui. Sûrement pas son côté sportif de haut niveau, à côté duquel elle se sentait complètement nulle. C'était plutôt Malmö et Sofie, ces combines et ces relations qui perduraient toujours et laissaient les gens comme elle à l'écart.

— Bonjour.

L'homme se planta à ses côtés, il respirait bruyamment. Elle se redressa brièvement. Il la dépassait d'une bonne tête, était clair de peau et un peu empâté. Des taches de rousseur brillaient sur son front. Un cadre moyen, genre secrétaire de mairie. Elle ne répondit rien.

— M. Kaiserley en aura sans doute encore pour quelques minutes. Cela nous laisse le temps de bavarder sans être dérangés. Je suis le docteur Matthes.

Elle se retourna lentement et toisa l'homme de la tête aux pieds. Son côté passe-partout était délibéré. Un deuxième coup d'œil révélait son autorité et son assurance. Il en fallait pour lâcher de sang-froid des chiens sur une jeune femme. Judith ne savait pas ce qui la retenait de s'enfuir sur-le-champ. Sa présence à l'hôtel ne pouvait avoir qu'une seule raison.

— Comment va Martha Jonas ?

— À la suite de votre visite, elle a eu une légère attaque. Rien de grave. Mme Jonas est entre de bonnes mains.

— Vraiment ? Vous devriez peut-être mettre la pédale douce sur les médicaments. Moi, elle m'a semblé avoir toute sa tête.

Le docteur Matthes contempla la mer d'un air pénétré et profondément satisfait. Il croisa les mains dans son dos et se balança mollement d'avant en arrière et d'arrière en avant, tels ces visiteurs de musées qui devant un tableau se croient tenus à un jugement expert.

— Vous voilà de retour à Sassnitz. J'espère que vous n'avez pas l'intention de rendre une nouvelle visite surprise à Mme Jonas.

— Et si c'était le cas ?

Matthes soupira. Une mouette resta suspendue dans les airs à deux mètres à peine, planta ses deux petits yeux noirs comme des cailloux dans ceux de Judith, puis changea de cap et repartit.

— Vous ne devez plus revenir, madame Kepler.

— Nous sommes dans un pays libre.

— C'est vrai. Sauf que Mme Jonas bénéficie d'une protection particulière. Le pays lui doit beaucoup.

— Lequel ? Le libre ou l'autre ?

Matthes sourit. Judith s'imaginait aisément que les femmes aimaient se confier à lui. Il avait l'air fiable et prévenant. Un homme à l'écoute des autres. Sauf qu'avec Judith il était mal tombé, elle n'était pas du genre à s'épancher.

— Les deux, madame Kepler, les deux. M. Kaiserley a beau vous dire le contraire, nous sommes bel et bien arrivés dans le présent. La plupart d'entre nous, en tout cas. Mais certains, il est vrai, vivent encore dans le passé et toutes les tentatives pour leur apprendre la vérité finissent douloureusement.

— Martha Jonas ne souffre pas d'Alzheimer, si c'est ce que vous essayez de me faire croire. Elle a toute sa tête et est tout à fait capable de discernement. Je n'ai aucune raison de mettre en doute ce qu'elle m'a raconté.

— À savoir ?

Judith voulut passer devant lui, mais il lui barra le chemin. Le couple d'amoureux avait disparu. Le personnel aussi. Personne ne remarquerait rien si Matthes la…

— Que vous a-t-elle dit ? insista Matthes.

Sa voix, jusqu'ici chaleureuse et caressante, était soudain devenue glaciale.

— Que son psychiatre est un salopard de première.

Matthes fit la moue.

— Je pourrais vous aider si vous coopérez.

La main de Judith cherchait discrètement le garde-corps. Elle voulait pouvoir s'agripper au cas où il verrait un inconvénient à son refus de collaborer. Matthes était si près d'elle qu'elle pouvait sentir son après-rasage. Lagerfeld. Le seul parfum qu'elle aurait pu reconnaître même par vent contraire force dix. Elle ne savait pas pourquoi. Peut-être parce qu'il était si lourd et pénétrant.

— Ça veut dire quoi ? demanda-t-elle.

— Oubliez-nous et je vous aiderai. Une main lave l'autre.

Dix-huit étages. Elle essaya de ne pas y penser. Le sourire de Matthes était redevenu magnanime, sincère.

— Tout ce que Martha Jonas raconte, je peux vous le dire aussi. Posez-moi des questions. Allez-y. Je vous dirai tout ce que vous voulez savoir.

Une idée complètement folle traversa l'esprit de Judith.

— Lénine, dit-elle. Où est-ce que je peux le trouver ?

— Il n'est plus ici. (Matthes arbora un sourire désolé.) Personne ne sait ce qu'il est devenu.

— Comme c'est dommage. On n'a pas bien fait attention, hein ?

Quels dialogues absurdes elle avait ces derniers temps. Le monde entier était devenu une maison de fous. Sa main se détendit, sans lâcher la rambarde. Matthes était apparemment encore plus siphonné que ses patients.

— Possible, dit le docteur. Mais vous n'êtes pas venue voir Mme Jonas pour Lénine. Vous cherchiez autre chose. Je vous propose un marché : ne parlez à personne de la clinique Waldfrieden, et je vous offrirai quelque chose en échange.

— Vous faites dans votre froc, on dirait.

— Pas moi, madame Kepler. Moi, je veux seulement éviter qu'une horde de pseudo-journalistes enragés viennent saccager notre beau jardin. Mais pour vous, il semble que les choses se corsent.

Matthes jeta un regard furtif autour de lui. Ils étaient toujours seuls. Les serveuses, envolées, avaient laissé le buffet à moitié débarrassé. Il retourna dans le restaurant et attendit que Judith le suive. À son changement de voix et d'attitude, Judith comprit qu'il commençait à perdre patience.

— Comment ça, se corsent ? Que voulez-vous dire ?

— Un avis de recherche est lancé contre vous, concernant un homicide à Berlin. Tous les cimetières de Sassnitz et de ses environs vont être bouclés, au cas où l'idée vous prendrait d'y faire un saut. Sans parler de ce qui s'est passé à Malmö. On dirait que partout où vous passez, vous laissez un champ de ruines derrière vous. Mais…

— Malmö ? Je n'ai pas la moindre idée de ce dont vous parlez.

Il s'approcha de la table où le couple d'amoureux venait de prendre son petit déjeuner. Il restait un croissant dans le panier de viennoiseries. Il le prit, le regarda avec intérêt, puis revint vers Judith.

— Vous êtes allée très loin, c'est vrai, mais ne nous sous-estimez pas. Ne compromettez pas votre succès pour une vengeance minable. Nous, nous ne sommes pas importants. Nous ne sommes qu'une étape sur votre chemin. Gardez le silence, et il ne vous arrivera rien.

Judith s'assit sur la première chaise venue. Ses jambes s'étaient remises à flageoler. Matthes s'en était aperçu. Il pouvait observer tous les signes cliniques du manque – les gestes incontrôlés, le teint livide, les yeux clignotants et ces tremblements qui ne voulaient pas cesser. Il mordit dans son croissant et mâcha un moment, songeur, avant de plonger la main dans la poche de sa veste. Il en sortit un blister contenant quelques comprimés, qu'il jeta sur la table, face à Judith.

— Rohypnol. Vous voulez décrocher, n'est-ce pas ? Donnez-vous un ou deux jours, et vous aurez passé le cap. Pour cette fois du moins…

Judith saisit les comprimés.

— Y a-t-il… y a-t-il des choses que vous ne sachiez pas ?

— Oui, par exemple, si vous vous en sortirez vivante.

Matthes approcha une chaise de Judith. Il s'assit et continua à manger son croissant sans la quitter des yeux.

— À vous de voir, poursuivit-il.

— Que me voulez-vous ?

— Faites en sorte que Kaiserley nous lâche les basques. Il connaît la terre entière. Je l'ai vu chez la Westerhoff et je n'ai aucune envie que la prochaine émission soit consacrée aux maisons de retraite de la Stasi.

— À eux tous, vos pensionnaires totaliseraient dix siècles de prison s'ils étaient jugés. Vous facturez quel niveau de soins ? Vous devez bien facturer quelque chose, non ? Et auprès de qui ?

— Voilà, c'est précisément le genre de questions dont je parle.

Matthes reposa le bout de croissant et vérifia qu'il n'avait pas de miettes sur son costume.

— Qu'en dites-vous ? N'ayez crainte, vous quitterez l'hôtel comme prévu. Nos méthodes sont différentes. Si tant est qu'on ait besoin d'y recourir. D'un autre côté, mettez-vous bien ceci dans la tête : ce n'est pas parce que je vous ai laissée, disons, partir cette fois-ci, que j'en ferai de même la prochaine fois.

— Je peux donc partir.

Elle voulut se lever, mais Matthes lui saisit le bras et la força à se rasseoir. Elle était trop faible pour opposer la moindre résistance.

— Si vous coopérez, je vous donne le nom de l'homme qui a requis le mandat d'arrêt contre vos parents.

— Qu'est-ce que j'en ai à faire ?

— Il est le seul qui puisse vous raconter le déroulement de l'opération Sassnitz du point de vue de la Stasi. Vous voulez savoir comment vos parents sont morts, si je ne me trompe ?

— Oui..., murmura Judith, à peine audible.

L'opération.

— ... Enfin non. Enfin si. Il sait que vous voulez me donner son nom ?

— C'est lui-même qui me l'a proposé.

Une sonnette d'alarme retentit dans la tête de Judith. Elle avait été conditionnée pour tout oublier, chaque souvenir avait été soigneusement effacé, et les événements de ces derniers jours lui avaient montré que personne n'était prêt à lui parler de son propre gré.

— Il veut me voir ? C'est absurde. Tout de suite ?

— Bientôt. Et comme nous souhaitons tous, n'est-ce pas, couler de vieux jours heureux et tranquilles, je vous propose la chose suivante : vous rentrez à Berlin, vous vous rendez à la police. On vous interrogera, et si vous êtes maligne, vous ne dites pas un mot sur nous. Nos relations resteront excellentes et ne s'arrêteront pas aux frontières. Les collègues de Malmö sont déjà sur le pied de guerre pour vous aider. Oubliez le BND. Oubliez Kaiserley. Il ne vous arrivera rien, vous êtes sous notre protection.

— Votre… votre protection ?

— La mienne et celle de mes collègues. La Société de soutien humanitaire et solidaire. Nous sommes reconnus d'utilité publique, si cela peut vous rassurer.

Les doigts de Judith tripotaient fébrilement la plaquette de comprimés. Elle aurait voulu en prendre un tout de suite. Mais elle connaissait l'effet du Rohypnol. En moins de deux minutes, elle ne serait même plus en état d'épeler son nom.

— D'utilité publique, répéta-t-elle. Qui a réussi à faire croire une énormité pareille ?

— Je ne pense pas que cette question fasse partie de la liste de vos priorités. Madame Kepler, marché conclu ?

— Et ensuite ? Qu'est-ce qui va se passer ? Je veux dire, si tout se déroule comme vous le prévoyez, sans le moindre accroc.

— Quelqu'un vous contactera.

— Quand ?

— Dès que nous aurons la certitude que vous avez respecté votre engagement. Alors ?

Judith hocha la tête et dit :

— Pour ce qui est de votre maison de retraite : laisser le monde dans l'ignorance de son existence ne me pose aucun problème, à condition que je puisse rendre visite à Martha Jonas quand je veux.

— Seulement sur…

Matthes arbora un sourire avant de finir sa phrase :

— … seulement sur rendez-vous. Contactez ma secrétaire. Vous êtes une ancienne de Gagarine, n'est-ce pas ?

— Oui, dit-elle d'une voix blanche.

Une cosmonaute dans l'espace.

Matthes se leva et attendit que Judith se fût extraite de sa chaise. Les tintements d'un chariot de service se firent entendre. Une jeune femme en tailleur sombre et soigné tourna au coin et arrêta l'appareil devant le buffet. Ils rejoignirent l'ascenseur. Matthes continua de parler sur un ton dégagé laissant croire qu'ils s'étaient rencontrés par hasard au petit déjeuner et bavardaient de la pluie et du beau temps.

— Peu de gens sont au courant pour cette histoire de Lénine. C'est peut-être mieux ainsi. Sassnitz entre dans une ère nouvelle. Elle veut redevenir la ville d'eau impériale qu'elle était autrefois, fanions au vent. Mais sans idéologie, s'il vous plaît.

— Qu'est-ce qu'il lui est arrivé ?

Peut-être était-ce une de ces statues qu'on voyait sur les places de village avant la chute du Mur.

— Personne ne le sait. Les seuls qui pourraient encore en avoir une idée se sont regroupés dans une association.

— Votre Société Machin Chose de commémoration ?

— Non.

Matthes appuya sur le bouton de l'ascenseur. Les portes s'ouvrirent, et Kaiserley apparut. Il fit un bref signe de tête en direction de Matthes, puis s'arrêta court, stupéfait de constater que Judith semblait le connaître.

— Le Club de modélisme ferroviaire, lança Matthes.

Les portes se refermèrent. Judith se tourna vers Kaiserley et lui demanda :

— Pouvez-vous me répéter ce que ce monsieur vient de dire ?

— Le Club de modélisme ferroviaire.

— Merci.

— Un de vos passe-temps ?

Kaiserley jeta un coup d'œil dans la salle du petit déjeuner, vit le buffet à moitié vide et haussa les épaules, résigné.

— Pas encore, répondit Judith.

Devant le rond-point de l'hôtel, ils attendaient le taxi de Kaiserley. Il avait laissé sa voiture quelque part sur l'un des immenses parkings de Mukran et, inquiet de ne pas la retrouver, tripotait fébrilement son trousseau de clés. Judith venait de lui expliquer qu'elle comptait rentrer à Berlin avec sa camionnette.

— Hors de question, dit Kaiserley sur le ton d'un officier s'adressant au troufion blessé au combat. Vous n'êtes même pas capable de tenir une tasse de café.

— Je prends la camionnette.

— Vous ne savez même plus où sont votre gauche et votre droite. Je vous emmène, et après votre déposition à la police vous restez trois jours au lit.

Déposition. Kaiserley avait une façon très curieuse de présenter la traque dont elle faisait l'objet.

— Allez, salut.

Judith s'éloigna d'un pas décidé mais, au bout de trois mètres à peine, Kaiserley la rejoignit et lui barra le chemin. Furieuse, elle voulut forcer le passage.

— Je suis parfaitement capable de savoir si je suis en état de prendre le volant ou non. Alors vous me laissez régler mes affaires, pigé ?

— C'est réglé, Judith. Il n'y a plus rien à faire. Laissez le reste aux professionnels.

— Dans ce cas, c'est mon compte qui sera réglé. Parce que si par « professionnel » vous parlez de vous, je n'ai qu'une chose à dire : tous aux abris !

— Si seulement vous vous étiez mise aux abris, ne serait-ce qu'une fois !

— Personne ne vous a obligé à m'enfermer dans cette bagnole.

Elle traversa le rond-point pour rejoindre la route. Kaiserley lui emboîta le pas. Le trafic était si dense qu'elle n'eut pas d'autre choix que d'attendre au feu rouge.

— Tout n'est pas fichu. À l'heure qu'il est, Sofie est en train de collecter toutes les informations sur Irene et Christina Sonnenberg à Malmö. Cela nous permettra peut-être d'avancer.

— Nous, c'est ça.

Elle tapa du poing sur le signal pour piétons. Les feux rouges ici étaient franchement énervants.

— Je suis membre de l'Automobile Club. Je peux faire remorquer ma voiture. Et nous prendrons votre camionnette.

L'Automobile club. Comme si cela pouvait la rassurer. Vert, enfin. Il la suivit.

— Ces derniers jours ont été éprouvants pour vous. Je ne peux pas vous laisser seule.

— Ça va aller, rétorqua-t-elle, essayant de garder son calme. Merci et au revoir.

— Il va vous falloir un certain temps pour digérer tout ça.

— Vous avez fini ?

Elle se retourna et le fusilla du regard avant d'ajouter :

— Si vous saviez à quel point vous me tapez sur les nerfs !

— Je veux juste…

— Je me fous royalement de ce que vous voulez ! Je continue comme moi je le veux. Fichez-moi la paix ! Tirez-vous ! Et merci encore. Merci de m'avoir offert cette petite virée à Malmö. J'en garderai un souvenir impérissable. Mais maintenant, je me débrouille toute seule.

— Judith !

— Fichez le camp ! C'est de moi qu'il s'agit, d'accord ? De moi, pas de je ne sais quels intérêts de merde ! Ce pays de merde a tué mes parents, et j'ai failli y passer moi aussi ! Et ne me demandez pas duquel des deux pays je parle. Compris ? Tirez-vous à la fin !

Devait-elle lui arracher les yeux pour qu'il la laisse tranquille ? Elle voulait se retrouver enfin seule. Kaiserley, Matthes, Winkler, Sofie, le mystérieux inconnu censé la contacter, à condition qu'elle ne fasse pas de conneries… tous ces étrangers avançant derrière un masque, jouant à un jeu où la vie humaine était quantité négligeable. Les intérêts du pays étaient en jeu ! S'il y avait une phrase qu'elle ne pardonnerait jamais à Kaiserley, c'était celle-là.

Il la regarda et lut dans ses pensées. Les yeux de Kaiserley s'assombrirent. Voilà pourquoi ils en étaient arrivés là, au bord de cette route, à se détester l'un l'autre. Lui, qui n'avait que du mépris pour l'homme qu'il avait été, et elle, qui méprisait celui qu'il était à cet instant et qu'il resterait jusqu'à la fin de ses jours. Elle ne l'aiderait pas à aller mieux. Elle ne le sauverait pas, occupée qu'elle était à sauver sa propre peau.

Un taxi s'arrêta au feu rouge. Le clignotant indiquait qu'il voulait s'arrêter devant l'Hôtel Rügen. Kaiserley le héla.

— Laissez-moi au moins vous conduire à votre camionnette.

— Fichez le camp, dit Judith. Disparaissez de ma vie et ne revenez plus jamais.

Il avait enfin compris. Il monta dans le taxi, qui démarra. Judith se retourna et partit en courant, sans savoir où le chemin la menait.

22

Jörg Optenheide et Gregor Wossilus avaient été mis en préretraite à peu près en même temps. Jörg, parce que le bureau d'état civil de Sassnitz « dégraissait ». Gregor, parce que la rédaction du *Rasende Roland* avait été rachetée par le *Bergener Tageblatt* et que le journal, contrairement aux engagements pris, n'avait pas été transformé en supplément du dimanche. Comme de toute manière l'équipe ne comptait que lui et sa femme, une photographe amateur débordante d'enthousiasme, cette avanie n'avait pas suscité les foudres du syndicat de la presse. À présent, Karin trouvait enfin le temps de s'occuper de la datcha, et Gregor pouvait retrouver Jörg en semaine sous les toits de la gare de Sassnitz pour s'adonner à son passe-temps, qui était devenu le centre de sa vie : la reconstitution miniature à l'échelle 1/100 de l'ancien port de chargement à travers les époques.

Gregor, cet homme à la barbe blanche impeccablement taillée et à la petite bedaine sympathique, qui aimait porter en été des chemises à manches courtes et des bermudas, regardait à la loupe le petit bosquet que Jörg avait collé la veille à côté des rails.

— Ce ne sont pas des hêtres.

Jörg, un homme longiligne au front dégarni et au nez aquilin chaussé d'immenses lunettes modèle Sécurité sociale, posa l'index sur « l'Indicateur des chemins de fer, Allemagne de l'Ouest, 1953 », le referma et leva les yeux.

— Il n'y a plus de hêtres.

Gregor maugréa dans sa barbe. Il prit une pincette et tenta d'arracher un petit arbre de la taille d'une allumette, mais celui-ci était solidement fixé, comme seul un chêne allemand collé à la Pattex pouvait l'être. S'il n'y avait plus de hêtres, il suffisait d'en commander. On ne s'en tirerait pas à si bon compte en collant un ersatz quelconque, mystification d'autant plus injustifiable qu'elle sauterait aux yeux du premier venu, pour peu qu'il connaisse un tant soit peu le sujet. Il n'y avait jamais eu de chênes sur le port à côté des voies de chargement. Même aujourd'hui, n'importe quel imbécile s'en rendrait compte.

Jörg chercha un menu des wagons-restaurants Mitropa – ils en avaient stocké par cartons entiers – et le cala comme marque-page. Il se leva en gémissant, se faufila dans l'étroit couloir entre les différentes maquettes et regarda par-dessus l'épaule de Gregor.

— Ça ne se remarquera pas.

— Moi, je le remarque.

— Toujours à chercher la petite bête ! Un café allongé ?

Allongé signifiait en l'occurrence coupé au schnaps. Gregor jeta un œil à la pendule – venue de Huai'an, ville au nom imprononçable qui, aux côtés de Cuxhaven, Trelleborg et de la ville russe de Kinguissepp, était depuis trois ans jumelée avec Sassnitz. Les édiles chinois s'étaient apparemment bien renseignés avant leur première visite, car ces petits bonshommes souriants avaient apporté en cadeau une vieille horloge de gare, fabrication anglaise, années 1920, fonctionnant toujours, ou plutôt de nouveau. Peut-être fallait-il y voir un clin d'œil à l'horloge de la gare de Sassnitz qui, depuis des lustres, était bloquée à 7h30. À moins que la réputation du Club de modélisme ferroviaire fût si grande qu'elle était parvenue jusqu'à l'empire du Milieu, qui par un tel présent avait souhaité leur rendre un hommage appuyé. Personne n'y croyait sérieusement, mais ça faisait toujours une bonne blague.

L'une des dernières éditions du *Rasende Roland* avait relaté la cérémonie par le menu. La photo de la première et, à ce jour, dernière visite du maire au Club était accrochée dans un joli cadre au-dessus du petit bar de la salle attenante, où Jörg, gémissant et traînant des pieds, se rendait maintenant pour préparer le café allongé.

— Bientôt midi, dit Jörg de sa voix haut perchée, avec un fort accent du Nord.

Gregor le suivait du regard en se demandant quand Jörg se déciderait enfin à aller voir un médecin. Le départ en retraite marquait une rupture dans la vie des gens, dont la société et la médecine ne mesuraient pas assez la portée. Certains s'épanouissaient – Karin prenait depuis peu des cours de danse –, d'autres se rabougrissaient plus encore, se recroquevillaient, devenaient invisibles. Encore un ou deux ans et Jörg aura complètement disparu, se disait Gregor. Si ce n'est pas malheureux…

Il allait se remettre à l'arrachage des arbres lorsqu'il entendit la porte du bas claquer, puis des pas s'approcher dans l'escalier en bois. Il posa la pincette. Les visites impromptues étaient rares. Certes, les membres du Club continuaient à se réunir régulièrement, mais on manquait de nouvelles recrues. Les jeunes ne s'intéressaient plus aux trains.

Les pas résonnaient comme ceux d'un vieillard gravissant avec peine les marches une à une. Gregor eut le temps de se lever et de rejoindre la cage d'escalier avant même que le visiteur n'en eût monté la moitié.

La visiteuse, corrigea Gregor. Jeune, par-dessus le marché. À première vue du moins, elle avait l'air d'une de ces éternelles étudiantes : queue-de-cheval, chaussures plates, robe sombre. Elle émergea peu à peu de l'ombre et Gregor s'aperçut alors qu'elle était plus âgée… et semblait tout droit sortie d'un match de boxe. Une fois, il avait loué à la vidéothèque le film *Million Dollar Baby*. La fille ressemblait furieusement à cette actrice américaine. Sauf qu'elle n'était pas aussi mince et n'avait pas l'air ronchon de cette… il ne se souvenait plus du nom. Et puis, celle-ci était blonde. Mais à la voir s'agripper à la rambarde en multipliant les pauses pour reprendre son souffle, il avait l'impression qu'elle sortait directement de l'écran. Peut-être la partenaire d'entraînement de cette… quel était son nom déjà ?

— Bonjour ?

Il l'avait saluée sur le ton d'une question.

Elle atteignait enfin les dernières marches. D'accord, l'escalier était raide, presque une échelle de poulailler, mais même lui arrivait à en voir le bout sans tomber directement dans les pommes.

— 'jour ! souffla-t-elle. Je suis bien au Club de modélisme ferroviaire de Sassnitz ?

Gregor jeta un bref coup d'œil vers la kitchenette. Jörg, toujours en train de s'affairer, n'avait rien remarqué de cette visite impromptue. La femme n'avait pas l'air d'être venue pour dévaliser la caisse du Club. Mais quelque chose clochait chez elle. Elle donnait l'impression d'être à la fois sobre et à côté de ses pompes.

— Vous cherchez quelqu'un ?

La jeune femme pénétra dans la mansarde et regarda autour d'elle.

— Ouah !

Son exclamation était si admirative que Gregor s'écarta par réflexe pour ne pas lui gâcher la vue.

— C'est quoi, ça ?

Elle montra la pièce maîtresse : la maquette de la ligne Sassnitz-Stralsund, qui parcourait toute la mansarde sur vingt mètres de long.

— C'est notre maquette de démonstration. Six circuits électriques, commande analogique, sept tronçons de circulation alternée, plus deux voies étroites.

— C'est de la vraie eau ?

— Naturellement, répondit Gregor avec fierté. Vous n'avez pas le choix si vous voulez reproduire fidèlement une traversée train-ferry.

Elle s'approcha de la maquette et la longea mètre après mètre, de Stralsund à Sassnitz.

— Dingue. C'est l'ancien port de transbordement vers Trelleborg ?

Elle montra du doigt la section huit, sur la gauche, au bout de la maquette.

— Exactement tel qu'il était en service jusqu'au début des années 1990.

— L'ancienne conserverie de poisson. Elle n'a pas encore été démolie, dit-elle en hochant la tête.

— Oui. Nous prenons soin de tout reproduire au détail près.

Jörg apparut dans l'encadrement de la porte de la cuisine, tenant deux tasses à la main. Gregor espérait qu'il avait entendu la dernière phrase. Cette femme connaissait tout dans les moindres détails. Elle remarquerait sûrement les hêtres.

— Judith Kepler, annonça-t-elle avec un sourire.

— Gregor Wossilus, vice-président. Et voici Jörg Optenheide, notre trésorier.

Elle lui tendit la main. Gregor fut surpris de constater qu'elle était rêche et ferme, en plus d'être entourée d'un pansement. *Des mains de maçon*, pensa-t-il. *Avec une gueule de boxeur. Mais elle s'intéresse au sujet.* Pour un modéliste ferroviaire, c'était l'essentiel. Jörg posa les tasses sur le chariot et salua la femme à son tour.

— Pour vous aussi un café allongé ?

— Volontiers.

Jörg lui tendit sa tasse et retourna dans la cuisine pour le ravitaillement.

— Puis-je vous demander ce qui vous amène ici ?

Judith Kepler leva la tasse, huma le café, puis prit une gorgée sans même faire la grimace. Bon, au moins elle supportait la gnôle.

— Je cherche Lénine.

— Oh.

Gregor porta sa tasse à ses lèvres et goûta. Grand Dieu ! Ce n'était pas du café coupé au schnaps, c'était du schnaps avec une goutte de café.

— Je suis désolé, mais le Lénine n'est plus ici. Si c'est de ce Lénine-là que vous parlez.

— Il y en a d'autres ?

— Aucune idée. Deux, trois… Jörg ? Tu sais où sont les Lénine ? Et combien il y en a ?

Jörg revint vers eux.

— On en a un ici. Dans une caisse sous les combles. Je vais voir ?

La femme reposa sa tasse sur le chariot.

— Si ce n'est pas trop vous demander. Vous avez combien de caisses là-haut ?

Elle regarda vers le plafond d'un air dubitatif, comme pour estimer la capacité de stockage des combles. Jörg se gratta l'arrière du crâne, mettant ainsi en désordre les quelques cheveux qui lui restaient.

— Bon Dieu. Quarante ? Cinquante ?

— Et que contiennent-elles ?

— Des maquettes. Des gares démontées, ce genre de choses.

— Serait-ce très grossier de vous demander si je peux jeter un œil à Lénine ? Je peux grimper toute seule, si vous voulez.

— Non, dit Jörg. Aucun problème. On vous aide volontiers.

Gregor pensa qu'il était temps de se mêler de nouveau à la conversation.

— Pourquoi ça vous intéresse tant ?

Personne ne montait dans les combles pour son plaisir. Toiles d'araignées, rats, poussière.

La femme sourit une fois encore et son visage s'éclaircit d'une drôle de manière. L'espace d'un instant, elle parut belle.

— Un souvenir d'enfance. J'avais cinq ans. La gare, Lénine, son palais… je n'arrive pas à rassembler les pièces du puzzle. J'aimerais tant y parvenir.

— Y avait pas de palais de Lénine, dit Jörg. Juste un wagon-salon. Et il a disparu. Tout ce qu'on a, c'est la maquette.

— Dans une caisse là-haut ?

Jörg acquiesça. Il vida bruyamment sa tasse, d'une seule traite. Une vague lueur voilait ses yeux.

— Vous êtes de Sassnitz ? demanda Gregor.

La femme hocha la tête.

— Une ancienne Gagarine.

Gregor et Jörg échangèrent un regard, de ceux que seuls pouvaient comprendre deux amis de longue date.

— Une ancienne Gagarine, répéta Gregor.

Se baissant, il leva le rideau agrafé le long du panneau d'aggloméré qui servait de support à la maquette, et sous lequel s'entassait tout un bric-à-brac qui n'avait pas trouvé place dans les combles. Il chercha l'échelle à tâtons, la trouva et la sortit.

— Les pauvres, on leur doit bien ça.

Judith grimpa derrière Gregor. À mi-hauteur, celui-ci poussa le loquet de la trappe, la souleva, puis monta dans les combles. Il se pencha vers Judith et lui tendit la main. Il la hissa avec un tel élan qu'elle atterrit d'un pied léger sur le plancher.

— Baissez la tête, grogna le modéliste.

Judith, la tête entre les épaules, observa la pièce. Un mince filet de lumière filtrait à travers les lucarnes poussiéreuses. Tout ce qu'elle parvenait à distinguer, c'était une énorme quantité de cartons de déménagement rangés sous la soupente, si soigneusement étiquetés que les gars du nettoyage auraient pu en prendre de la graine. Elle s'efforça de ne pas paraître trop curieuse. Ces messieurs n'apprécieraient sûrement pas.

Elle pensa à Kaiserley : il en imaginerait, des choses, dans ces cartons. Le fichier Rosenholz disparu… Des dossiers de la Stasi… Qu'en avait-elle à faire ? Il était parti. Enfin. Elle aurait dû être contente, au lieu de…

Elle suivit Wossilus, qui traversait d'un pas décidé l'étroit couloir vers le côté nord des combles, comme s'il savait exactement où trouver ce qu'il cherchait. Le wagon-salon de Lénine. Elle s'en voulait de ne pas y avoir pensé plus tôt. Tandis que l'homme dénichait une caisse qui sommeillait dans un coin et la tirait vers le carré de lumière formé sous une lucarne, elle essaya de se remémorer les phrases qu'elle avait dû apprendre par cœur en cours d'« histoire de la patrie socialiste ».

Le camarade Vladimir Ilitch Oulianov Lénine arrive le 12 avril 1917 au port de Sassnitz dans un wagon-salon plombé de l'administration ferroviaire prussienne, pour embarquer à bord de la « Drottning Victoria ». Le 16 avril, il rejoint Saint-Pétersbourg, d'où il lance un appel à la révolution russe.

— Sacré nom de Dieu.

Wossilus ouvrit le carton dans un nuage de poussière et en sortit une sorte de baluchon en couverture de laine râpeuse, qu'il posa par terre. Avec précaution, presque avec dévotion, il écarta les coins.

— Wagon vert de train express. Six essieux, huit compartiments, plus un compartiment bagages.

La maquette était en métal, une copie en dur, fidèle jusque dans les moindres détails. Judith fixa des yeux son cauchemar en miniature…

— Échelle 1/48. Réplique parfaite. Plus personne ne sait faire ça de nos jours.

Elle s'empara du wagon des mains de Wossilus et le tint dans la lumière blafarde. Du velours rouge sur les banquettes. Porte-bagages en laiton, scintillant comme de la feuille d'or. Est-ce qu'une fillette de cinq ans pouvait prendre ça pour un palais ? Oui, bien sûr. Lorsqu'on n'avait connu que les trains exigus et inconfortables de la Deutsche Reichsbahn, ce wagon de luxe en mettait plein la vue. Elle fit tourner les roues à l'éclat argenté. *Tac, tac. Tac, tac.*

— Et dire que les gens de Sassnitz croyaient qu'un prince russe venait leur rendre visite, dit Wossilus.

L'admiration muette de Judith ne lui avait probablement pas échappé, car il regardait avec une bienveillance égale la femme et le modèle.

— Il ne s'emmerdait pas, le bolchevik, hein ? On dirait que c'est flambant neuf, pas vrai ?

— Oui, fit Judith en lui rendant précautionneusement le wagon.

Une petite portière s'ouvrit.

— Désolée. Rien de cassé, j'espère ?

— Le compartiment bagages. Chaque pièce a son point faible.

Avec une dextérité dont elle ne l'aurait pas cru capable vu la pénombre des lieux, il referma la portière à l'aide d'un loquet minuscule, à peine visible à l'œil nu.

— L'original avait une clé faite sur mesure. Il y en avait quatre dans le temps. Il n'en reste plus qu'une. Devinez où.

— Chez vous ? demanda Judith.

Tel Alberich cachant sous terre l'étincelant or du Rhin, Wossilus remballa le wagon dans son carton. Lorsqu'il l'eut repoussé à sa place attitrée, il s'épousseta les mains.

— Ouais, dit-il.

— Et le wagon ? Je veux dire l'original ?

Wossilus grimaça. Apparemment Judith venait de réveiller un souvenir douloureux.

— Descendons. Le café va être froid.

Elle le précéda, et Wossilus referma soigneusement la trappe. En bas, Jörg les attendait déjà avec la deuxième tournée. Judith prit la tasse offerte et la vida d'un trait. Après tout ce que son corps avait enduré ces dernières quarante-huit heures, cela lui ferait tout au plus l'effet d'un cachet d'aspirine. Mais quand Jörg lui proposa une troisième tasse de ce café extraordinaire, elle déclina poliment.

— Je dois encore prendre la route.

— Pour aller où ? demanda le petit cheminot.

— À Berlin.

Les deux hommes hochèrent la tête avec compassion, comme si Judith s'en allait purger une peine de vingt ans de prison.

J'ai été dans ce wagon, pensa-t-elle. *Je sais enfin ce que cette histoire de palais signifie.*

— Où est le vrai Lénine maintenant ?

— Personne ne le sait. Disparu.

Wossilus haussa les épaules d'un air désolé.

— On aurait bien voulu le garder. Vraiment. Mais quand ils ont démoli l'ancien hangar des locomotives, personne ne savait qu'en faire. Il y a bien eu des projets pour le transformer en musée Lénine. Mais allez expliquer ça aux types du ministère de la Culture.

Judith ricana. Tous payaient l'impôt de solidarité pour l'ancienne RDA, les gens de l'Ouest comme ceux de l'Est. Déjà que bitumer la voirie suscitait les jalousies, la création d'un musée Lénine aurait été difficile à faire avaler.

— Je comprends. Mais ce wagon ne s'est tout de même pas envolé.

— Envolé comme le cuivre, les rails, les câbles et la ferraille, répliqua Jörg.

Il gloussait, l'air de très bien savoir de quoi il parlait. Wossilus le fusilla du regard. Jörg avala de travers, toussa, marmonna quelque chose à propos de lait et de sucre et disparut dans la cuisine.

— Vous voulez dire que vous avez démonté le wagon et l'avez vendu sous forme de ferraille ?

— Non. Bien sûr que non. Aucun amoureux des chemins de fer ne ferait ça.

Judith voulait bien le croire. Wossilus s'affala sur une chaise près du chariot et regarda l'autre maquette, plus petite. À la vue du petit bosquet, sa mine se renfrogna.

— C'est quoi ?

— La gare de Sassnitz au fil du temps.

— Le hangar des locomotives y tient encore debout.

— Évidemment, puisque c'est une maquette des années 1930.

— Vous en avez une des années 1980 ?

Elle s'était tout à coup rendu compte que ce grenier représentait une véritable mine de souvenirs.

— Des années 1980 ? Avec les zones interdites, les barrières et tout ça ?

— Oui.

Wossilus secoua la tête. Judith sentit la déception lui nouer l'estomac.

— Mais il nous reste des photos. Et quelques films en Super 8, copiés en DVD. Si vous voulez, vous pouvez en acheter un.

— Oui, s'empressa-t-elle de dire. Volontiers.

Ils ne devaient pas souvent en vendre, et Judith voulait leur faire plaisir.

Wossilus se releva et se rendit dans un autre coin de la pièce. Judith le suivit, intriguée. Une porte ouvrait sur ce qui devait être le bar de l'association : un petit comptoir, des banquettes de trains, des lampes de signalisation, des plaques de wagons en métal.

— Sympa.

Wossilus acquiesça d'un vague grognement et se pencha derrière le comptoir.

— De la marchandise rare, confirma-t-il, l'air amusé.

Il refit surface, une petite brochure et un DVD dans les mains.

— La gare de Sassnitz…

— … au fil du temps, compléta Judith. (Elle sourit.) Merci beaucoup. Ça coûte combien ?

— Vous êtes de Sassnitz ?

— Oui.

— Rien.

Judith hocha la tête tandis que l'homme grommelait encore quelque chose dans sa barbe. Puis il la raccompagna jusqu'à l'escalier. Ils se dirent au revoir, et Jörg sortit un instant de la cuisine pour lui faire un signe de la main.

Quand Judith quitta la gare, elle s'arrêta un instant pour observer les lieux. Juste en face s'était trouvé autrefois le hangar des locomotives. Disparu, et avec lui le wagon dans lequel Lénine était arrivé à Sassnitz. Elle ferma les yeux et tenta de se souvenir. Combien de fois était-elle venue ici enfant à la recherche de la pièce manquante du puzzle ? Le souvenir effacé n'avait cessé de la hanter. Ils avaient peut-être réussi à lui faire oublier CE QUI s'était passé, mais pas OÙ ça s'était passé. Cette nuit-là, vingt-cinq ans plus tôt, elle était à ce même endroit, tenant sa mère d'une main, sa peluche de l'autre. Kaiserley lui avait dit qu'ils s'étaient trouvés dans le même train et que quelque chose avait mal tourné. On les avait sorties et emmenées ailleurs. Pas loin d'ici. Juste à quelques pas de la voie ferrée.

Elle ouvrit les yeux et revit le hangar, comme un mirage flou surgi de sa mémoire. Là-bas. Une grande porte en bois. Des gonds rouillés. De vieilles lampes jetant des ombres effrayantes sur les hauts murs. Et au milieu, un palais d'or et de velours. Et puis ?

La douleur fusa dans son cerveau, comme un coup de pistolet d'abattage. Elle se plia en deux, serrant le DVD contre son ventre. Un couple de retraités avec bagages l'observait, inquiet, à bonne distance. Judith serra les dents, tenta de respirer. Elle se redressa lentement, péniblement. Bon sang. Qu'est-ce qu'elle avait ? Un câble électrique à haute tension encerclait une partie de son cerveau. Comme ces clôtures destinées à empêcher le bétail de s'échapper du pré.

Elle entra en titubant dans le petit hall de la gare, prit une bouteille d'eau glacée dans l'armoire réfrigérée et passa discrètement devant la caisse sans payer. En chemin vers le cimetière, elle but goulûment et versa le reste sur sa tête. Elle recommençait peu à peu à avoir les idées claires. La camionnette était toujours à sa place. Soulagée, Judith tâtonna vers le petit boîtier caché sous le pare-chocs et trouva la clé de secours. Lorsqu'elle ouvrit le véhicule, une odeur suffocante de chiffons moisis et d'autres immondices lui sauta aux narines. Elle baissa les vitres et démarra. Quand Stralsund fut enfin derrière elle, elle se mit en quête d'un parking pour récupérer le dossier Borg à l'arrière de la camionnette. Ainsi que le passe-partout qui lui permettrait d'entrer dans l'appartement de celle-ci. Elle fourra le tout dans une vieille sacoche. Reprenant la route en direction de Stralsund, elle songea à ce que ça ferait d'avoir un autre nom, d'autres papiers, d'autres cartes de crédit. De continuer par Usedom, vers Świnoujście, puis de descendre par Wrocław jusqu'à Prague, et enfin Vienne. Et plus loin encore. Si loin qu'il n'y aurait plus moyen de songer à faire demi-tour.

Puis elle repensa à ce qu'elle avait dit à Kaiserley à propos des voyages. Tout était vrai, à un détail près : au fond, elle avait bien envie de voir un jour la tour Eiffel.

23

Franz Ferdinand Maike quitta la machine à café du couloir et retourna dans son bureau, un gobelet à la main. Le téléphone sonna, et Maike prit l'appel sans poser son café. Un homme, Holger Ehrmann, du ministère de l'Intérieur, demanda en marmonnant s'il était bien chez Maike.

— C'est à quel sujet ?

— *Supplementary Information Request at the National Entry*, en bref SIRENE.

Son anglais était impeccable. Maike posa son gobelet.

— Pourquoi la Chancellerie fédérale ne me contacte-t-elle pas directement ?

— Frein dans le système d'information Schengen. Ne me demandez pas à moi.

— À qui d'autre, alors ? De quoi s'agit-il ?

Un « frein » était une affaire délicate. Cela désignait le blocage d'une enquête criminelle initiée par un pays étranger du fait de graves obstacles juridiques sur le sol allemand. Depuis plus de dix ans qu'il était à la PJ, Maike n'en avait jamais connu. Ce genre d'affaire concernait plutôt les cellules antiterroristes, la brigade des stups ou la police des douanes.

— Vous êtes en charge, autant que je sache, de l'affaire Christina Borg. Il y a une suspecte. Judith Kepler.

Maike se demanda quel service n'avait pas encore entendu parler de Judith Kepler. Cette femme était omniprésente et il commençait à trouver ça inquiétant. Il s'assit et relança son ordinateur passé en veille.

— Vous l'avez, oui ou non ?

De sympathique, la voix d'Ehrmann devint autoritaire. Ce qui n'était pas du tout du goût de Maike.

— Bon, vous savez où elle se trouve ? s'impatienta Ehrmann.

— Je ne suis malheureusement pas qualifié pour vous fournir des informations sur l'état de l'enquête en cours.

— Alors, laissez-moi répondre à votre place : non, vous ne savez pas. Et pour tout dire, vous n'avez même pas cherché à savoir. Entre-temps, un mandat d'arrêt international a été lancé contre elle. La Rikspolisen, la police suédoise, nous en a informés il y a une demi-heure. Vous ne le saviez pas ?

Maike sentit la nervosité l'envahir, un fourmillement dans tout le corps. *C'est vrai, pourquoi je n'en sais rien ?* Il fixa son écran. Le dossier des messages urgents clignotait, rouge sang. *Merde.*

— « Frein », cela signifie bien qu'en cas d'arrestation, il n'y a pas d'extradition possible, n'est-ce pas ? demanda-t-il.

C'était en tout cas ce qu'il avait appris à l'école de police.

— Exact.

— Pourquoi Kepler est-elle recherchée par la police suédoise ?

Ehrmann soupira au bout du fil. Apparemment, il avait besoin de chausser ses lunettes pour regarder son ordinateur ou la requête en urgence.

— Assassinat.

Maike se tut. Judith Kepler était une des nombreuses personnes dont les faits et gestes avaient été vérifiés au cours de l'enquête Christina Borg. Il se souvint d'un gardien à la mine grincheuse, Fricke, ainsi que d'une voisine complètement indifférente dont le chien lui aurait presque pissé sur les chaussures. Borg avait souvent traîné au Troll, un boui-boui, dans lequel elle avait même failli se bagarrer une fois avec un client. Elle avait contacté Kaiserley pour une histoire de microfilms au contenu prétendument top secret. Le Troll et les microfilms, ça ne collait pas du tout ensemble, mais au moins c'était une première piste. La convocation de Kaiserley à un interrogatoire officiel était déjà rangée dans le dossier « messages envoyés ».

Sauf que Judith Kepler était une femme de ménage. Bizarre qu'autant de services s'intéressent à un tel profil, de Munich à Schwerin en passant par Berlin. Et voilà que soudain de lourdes charges pesaient contre elle. La Suède exigeait même une extradition, mais quelqu'un dans les hautes sphères avait actionné le « frein ».

Ça fait toujours plaisir, pensa Maike, de savoir qu'on est le dernier à être mis au courant.

— Assassinat, répéta-t-il. Mais qu'est-ce que la Rikspolisen a à voir dans l'enquête sur l'affaire Borg ?

— Apparemment, après avoir tué la fille, Kepler s'en est prise à la mère. La nuit dernière, Irene Borg a été retrouvée morte dans son appartement à Malmö. Il y a un témoin. Et il a donné une description assez précise de la dernière personne à avoir rendu visite à la victime.

Maike cliqua sur l'icône clignotante. Un message interne s'ouvrit, lui confirmant les dires d'Ehrmann.

— Mais alors, pourquoi bloquer l'extradition ?

— Demandez au ministre de l'Intérieur.

Ehrmann raccrocha.

C'était exactement ce que Maike n'allait pas faire. Mais appeler les collègues de Malmö, ça oui. Après quoi il s'occuperait d'interroger cette Kepler.

Klaus Dombrowski les connaissait tous. Les gentils, qui demandaient poliment s'ils pouvaient lui voler une minute de son temps précieux ; les crâneurs, qui ne se donnaient même pas cette peine et allaient droit au but ; et les blasés, qui faisaient simplement mine de remplir un devoir auquel ils ne croyaient plus depuis belle lurette.

Maike, c'était un cas nouveau, car il était les trois à la fois : poli, crâneur et en même temps pas tout à fait à son affaire. À croire qu'il n'était pas au courant lui-même de l'état d'avancement de son enquête.

— Vous dites que Judith Kepler n'a pas quitté Berlin ces deux derniers jours et qu'elle était à son travail ? Pourquoi ne pas nous en avoir informés ?

— Aucune idée, grogna Dombrowski. Peut-être parce que je ne suis pas un mouchard ?

Son cerveau travaillait fiévreusement. Qu'est-ce qui se passait avec Judith, nom d'un chien ? Il la connaissait depuis deux ans. Jamais il n'y avait eu la moindre anomalie. Au contraire : elle était l'un de ses employés les plus fiables. Elle semblait avoir compris qu'elle avait pris juste à temps la dernière sortie sur l'autoroute vers nulle part. Il envisageait même de la nommer sous peu chef d'équipe. Et voilà que, depuis trois jours, Judith Kepler lui faisait l'effet d'une parfaite inconnue.

Une femme recherchée par la criminelle, par des ex-agents du BND et Dieu sait qui encore. Et par lui-même, bien sûr. Après tout, il était son patron.

— J'ai plus de trois cents employés. Les uns commencent à 5 heures du matin, au moment où les autres finissent. Vous comprendrez qu'il peut m'arriver de ne pas serrer la paluche à tout le monde.

— J'enquête sur un meurtre. Alors un petit conseil : pensez à votre intérêt, au mien, et surtout à celui de Kepler. Où est-elle ?

Dombrowski souffla comme un bœuf et se tourna vers son ordinateur.

— À l'hôpital Sainte-Gertrude. Équipe du matin.

— Jusqu'à quelle heure ?

— 14 h 30, heure d'été GMT.

Le commissaire de la brigade criminelle saisit son portable et composa un numéro. Il donna le nom de l'hôpital et coupa aussitôt.

— On verra ça. Vous auriez pu vous épargner bien des ennuis si vous nous l'aviez dit plus tôt.

— C'est ce que j'ai fait.

— À qui ?

— Eh bien, à vos collègues qui se sont bousculés ici au portillon.

Visiblement, M. le commissaire divisionnaire n'appréciait pas du tout.

— Des collègues ? fit-il. Vous avez des noms ?

— Je ne les demande pas. Seulement quand je me fais arrêter moi-même.

Dombrowski se rappelait l'époque des squats et des manifs, quand il défilait dans la rue en criant : « Sortez de vos clapiers, venez battre le pavé ! » Sans parler de : «Vive la solidarité internationale ! » Depuis, certains de ses camarades de lutte avaient fait de grandes carrières, et feignaient de n'avoir jamais tenu un pavé à la main de leur vie. Il y en avait un, comme ça, qu'il avait particulièrement dans le nez. Il vivait quelque part aux États-Unis, avait un poste de prof dans une université quelconque, en était à sa troisième ou quatrième jeune épouse et se la coulait douce avec son gros salaire de ministre à la retraite. Une manière comme une autre d'interpréter la solidarité internationale. Connard.

Le commissaire regarda sa montre.

— Dans dix minutes, on la tient.

Il fixa Dombrowski d'un regard censé l'intimider, mais il aurait fallu pour ça quelqu'un d'un autre calibre. Dombrowski se pencha en arrière et croisa les bras sur son imposante bedaine. Il n'avait qu'une envie : fumer un bon cigarillo à pleins poumons.

— Et si on ne la trouve pas, préparez-vous déjà à m'accompagner au commissariat.

— Mais j'ai le droit d'appeler mon avocat avant.

— Appelez qui vous voulez, autant que vous le voulez.

Maike pointa du doigt le téléphone. Dombrowski réfléchit. Kepler valait-elle qu'on se mette en quatre pour elle ? En même temps, la solidarité internationale avait-elle un sens s'il ne commençait pas par faire preuve de solidarité avec un de ses employés ? Les flics ne pouvaient rien contre lui, rien du tout. Il essaya de se rappeler s'il restait un dernier sachet d'herbe planqué au fond du tiroir ou s'il l'avait déjà fumée avec Josef et consorts au cours d'une de ces douces soirées d'été concluant une longue journée de travail. C'était la seule chose qu'il lui arrivait encore de fumer de temps en temps. Et puis ? Ce n'était que trois grammes de toute façon. Pas de quoi faire toussoter le juge d'instruction, qui classerait l'affaire sans suites.

Des pas rapides s'approchèrent dans le couloir. Rires, cris, mélange de langues façon tour de Babel. Turc, libanais, vietnamien, polonais. L'équipe de l'hôpital, beaucoup trop en avance. Le chicaneur en lui s'apprêtait à piquer une colère, mais le comptable en lui le rappela au calme. Dombrowski jeta un œil au calendrier : mercredi. Récupération d'heures supplémentaires, fin de service une heure plus tôt.

Sans plus prêter attention au commissaire, il se leva et se précipita dans le couloir, où une bruyante équipe de nettoyage était sur le point de s'égayer dans la nature. Tout au fond il aperçut un grand échalas.

— Josef! brailla-t-il.

L'homme se retourna. Dombrowski remarqua que le flic l'avait suivi.

— Où est Kepler ? Vous l'avez déposée au métro ?

Josef écarquilla les yeux. Il s'approcha. Le caquetage cessa. Les femmes en blouse bleue rejoignirent la sortie.

— Kepler ? demanda Josef. Au métro ?

Comment pouvait-on seulement survivre en étant aussi stupide ? Dombrowski lui fit un signe, mais il ne comprenait rien. Derrière Josef apparut le jeune crétin à qui il avait confié la carte de Judith. Le pompon. Celui-là était carrément incapable de compter jusqu'à deux.

— M. le commissaire de la brigade criminelle souhaiterait lui parler.

Dombrowski appuya tellement sur le titre que même un chimpanzé aurait compris que quelque chose clochait. Josef, non. Il piqua un fard et se tourna vers son esclave.

— Kevin. Où est Kepler ?

— Dans la cour. J'ai cru comprendre qu'elle était pressée.

Le flic les planta là et suivit les blouses bleues en courant.

— Ta gueule ! siffla Dombrowski. Passe-moi la carte.

— Je ne l'ai plus.

— Quoi ? hurla Dombrowski.

Le jeunot recula.

— Vous la bouclez tous les deux, compris ? Vous ne l'avez pas vue.

— Mais…

— Laissez-moi arranger ça. Compris ?

Josef et Kevin échangèrent un bref regard et hochèrent la tête. Mieux valait ne pas contredire un fou furieux. Dombrowski renonça au moindre commentaire et suivit Maike dans la cour dans l'espoir de sauver les meubles.

Judith ouvrit la porte arrière de sa camionnette et fronça le nez, saisie d'un haut-le-cœur. Quelque chose à l'intérieur puait atrocement. Rats morts en décomposition ? Chiffons sales et humides ? Depuis le temps, elle avait l'habitude des pires odeurs, mais seulement quand elle s'attendait à les trouver. L'intérieur de la camionnette était censé sentir tout au plus le désinfectant. Elle s'apprêtait à monter sur le plateau pour chercher d'où pouvait bien provenir une puanteur pareille, quand elle entendit des pas dans son dos, puis une voix s'adresser à elle.

— Madame Kepler ?

Judith fit volte-face. Elle se trouva nez à nez avec un homme mince et plutôt beau gosse, du moins selon les critères communément admis, qui lui mit une carte de police sous les yeux.

— Maike, police judiciaire, enquêtes sur les homicides.

— Et moi je suis le pape.

Elle prit la carte, lut le nom et la lui rendit avec un sourire caustique à peine dissimulé.

— Franz Ferdinand. Celui qui a eu cette idée de…

— Où étiez-vous aujourd'hui ?

— À l'hôpital Sainte-Gertrude.

— À titre professionnel ou privé ?

Son regard étudia la coupure à peine cicatrisée et les bleus qu'elle avait au visage.

— Pour le boulot. Chez nous, on appelle ça « la serpillière au mètre » : on nettoie seulement les sols et les chambres vides.

— Et ça ?

Il pointa sa clavicule.

— Un rebord de fenêtre. En me baissant.

— Des témoins ?

— Pour ça ?

Elle sortit sa carte de pointage de la poche de sa blouse et montra d'un signe de tête Josef et Kevin qui sortaient du baraquement, trottinant derrière Dombrowski.

— Nous allons vérifier cela, dit Maike. Comment faites-vous pour travailler en même temps à Berlin et à Malmö ?

— Malmö ? répéta Judith, interdite.

— Vous avez été vue près d'une scène de crime visiblement nettoyée par quelqu'un qui s'y connaît. Un pro.

Tiens, tiens, pensa Judith, *Kaiserley a des talents cachés*. Josef s'approcha, inspecta la plate-forme et huma l'air.

— Qu'est-ce qui pue comme ça ?

— Je ne sais pas encore.

Maike jeta un regard curieux à l'intérieur de la camionnette avant de s'éloigner de quelques pas pour téléphoner. Pendant ce temps, Dombrowski fit le tour du véhicule, examina les pneus et les ailes. La vue du rétroviseur explosé lui arracha un sifflement qui ne présageait rien de bon. Le pare-chocs avant semblait retenir toute son attention. Judith se rappela sa course folle sur la friche de la conserverie et le vilain bruit qu'avait fait la camionnette en frôlant le bord du trottoir. Elle attrapa sa sacoche de travail posée sur le siège passager. Maike le remarqua immédiatement. Il coupa la communication et revint.

— Permettez ?

Judith lui passa la sacoche. Il y jeta un œil, puis la lui rendit.

— Où est votre portable ?

— Chez vos collègues à Sassnitz.

— La camionnette est sous séquestre. Nous devons la faire examiner.

Dombrowski tendit l'oreille.

— Pas possible. Kepler en a besoin demain pour…

— Kepler n'a besoin de rien du tout, répliqua Maike sur un ton exagérément cordial. Car elle va maintenant me suivre pour faire une déposition, comprenant la liste complète de tous ses faits et gestes de ces dernières quarante-huit heures.

— Si vous permettez, j'aimerais d'abord prendre une douche et me changer.

— Bien sûr.

Judith lança la clé de voiture en direction de Dombrowski, qui naturellement manqua de réflexe et la laissa tomber par terre.

— Tu peux aller garer la camionnette ? J'ai encore un truc à faire.

— Là-bas, si possible. (Maike montra la place à côté des bennes à ordures.) Ce sera plus facile pour le remorquage.

Dombrowski écumait de rage.

Judith jeta un regard provocant à Maike, puis se hâta de disparaître derrière le baraquement. Elle entendit dans son dos Dombrowski appeler Josef, mais celui-ci leur avait déjà faussé compagnie. Elle s'arrêta et attendit le bruit du moteur. Elle avait quarante secondes, soixante à tout casser. Maintenant ou jamais.

Deux heures plus tard, Judith quittait la police judiciaire. Ç'avait été un jeu d'enfant. Elle s'était contentée de raconter à quoi elle occupait son temps en dehors des heures de travail : faire les courses, boire du vin, trier les cartons de livres, lire.

— Que lisez-vous en ce moment ?

— Calcul différentiel fractionnaire.

— Des maths ?

— De la physique.

Maike écrivit. L'expression de son visage donnait à penser que ce n'était là pour lui qu'un bobard de plus sur la liste.

— Qu'est-ce que vous me voulez ?

— Avez-vous tué Christina Borg ?

— Bien sûr que non.

— Et Irene Borg ?

— Qui est-ce ?

L'espace d'une seconde, ses nerfs avaient failli lâcher. *Malmö n'existe pas*, se répétait-elle. *Tu n'y es jamais allée. Ils veulent que tu te taises. Et ils te protégeront. Peu importe de qui ou de quoi.*

Maike sembla se contenter de sa réponse.

— Si je récapitule, vous êtes allée à Sassnitz pour détruire la tombe de votre mère, après quoi vous êtes retournée directement à Berlin.

— Oui.

— Juste pour bien vous comprendre : pourquoi ?

Maike n'était pas payé pour comprendre, mais pour prendre des notes. Judith soupira.

— Pour moi, une personne ne cesse pas d'exister simplement parce qu'elle est morte.

— Pour vous, comme pour les autres. On est tous comme ça. C'est justement pourquoi nous honorons la mémoire des morts, et ne la détruisons pas.

— La mort n'absout pas tout.

— La mort est la fin du crime et du châtiment.

— Ah oui ? Vous croyez ?

Maike la regarda dans le blanc des yeux avant de reprendre l'interrogatoire.

— Que vous a fait Marianne Kepler ?

— Consultez mon dossier du foyer, et vous le saurez.

— J'aimerais bien, mais il n'existe pas.

— Cherchez-le.

Mais, de grâce, pas dans mon appartement. Avant de rentrer chez Dombrowski, elle avait fait un crochet chez elle et glissé son dossier ainsi que le rapport d'enquête sur Borg dans un livre de photos sur la Toscane datant des années 1960. Maike lui tendit le procès-verbal pour signature, puis le rangea dans un classeur. Il lui fit signe qu'ils en avaient terminé. Judith se leva.

— C'est tout ?

— Pour le moment. Vous avez interdiction de quitter la ville et devez vous tenir à notre disposition.

— Bien sûr.

— Vous avez beaucoup d'amis.

Elle attendit encore un moment, curieuse de savoir s'il allait commenter cette phrase, mais il n'en fit rien. Elle aurait pu lui demander à qui il faisait allusion, mais jugea préférable de lui laisser croire qu'elle en savait aussi long que lui sur cette foule d'amis imaginaires.

16 h 30. Elle sauta dans le premier métro pour Marzahn et décida d'attendre. Elle avait rempli sa part du contrat. Aux autres maintenant d'en faire de même.

Peu après, Maike saisit le procès-verbal sur son ordinateur. De là, le rapport prit divers chemins. Il atterrit dans le système d'informations interne de la police, le POLIKS, de sorte que tous les collègues concernés par cette affaire y eurent accès. Un autre fichier arriva directement sur le bureau d'Ehrmann au ministère de l'Intérieur, qui le fit suivre à son tour aux services compétents d'Interpol et de la Chancellerie fédérale. Le « frein » dans le système d'information Schengen empêcha toutefois la transmission du fichier aux autres pays membres de l'Union européenne, notamment à la Suède. Ehrmann en personne le transféra au service qui avait ordonné le « frein ».

C'était le bureau des renseignements intérieurs à Schwerin.

Grâce au cheval de Troie quasi indétectable que Toto avait introduit *via* une fausse notification urgente dans le système POLIKS, une autre copie du P.V. atterrit instantanément sur son Toughbook. En même temps que l'avis de recherche bloqué concernant le meurtre d'Irene Borg à Malmö, le fichier parvint peu après à Kellermann, alors que celui-ci assistait à une réunion traitant de l'organisation du déménagement à Berlin et de la question de savoir si la crèche du BND avait besoin ou non d'ouvrir une petite section.

24

Let I
Shy cry
Under the light
Let I
Cry sight
A child at night…

Debout sur le balcon, Judith observait le ciel turquoise qui se parait d'étoiles comme une grande dame de son collier de perles. C'était l'heure suivant le coucher du soleil, une heure entre chien et loup. La ville au ralenti, fatiguée de la chaude journée d'été, goûtait un court moment de tranquillité avant la nuit.

Ses blessures lui refirent mal. Elle examina les paumes de ses mains et se sentit comme une crucifiée. Son corps avait été écorché vif par les épreuves des derniers jours. Mais son esprit, avivé par la douleur et l'absence de sommeil, avait atteint une clarté qui la transportait dans un état proche de l'apesanteur.

Moi, Judith Kepler.

J'avais une mère et un père. Et je pactise avec le diable pour savoir qui vous a tués.

Dans les appartements, les lumières s'allumaient. De l'autre côté de l'autoroute, quelqu'un accrochait des rideaux à sa fenêtre, au huitième étage d'un immeuble violet. Judith plissa les yeux pour mieux voir le petit carré lumineux. Une femme. Alors qu'elle s'apprêtait à tirer les rideaux, un homme s'approcha derrière elle et la prit dans ses bras.

Judith alla dans sa chambre à coucher. Elle s'allongea sur le lit et fixa la pleine lune. Puis elle ferma les yeux. Elle revit la lune de l'époque, dont les rayons jetaient une immense ombre en forme de croix sur le sol, juste au-dessus de son cœur. Youri Gagarine lui faisait un sourire, à elle, la cosmonaute qui cherchait dans le noir une planète perdue, pour enfin pouvoir y planter son drapeau.

Le lendemain matin, elle appela Josef et se fit porter malade. Elle baissa tous les stores, prit les deux derniers Rohypnol et passa la journée entière à dormir. La sonnette de la porte finit par l'arracher à son sommeil comateux. L'esprit confus, elle chercha le réveil à tâtons – 5 h 30. Du matin ou du soir ? Elle gémit, se tourna sur le côté, mais la sonnerie stridente s'obstinait à lui percer les tympans.

Elle se leva et tituba jusqu'à la porte. Les cachets faisaient encore effet – elle se sentait comme soûle, sans avoir profité des plaisirs de l'ivresse. Elle chercha péniblement l'Interphone, le combiné lui glissa de la main et se balança au bout de son fil juste au-dessus du sol. La sonnette retentit de nouveau. Au même moment, quelqu'un frappa à la porte. *Multi-tâches*. C'était trop pour sa petite personne. Laissant le combiné à son triste sort, elle jeta un œil à travers le judas.

Kaiserley.

Son cœur fit un bond. Après tout ce qu'elle lui avait envoyé à la figure à Sassnitz, elle ne s'était pas attendue à le revoir un jour. Elle ouvrit la porte, se baissa et saisit le combiné du bout des doigts. Après deux tentatives, elle parvint à le reposer sur son socle.

— Je vous ai réveillée ? Je suis désolé. Mettez quelque chose sur vous, j'ai à vous parler, c'est important.

Elle portait un simple tee-shirt, rien d'autre. Être tout près de lui ajoutait à sa confusion, mais elle mit son hébétude et sa faiblesse sur le compte du somnifère.

— Comment... (Elle cherchait ses mots, parler et penser ne s'étaient pas encore reconnectés l'un à l'autre. Sa voix était traînante.)... Comment m'avez-vous retrouvée ?

— Grâce à mon bureau d'état civil personnel. Permettez ?

Il passa devant elle. Frais comme un gardon et sentant honteusement bon. Une pure provocation. Elle ferma la porte et alluma la lumière du couloir. Trop tard. Un bruit sourd provenant du salon lui indiqua que Kaiserley avait dû trébucher sur quelque chose.

— Vous déménagez ?

— Non.

Le plafonnier s'alluma. Kaiserley s'était pris les pieds dans le vieux carton pourri, qui s'était déchiré, déversant quelques livres par terre. Intrigué, il se baissa et se mit à les empiler.

— *Le Don paisible*, *El Hakim*, *L'Homme au cheval blanc*... (Il leva la tête.) De la littérature du monde entier, et qui ne date pas d'hier. Vous faites commerce de livres anciens ?

Il pointa du doigt les autres cartons devant la bibliothèque. Elle se pencha et ramassa quelques volumes.

— C'est ça ou ça passe à la poubelle.

— Vous tenez une sorte de refuge pour livres abandonnés ?

Judith le toisa du regard, se demandant s'il se payait sa tête. Il fallait croire que non. Elle acquiesça. La parole lui revenait doucement.

— Et vous les avez tous lus ?

— La plupart. Ceux qui sont rangés.

Kaiserley s'approcha de la bibliothèque. Il inclina la tête afin de déchiffrer les titres inscrits au dos des livres, en sortant un de temps à autre, regardant la couverture, puis le remettant à sa place. Tout et n'importe quoi, elle en avait conscience. Les livres en disaient long sur l'esprit de leurs propriétaires. Et tout comme les personnes à qui ses livres avaient appartenu devaient être différentes, sa collection était disparate, faite de bric et de broc. D'*Orages d'acier* de Ernst Jünger jusqu'à *L'Honneur perdu de Katharina Blum*. Quelques classiques de la littérature RDA comme *La Trace des pierres* et *Les Aventures de Werner Holt*. *La Peau du loup* de Hans Lebert ou encore *Sous le volcan* de Lowry. Si le but de la visite de Kaiserley était d'en apprendre sur son compte en consultant sa bibliothèque, elle lui souhaitait bien du plaisir.

— Et donc ? demanda-t-elle. Qu'avez-vous appris sur moi ?

— Que soit vos choix sont totalement incohérents, soit votre soif de savoir est proprement inextinguible.

Elle alla dans la salle de bains et se mit sous la douche. De l'eau. Glacée. Elle se brossa deux fois les dents, et pourtant elle était toujours dans les vapes. Dans la cuisine, elle mit la cafetière en route. Par la porte ouverte, elle observa Kaiserley, plongé dans une édition quasi préhistorique du *Loup des steppes* de Hesse. Elle trouva le café, remplit le filtre, rajouta l'eau en en renversant la moitié à côté, puis alla chercher deux tasses dans le placard.

— Lait ? Sucre ?

Elle se demanda quand elle avait posé la dernière fois cette question à un homme à l'intérieur de ces quatre murs. Elle ne se rappelait pas.

— Lait. (Il la rejoignit, le livre à la main.) J'avais adoré ce livre, dit-il. Jusqu'à ce que j'apprenne qu'un ami, qui m'avait piqué ma première copine, l'avait lu et adoré aussi. Du coup, Hesse m'avait un peu déçu. C'est une erreur de croire qu'un livre n'est écrit que pour soi. Nous ne sommes jamais seuls au monde. Quels sont les critères qui déterminent votre choix ?

— Je ne choisis rien. Les livres viennent à moi.

Elle se détourna pour dissimuler sa fébrilité soudaine.

— Vous avez fait des études supérieures ?

— Avec un BEP ? Je ne vois pas comment.

— Vous devriez passer le bac. Il y a des cours par correspondance et des cours du soir qui sont très bien.

— Je n'ai pas le temps. Et puis, j'étais au courant. Mais merci quand même.

Elle s'adossa au réfrigérateur et attendit que le café s'écoule. Kaiserley retourna dans le salon. Il reposa le livre sur l'étagère, puis s'approcha doucement de sa collection de vinyles.

— Dis-moi ce que tu écoutes, et je te dirai qui tu es, lui lança-t-il.

— Hyperprétentieux.

— Mais la plupart du temps, on vise juste. Le monde s'est tellement appauvri. Pourquoi tolérons-nous qu'on nous supprime les livres et les disques ? En échange, on nous file des fichiers numériques. On ne peut tout de même pas emmener l'amour de sa vie dans les alpages suisses pour lui faire la lecture de la *Montagne magique* sur un e-book ?

— Et pourquoi pas ?

Il reglissa à sa place le microsillon qu'il tenait entre les mains. Santana, *Abraxas*, gravé en 1978. Elle versa le café et lui tendit un mug.

— Personne ne m'a jamais fait la lecture. Si ça n'avait tenu qu'à moi, on aurait pu me lire l'alphabet runique sur une plaque en ardoise.

— Et des cassettes ? Quelqu'un vous a-t-il déjà enregistré une cassette ?

— Pour quoi faire ?

— Pour vous dire ce qu'il pense, ce qu'il ressent ?

— Sur une cassette ? Quelle connerie.

Kaiserley secoua la tête en souriant.

— Non, pas un texte enregistré. Mais de la musique. Des chansons qui expriment ce qu'on ressent pour l'autre. Ce qu'on n'oserait peut-être jamais dire autrement. À l'époque, je passais des heures à réfléchir au choix et à l'ordre des morceaux, comme si ma vie en dépendait. J'ai encore quelques cassettes chez moi. Une fois tous les je ne sais combien, je les réécoute et je pense à…

— Oui ? À…

— Aucune importance. Fini.

Il but une gorgée de café et observa la pièce, comme si la bibliothèque, les cartons de déménagement et les meubles de récupération composaient un décor de théâtre, et qu'il se demandait quelle pièce allait être jouée ce soir.

— Personne ne m'a jamais fait de cassette, finit par dire Judith. Il n'y aurait eu que du *death metal* dessus, de toute façon.

— *Death* quoi ?

— Et vous, vous écoutez quoi ?

— Toujours de la musique qui me parle.

Son regard s'accrocha au sien. Judith maudit ses cachets. Elle se sentait faible et cela l'énervait. Sur un ton plus cinglant qu'elle le souhaitait, elle demanda :

— Et quel disque vous conviendrait, là ? Quelque chose de nostalgique, peut-être ?

Un bref instant, elle eut une peur bleue qu'il dise oui. On ne se parlait plus de la même manière après avoir discuté de musique et de livres. Kaiserley désigna la pile de disques.

— *Face à la mer.* Morcheeba et Les Négresses vertes.

— Pourquoi ?

— La mélancolie. Un cimetière marin. Ça colle, non ? Ça colle avec vous.

Un sourire furtif passa sur les lèvres de Kaiserley. Elle s'assit. Soudain, tout était différent. À la manière dont il la dévisageait, elle avait l'impression qu'il la connaissait. La connaissait vraiment.

— Vous n'êtes quand même pas venu pour me lire une histoire et me souhaiter bonne nuit ?

— Non.

— Alors… que voulez-vous ?

Il posa son mug de café. Judith se souvint combien les mains de Kaiserley lui avaient plu. Ses bras. Ses épaules. Son visage. Ses yeux si particuliers. Il y avait en eux de la douleur… du deuil… du…

— Qui était cet homme avec lequel vous avez parlé à Sassnitz ? À l'Hôtel Rügen. Le type du modélisme ferroviaire ?

Elle sursauta.

— Pardon ?

— Vous avez reçu un tuyau. Ne me mentez pas.

Elle s'efforça de ne pas montrer à quel point il l'avait blessée. Pendant un instant, elle avait oublié qui elle avait en face d'elle : un homme aux deux visages. Un manipulateur hors pair. Un chasseur obsédé par sa proie. Prêt à laisser croire à une femme de ménage qu'il pouvait lire dans son âme. Quelque chose en Judith se referma comme le clapet d'un poêle. Une douleur passagère, puis ce fut terminé.

— C'était qui ?

— Un modéliste ferroviaire.

— Arrêtez !

— Je n'en sais rien. Un type comme on en rencontre dans les hôtels. Ça arrive, il paraît. Tenez, il doit y avoir un Vicky Baum quelque part dans le tas. Je vous l'offre.

Elle indiqua la bibliothèque d'un signe de tête dédaigneux. Mais Kaiserley ne se laissa pas berner par sa manœuvre de diversion.

— Je connais cet homme. J'ai mis du temps à retrouver où je l'avais déjà vu.

— Où ? Dans la salle du petit déjeuner ?

— À Sassnitz. À la gare. Il y a vingt-cinq ans.

Angelina Espinoza était assise à la terrasse d'un café sur la Leopoldplatz. Le soir, la ville montrait son autre visage : insouciant, joyeux, presque méditerranéen. Angelina s'y plongeait avec délice, se laissant emporter par les belles créatures qui virevoltaient autour des lumières des bars et des restaurants, comme une espèce rare de papillons de nuit : bariolés, scintillants, dansant une parade nuptiale. Ses lunettes de soleil remontées dans ses cheveux sombres, elle observait la scène comme si c'était un film de Fellini.

Parfois, elle aurait bien voulu se poser enfin quelque part. Mais ce sentiment disparaissait toujours très vite lorsqu'elle voyait la jeunesse dans le visage de ces jeunes filles, leur soif infinie de vie, et quand elle constatait combien étaient rares les femmes de son âge à ne pas avoir renoncé à leurs ambitions.

La petite diode de son portable se mit à clignoter. Un fichier ultra-lourd. Un *livestream*.

Angelina suivit les flèches et vit apparaître sur le minuscule écran un appartement où deux personnes assises par terre bavardaient en buvant du café. La femme ne lui disait rien. Par contre, l'homme avait beau tourner le dos à la caméra, elle l'aurait reconnu entre un million. Elle mit son casque bluetooth – un machin horriblement laid, mais la meilleure technologie actuellement disponible sur le marché – et prit la conversation en route. L'homme semblait à la fois en colère et soucieux. Tiens, tiens. Le vieux renard aurait-il une nouvelle fois perdu son cœur ? Elle eut un sourire amusé, qui se figea dès la phrase suivante :

— Son nom d'agent était Stanz, Hubert Stanz, spécialiste des écoutes pour la Stasi à Schwerin.

— Comment le savez-vous ? demanda la femme.

— Je l'ai... Qu'est-ce qu'il vous veut, Stanz ? Ou devrais-je l'appeler le docteur Matthes ?

La main d'Angelina se mit à trembler. Elle jeta un regard inquiet autour d'elle, mais les clients des tables voisines étaient trop absorbés par leur propre personne.

Elle interrompit le *livestream*. Les pensées se bousculaient dans sa tête, trébuchant, se chevauchant. Les choses s'accéléraient. La situation menaçait de devenir incontrôlable. Elle réfléchit à toute vitesse, puis composa un numéro. Quelqu'un décrocha.

— Oh ! fit-elle d'une voix aimable, je suis vraiment désolée. J'ai dû faire une erreur. À une heure pareille en plus. Excusez-moi.

Elle coupa et fixa le numéro sur le petit écran dont la lumière s'éteignit tout doucement, tandis qu'un sourire, tout aussi doucement, glissait de nouveau sur ses lèvres.

Kellermann sortit de sa douche. Une serviette éponge enroulée autour de ses larges hanches, il alla dans le couloir. Éva y était. Elle le dévisagea. Il voulut prendre son portable et s'aperçut qu'elle le tenait dans ses mains.

— Quelqu'un vient d'appeler ?

C'était son portable de service, un appareil tabou pour elle. L'écran était encore lumineux.

— Non. (Elle le reposa dans la coupe en verre de Murano et resserra la ceinture de son peignoir.) Je voulais juste dire un petit bonsoir à maman.

Ce qu'elle faisait tous les soirs.

— Pourquoi tu ne prends pas ton portable ?

— Il a disparu.

— Disparu ? Depuis quand ?

Elle évita son regard.

— J'ai dû l'oublier chez le coiffeur cet après-midi. Ou dans le taxi. Je n'en sais rien.

D'un geste nerveux, elle se passa la main dans les cheveux.

— La salle de bains est libre ?

— Oui, dit-il en s'écartant pour la laisser passer. Fais attention, c'est mouillé.

— Tu veux dire, comme chaque fois que tu prends une douche.

Elle lui adressa un bref sourire.

— Éva ?

— Oui ?

Elle leva les yeux.

Il montra du doigt le chargeur branché près du portemanteau, et dont le câble serpentait jusqu'au meuble vide-poche.

— Ton portable est là.

Incrédule, elle s'approcha.

— Mon Dieu, mais oui ! Je ne l'avais même pas pris ! Dis donc… c'est la vieillesse qui commence.

Soudain elle le serra dans ses bras, si fort qu'il faillit perdre l'équilibre.

— Ne me quitte pas.

— Mais, ma petite Éva. Qu'est-ce que tu racontes ?

Elle se blottit contre lui.

— Encore quelques années, et la vraie vie commence.

— Tu es impatiente que cette fichue retraite arrive, hein ? dit-il en la prenant dans ses bras. Mais qu'est-ce que tu feras d'un type comme moi ? J'élèverai des pigeons voyageurs et je causerai aux radis.

— Ce sera fini, tout ça, conclut-elle doucement.

Elle se détacha de lui. Il la suivit du regard tandis qu'elle fermait la porte de la salle de bains derrière elle. Il n'avait pas envie que ce soit fini. Il voulait continuer. Partir, c'était s'arrêter, et s'arrêter, c'était… Il repoussa cette idée et attrapa machinalement son portable. Ce qu'il vit lui glaça les sangs. Éva avait pris un appel en numéro masqué. Elle avait menti. Et elle n'aurait eu aucune raison de le faire si cela avait été un appel professionnel.

Sa main balaya hâtivement l'écran jusqu'à ce que s'affiche sa messagerie personnelle. Les textos privés. Ceux que personne ne devait voir, car ils parlaient de volupté et de désir. Les avait-elle lus ?

Il entendit l'eau crépiter sur le bac de douche. Et lui, il était planté là dans le couloir, avec une serviette de bain autour des hanches et le monde qui s'écroulait dans sa main. Quelque chose était arrivé. Quelque chose que lui, le maître des mensonges, n'avait pas prévu : les fausses pistes qu'il avait si habilement multipliées s'étaient retournées. Contre lui.

Judith ouvrit la porte. Mais Kaiserley ne fit pas mine de partir. Les bras croisés, il se tenait sur le pas du salon, arborant de nouveau cette expression sévère qui durcissait sa bouche.

— Le docteur Sigbert Matthes, reprit-il. Sous le nom d'Hubert Stanz, spécialiste de psychologie appliquée auprès de la Stasi, bureau de Schwerin. Quand il a voulu s'installer à Potsdam après la chute du Mur et qu'aucune administration ne lui a retiré son autorisation d'exercer, tout le monde a crié au scandale. Qu'est-ce qu'il fiche à Sassnitz ?

— Je n'en sais rien.

Judith fit de son mieux pour paraître convaincante. Il manquerait plus que Kaiserley s'occupe à présent du cas de Matthes.

— Il m'a dit que si je le laissais tranquille, on me donnerait le nom de celui qui a fait arrêter mes parents. Alors, fichez-lui la paix, compris ?

— Ces gens sont aussi dangereux qu'à l'époque. Ils sont le dos au mur. Ils ne se laisseront pas intimider par quelqu'un comme vous.

— Parce que je ne suis qu'une technicienne de surface ?

Sa voix était rauque de colère. Kaiserley se décolla de la porte et s'approcha, si près qu'elle recula machinalement. Il leva la main. Elle sursauta. C'était plus fort qu'elle, un réflexe d'enfant battu.

— Non, parce que j'ai peur pour toi.

Sa main retomba. Elle voulut répondre quelque chose, mais l'oublia aussitôt qu'elle croisa son regard. *Non, non, non. Il fait semblant. Il joue encore.*

— Tu ne sais même pas ce que c'est que la peur, chuchota-t-elle.

Il baissa la tête, leurs lèvres étaient si proches qu'elle pouvait sentir son souffle.

— Oh ! que si, fit-il. Mon Dieu ! que si.

Il l'embrassa. Il embrassait bien. Sacrément bien. Et il ne s'arrêtait plus. Chaque fois que Judith s'apprêtait à dire quelque chose, il étouffait ses mots par cette parade irrésistible. Passion, confusion, chaleur. Plus autre chose qui soudain rendait tout si facile, si évident. Normal. Non, pas normal. Différent. Nouveau. Du désir, et plus que ça. Un élan profond, une force d'attraction les portant l'un vers l'autre, comme deux soleils dont les courses se seraient croisées après des millions d'années. Elle sentit sa résistance fondre.

Les mains de Judith parcoururent son corps, et tout ce qu'elles touchaient lui plaisait. Elle gémit quand, plus ardent, il la plaqua contre le mur. Il la voulait. Elle le voulait. Tout était authentique, et c'était la seule chose dont elle pouvait être certaine. Le faire, là, tout de suite, dans le couloir, l'un sur l'autre, l'un dans l'autre, en se traînant jusque dans la chambre. Elle sentit la chaleur envahir son corps, et un désir quasi insupportable.

Brusquement il s'arrêta.

Il la lâcha et recula d'un pas. Elle pouvait entendre sa respiration, haletante d'excitation, et le vit dans la pénombre se passer les mains dans les cheveux d'un geste désemparé.

— Je suis désolé.

— De quoi ?

Elle s'approcha de lui pour l'embrasser encore, mais il la serra dans ses bras et détourna la tête.

— Non. Je ne peux pas.

Judith fit glisser sa main sur son corps jusqu'à l'endroit dont la dureté prouvait sans doute possible qu'il mentait.

— Ne raconte pas d'histoires, ricana-t-elle.

Elle lui embrassa le cou, ses lèvres trouvèrent le chemin de sa bouche, presque machinalement.

— Judith… non. Je ne peux pas. Pas maintenant.

Il se détacha d'elle en douceur. Elle resta là, les yeux fermés.

— Soyons raisonnables. S'il te plaît.

Raisonnables. Génial. Judith attendit une seconde, puis deux, puis le planta là et retourna dans le salon. Chaque cellule, chaque nerf vibrait en elle de ses caresses. Elle chercha son tabac, ne le trouva pas, et se retint de balancer les deux tasses de café contre le mur, et Kaiserley avec. Elle se sentait parfaitement ridicule. Dire que quelques secondes plus tôt elle s'imaginait des éruptions solaires, et voilà qu'il la faisait passer pour une fille à moitié folle cherchant à tirer un petit coup vite fait.

— Ce n'est pas ce que je voulais.

T'en fais pas, mauviette. Tu iras à confesse dimanche. Mais sans moi. Elle trouva son tabac et sortit sur le balcon. Elle était tellement furieuse qu'elle dut s'y prendre à deux fois avant de réussir à s'en rouler une. Il l'avait suivi.

— C'est toute la différence, ajouta-t-il.

C'étaient quoi, ces nouvelles conneries ?

— Quelle différence ?

— À l'époque tu étais une enfant. Et je n'ai pas su te protéger. Et aujourd'hui… peut-être est-ce cela qui rend tout si compliqué.

Pour lui peut-être. Judith savait bien qu'elle ne faisait pas sur les hommes l'effet d'une plante délicate demandant à être dorlotée. Elle dérangeait, elle provoquait. Quand elle voulait quelque chose, elle le faisait savoir. Parfois même de manière trop brusque, trop téméraire. Peut-être que Kaiserley faisait partie de ces hommes qui ne savaient pas par quel bout prendre ce genre de femme. Dommage. Elle l'avait cru plus fort que ça. Elle alluma sa cigarette et tenta tant bien que mal de ravaler sa colère.

— Je ne suis plus une enfant. Et je n'y peux rien si tu n'as pas exercé tes instincts protecteurs sur tes propres enfants.

— Ce n'était pas ce que je voulais dire. Je n'ai pas de sentiments paternels.

— Dieu soit loué. (Judith souffla la fumée et suivit des yeux les volutes légères qui montaient dans les airs.) D'ailleurs, tu n'en avais pas franchement l'air.

Il se posta à ses côtés et regarda la Landsberger Allee en contrebas. Elle sentait son corps, pourtant à une bonne coudée d'elle. Dommage. Quel dommage.

— Les coups d'un soir, ce n'est pas vraiment mon genre.

Ça expliquait tout, bien sûr. Judith hocha la tête, mais ne répondit rien ; elle n'aurait eu que des sarcasmes aux lèvres. Les hommes étaient des petites choses fragiles. Un mot de travers, et ils vous tenaient responsable du fait qu'ils n'arrivaient plus à bander.

— Et toi ? demanda-t-il.

— Est-ce que je me pose la question de savoir si c'est un coup d'un soir ? On a envie, on le fait, c'est tout.

Et soit on s'en tient là, soit on recommence. Je n'ai pas d'idée préconçue dans ce genre d'affaire.

— Tu me fais dire ce que je n'ai pas dit.

Elle cligna des yeux pour l'observer à travers la fumée. C'était un chic type. Elle l'aimait bien. Elle aimait la manière dont les rides se formaient autour de ses yeux quand il souriait. Son allure athlétique, mais décontractée. Le léger hâle de sa peau. Et ses avant-bras musclés que découvraient les manches retroussées de son pull. Un coup d'un soir. Voilà la haute opinion qu'il avait d'elle. Quirin Kaiserley en pleine découverte de la moralité.

Reviens sur terre, bon sang, se dit-elle.

— On fait la paix ?

Elle lui tendit la main, qu'il saisit.

— La paix, mais à une seule condition. Je viens avec toi.

— Jamais de la vie.

— Je ne permettrais pas une nouvelle fois que quelqu'un…

Elle ne saurait jamais ce qu'il avait voulu dire. Son portable se mit à sonner. Elle lâcha sa main et se rua dans le salon.

— Oui ?

— Judith Kepler ?

Une voix chuchotante et rauque, qui lui fit froid dans le dos.

— Oui, dit-elle.

— Vous avez des projets pour ce soir ?

25

La maison semblait se cacher derrière les larges branches des sapins. Une maison de plain-pied, austère, en crépi gris, avec un auvent visiblement bricolé main. Le terrain était entouré d'une haute haie de lauriers-cerises. Seul le portail ménageait une vue sur le jardin et la façade.

Kaiserley gara la voiture de l'autre côté de la rue.

— Que dit le bureau d'état civil ? demanda Judith.

Kaiserley vérifia son portable.

— Toujours rien. Notre contact a déjà fini sa journée. Mais je pars du principe que Horst Merzig est son vrai nom. Aussi vrai que son CV à la Stasi.

— Tu pars du principe…

Kaiserley soupira. Il avait sa main droite posée sur le volant, et Judith songea que cette main, quelques instants plus tôt, avait… Elle ouvrit la portière et sortit. Dans sa vie, il n'y avait pas de place pour les sentiments. Ils pouvaient s'évaporer comme les noms ou les personnes. Et la folie de la guerre froide laissait supposer que ce Merzig, à qui ils s'apprêtaient à rendre visite dans son petit pavillon familial, avait été bien plus qu'un simple exécutant assis derrière son bureau.

Une lourde odeur de plantes en décomposition les accueillit. Banlieue. Compost. Pelouse à arrosage automatique, parterres de fleurs, grands arbres. Gazouillis des oiseaux. Le ciel avait cette teinte verte postcoucher de soleil que Judith aimait tant. On entendait au loin ronronner la B1. Un bruit comme un gros essaim d'abeilles rapportant le butin du jour à la ruche.

— Aucun ancien lieutenant-général de la IIe division ne vit de nos jours sous son nom d'emprunt.

Il se posta à ses côtés et inspecta rapidement les alentours. Des petits pavillons construits dans les années 1960-1970, dont la patine, avec le temps, avait effacé l'aspect de lotissement moderne. Des éclats de voix et de rires se mêlaient aux bribes de dialogues sortis des vieux téléviseurs à tube cathodique beuglant à côté des fenêtres ouvertes. Une odeur de saucisse grillée et de charbon de bois monta aux narines de Judith. Quelqu'un faisait un barbecue.

Est-ce qu'elle était déjà venue ici ?

Elle suivit Kaiserley de l'autre côté de la rue. La clôture en fer forgé était de fabrication est-allemande, sorte de contre-proposition ludique et petite-bourgeoise au style socialiste moderne. Bleue. Bleu ciel. Elle tendit le bras pour sonner, mais Kaiserley la retint. À côté de la sonnette, une petite plaque indiquait les initiales H. M. Le chemin vers l'auvent était en béton lavé, et sous l'avant-toit en vieux plastique ondulé se tenait un homme de taille moyenne, au physique noueux de jardinier. Mince, à la limite de la maigreur, le visage aux traits accusés, avec un léger bronzage qui respirait la santé. Ses yeux, petits et brillants comme des cailloux dans un ruisseau, presque cachés sous les pattes-d'oie, lui donnaient l'air d'être sur le qui-vive. *Comme un oiseau*, songea Judith malgré elle.

L'avait-elle déjà rencontré ?

Elle prit peur. Elle voulut faire demi-tour, s'en aller, tout en sachant qu'il n'y avait plus de retour possible. Elle n'avait que des hypothèses, rien n'était encore prouvé. Kaiserley la regarda. Elle ignorait ce qu'il pensait, mais c'était soudain rassurant de le savoir là.

S'avançant vers le perron, elle jeta un œil au jardin. Un rectangle, bordant la rue dans sa longueur, presque caché aux regards et très bien entretenu.

— Attention !

Elle faillit trébucher. L'homme s'approcha d'elle, souple comme un chat, et lui tendit la main. Judith la saisit. La main était froide et sèche.

— Madame Kepler ?

Une voix comme des feuilles de roseau : élégante, à la limite du murmure, bien que coupante sur les bords comme une lame de rasoir. De part et d'autre de sa bouche en faucille, ses joues caves formaient comme deux vallons escarpés sous son crâne. Difficile de lui donner un âge. La soixantaine mal portante, ou la quatre-vingtaine pétante.

— Horst Merzig. Enchanté de faire votre connaissance. (Frottements des feuilles de roseau, sèches, balayées par le vent.) Et vous ? Vous êtes ?

Il jeta un regard par-dessus l'épaule de Judith.

— Quirin Kaiserley. Journaliste.

Les lèvres minces de Merzig esquissèrent un sourire. Puis il tendit aussi la main à Kaiserley.

— Je suis vos publications avec grand intérêt. Peut-être aurai-je l'occasion de vous faire quelques remarques. De vous exposer mon point de vue.

Judith et Kaiserley suivirent Merzig dans la maison. L'endroit était conçu de manière à concentrer toutes les activités quotidiennes sur un même niveau : à gauche, la cuisine, à droite, la salle de bains, derrière, une chambre à coucher spartiate et, au bout du couloir, le salon. Les portes étaient toutes entrouvertes, comme si Merzig voulait montrer qu'il n'avait rien à cacher.

Le salon était meublé simplement : table basse, canapé, fauteuils d'une sobriété toute scandinave, une bibliothèque, une horloge, un bureau, le tout dominé par un aquarium surdimensionné, dont la lumière verdâtre baignait d'un éclat enchanté le rebord de la fenêtre avec ses plantes en pot. Les poissons, de la taille de truites, avaient des flancs argentés et brillants, striés de bleu profond. Ils bougeaient avec une élégance majestueuse.

— Mon violon d'Ingres.

La curiosité de Judith n'avait pas échappé à Merzig.

— Des perches soleils. Des poissons perroquets. Depuis que je suis à la retraite. Précisément, depuis l'été 1990. Prenez place, je vous prie. Vous m'avez l'air fatiguée.

Judith hocha la tête et choisit un fauteuil. Pour rien au monde, elle n'aurait voulu s'installer sur le canapé avec Kaiserley.

— Les derniers jours n'ont pas été de tout repos.

— Je suis au courant.

Merzig invita Kaiserley à s'asseoir à côté de lui sur le canapé, puis approcha un cendrier en cristal sur lequel était posée une pipe.

— J'espère que la fumée ne vous dérange pas. Dans mes propres murs, j'ai tendance à être un peu sans-gêne. Je ne reçois pas souvent.

Il ouvrit une tabatière et commença à bourrer sa pipe. Son calme affiché ne trompait pas Judith. Merzig était aux aguets. Il avait le regard affûté.

— Dans ce cas, je ne veux pas vous faire perdre votre temps, commença-t-elle. Le docteur Matthes…

Elle hésita et jeta un bref regard à Kaiserley. Que pensait-il du fait qu'elle se compromettait chaque jour un peu plus avec d'anciens cadres de la Stasi ? Son visage ne laissait rien paraître.

— … m'a dit que vous pourriez me donner certains détails sur l'opération Sassnitz au milieu des années 1980.

— Le docteur Matthes. (Merzig sourit et tapota les poches de son pantalon de velours délavé, beaucoup trop large pour lui, en quête d'une boîte d'allumettes.) Comment va-t-il ?

— Je ne le connais pas très bien, répondit Judith.

— Il dirige ce sanatorium, n'est-ce pas ? Saviez-vous qu'autrefois c'était une clinique psychiatrique ? Des fous. Pile à cet endroit, où les ferries en partance pour la Suède défilaient continuellement sous votre nez. Moi-même, j'aurais perdu les pédales.

— Un sanatorium ? s'enquit Kaiserley.

Il s'assit. Son genou frôla celui de Judith. Ce fut comme une minuscule décharge électrique. Elle changea de position pour s'écarter de lui.

— Quelle importance ? demanda-t-elle. Je ne suis pas venue pour parler du docteur Matthes, mais de vous. Qui étiez-vous ? Ou plutôt quel était votre rôle ?

— J'étais le chef du service de contre-espionnage.

— Vous avez signé des mandats d'arrêt ?

— Oui, en effet.

Judith prit une profonde inspiration avant de se lancer.

— Ceux contre Irene Sonnenberg et son mari ?

— Possible.

— Et… contre Christina Sonnenberg ?

Une petite étincelle brilla dans les yeux de Merzig. Peut-être n'étaient-ce que les reflets de l'allumette qu'il tenait devant sa pipe.

— Non. Nous n'arrêtions jamais les enfants.

— On les plaçait dans des foyers, dit Judith, s'efforçant de cacher à quel point son calme affiché la blessait. Comme… au hasard… le Gagarine.

Merzig souffla sur l'allumette. Un petit nuage de fumée flotta dans la pièce, une odeur de bois et de terre.

— Une institution exemplaire. Vraiment. Rien à voir avec ces centres fermés qui existaient à l'époque. Des éducateurs très engagés, si mes souvenirs sont exacts.

— Je veux savoir ce qui s'est passé cette nuit-là. J'ai tenu parole. À vous de tenir la vôtre.

— Judith Kepler, dites-vous ? demanda Merzig.

Judith hocha la tête.

— Vous voulez vraiment savoir comment sont morts vos parents ?

— Oui, murmura Judith.

Sa main avança discrètement vers son sac à main, où elle sentit le métal froid et dur.

26

Berlin-Lichtenberg, ministère de la Sécurité d'État, Normannenstrasse, angle de la Gotlindestrasse, bâtiment 2, IIe division, contre-espionnage, 1985.

C'était un mardi, une douce journée d'août. L'air pénétrait par les fenêtres grandes ouvertes, apportant des parfums de foin coupé et de bitume fondu. Le lieutenant-général Horst Merzig se leva de son bureau et jeta un regard vers la colline des maréchaux, ainsi qu'on appelait la cantine du ministère. Il était peu après midi, et le menu de la semaine annonçait de la purée de pomme de terre, du poisson frit et des gros cornichons. Pas vraiment le régime conseillé par le médecin du travail lors de la dernière visite de contrôle. Plus de légumes, moins de graisses, avait-il dit. Au cours de la cinquantaine commencent les petits bobos de la vieillesse. Merzig savait qu'il trimbalait dix bons kilos de trop, mais depuis que sa femme était morte, il ne mangeait plus qu'à la cantine. Le gratin de chou y était exquis. Et comme au MfS on travaillait pour ainsi dire vingt-quatre heures sur vingt-quatre, la cantine y était ouverte du matin à l'aube jusqu'à tard le soir. Il mangeait plus qu'il ne fallait, plus qu'il ne devait. Il lui était parfois arrivé de se mettre à la diète, mais les dames de service, ayant percé à jour ses molles tentatives, s'étaient fait un malin plaisir à lui servir chaque fois une boulette supplémentaire avec des oignons rissolés dans du beurre. Et il avait l'habitude depuis l'enfance de finir son assiette. Merzig ne se sentait à peu près bien qu'une fois le ventre plein.

Mais ce matin-là, ce n'était pas son ventre creux qui lui faisait attendre avec impatience l'heure de la pause-déjeuner. C'étaient les nouvelles inquiétantes qu'il venait d'apprendre à l'instant.

Entre autres attributions, il était chargé de la sécurité intérieure du MfS. Plus que de prévenir les dangers susceptibles de menacer leurs propres rangs, il s'agissait d'assurer la protection des collaborateurs, professionnels ou informels, ainsi que de leurs familles. C'est donc sans préparation particulière, et sans se douter de ce qui les attendait, que lui et le capitaine Kauperth, l'un de ses plus proches et plus anciens collaborateurs, s'étaient rendus à la réunion de routine dans le bâtiment 1, afin de faire le point de la situation.

Un petit groupe s'était réuni dans la salle de conférences du cinquième étage pour prendre connaissance des derniers rapports venus d'Allemagne de l'Ouest. Leur source basée à Bonn les leur faisait parvenir en chaque début de semaine avec une ponctualité à toute épreuve. Outre la satisfaction d'en savoir autant que le chancelier de la RFA et ses proches conseillers, on était de ce fait assuré d'avoir toujours une longueur d'avance.

Ce matin-là, à 8 h 15, trente minutes tout juste après s'être fait servir le petit déjeuner dans son cabinet privé par la camarade Dresgow, le ministre de la Sécurité d'État, assis au bout de sa table lustrée, avait la mine renfrognée des mauvais jours. Plus encore que de coutume, sa tête lui rentrait dans les épaules, et son visage bouffi était figé comme la pierre. Ses yeux formaient deux petites fentes, sa bouche un trait. Lui, l'homme le plus puissant de la République démocratique d'Allemagne, et lève-tôt notoire, attendit que tous eussent pris place dans les fauteuils en simili-cuir. Merzig s'était assis en face de Fröde, le responsable de la XIIe section, qui fuyait son regard et fixait le plateau du bureau comme s'il venait de se faire assommer par une prise de karaté.

Markus, dit « Mischa », Wolf, le chef des renseignements extérieurs de RDA démasqué par l'hebdomadaire ouest-allemand *Der Spiegel*, manquait à l'appel. Prétendument pour des raisons de santé, mais les ragots allaient bon train. On colportait que Wolf avait des soucis d'ordre privé, et dans cette administration, hydre à mille têtes, même Hercule aurait été impuissant à faire taire les rumeurs.

Tous les autres étaient présents.

— Merzig, grinça le ministre en lieu et place de salut.

S'adresser à ses collaborateurs sans nommer leur grade était une de ses lubies, mais ce matin-là sa voix était plus sèche encore que d'habitude.

— Vous contrôlez la situation ? demanda-t-il.

— Oui, monsieur le ministre.

— Permettez-moi d'en douter. Car alors, comment expliquez-vous que le fichier complet de notre service des renseignements extérieurs tombe la semaine prochaine entre les mains de l'ennemi ?

Merzig déglutit. Il croyait avoir mal entendu et regarda Fröde, qui était toujours assis là comme si sa vie ne tenait plus qu'à un fil. À cet instant, chacun d'entre eux aurait préféré avoir des soucis d'ordre privé, s'ils avaient pu leur éviter de se faire décapiter sous les yeux de tous.

— Je ne comprends pas.

Le ministre tapa du poing sur la table. Tous sursautèrent. Dans la salle étaient réunis les douze chefs de service et leurs adjoints, des camarades devant lesquels n'importe quel citoyen de ce pays claquait des talons. Mais quand ce petit bout d'homme, ce nabot qui collectionnait des figurines en pâte à modeler confectionnées par des enfants de maternelle, tapait du poing sur la table, c'en était fini de leur autorité. Fröde était blanc comme un linceul. Et sous la chaise de Merzig, un gouffre venait à l'instant de s'ouvrir.

— Excusez-moi, fit Kaiserley, interrompant les souvenirs de Merzig. Les informations venaient de Bonn ?

Merzig haussa les épaules.

— La réunion du mardi matin était traditionnellement consacrée au rapport du coordinateur des services secrets auprès du chancelier de la RFA. Je ne sais pas par combien de mains ce rapport passait avant de nous parvenir. Toujours est-il qu'il contenait la quintessence des activités des services ouest-allemands, BND, service de contre-intelligence militaire et renseignements intérieurs réunis, de la semaine précédente.

— Bonn, et alors ? On s'en fiche, s'énerva Judith. Après tout c'était la capitale.

Kaiserley voulut lui donner une explication, mais Merzig fut plus rapide.

— Vous poursuivez tous les deux des buts différents. Monsieur Kaiserley veut savoir qui a trahi l'opération auprès de la Stasi. Vous, madame Kepler, vous voulez en apprendre davantage sur vos parents. Peut-être pourriez-vous vous mettre d'accord sur ce que vous attendez de moi.

— C'était qui ? éclata Kaiserley.

— Une secrétaire. L'une des meilleures sources que nous ayons jamais eues. Enrôlée par un Roméo au nom de code Saphir.

— Saphir a été démasqué. À peu près un an plus tard. Et avec lui toutes ses sources.

— Encore un point sur lequel nous pourrions débattre, très cher monsieur Kaiserley.

Judith leva la main.

— Un instant. Explication de texte. Qui est Roméo ?

— Un Roméo était un tombeur employé au service de la Stasi, qui usait de ses charmes pour amener des femmes seules, de préférence secrétaires particulières d'un homme haut placé, à lui confier des secrets.

Kaiserley jeta un bref regard vers Merzig, lequel confirma d'un hochement de tête. Judith comprit qu'elle était en présence de deux hommes qui s'étaient longtemps cherchés et enfin trouvés. Barricadés chacun de son côté du front, mais professionnellement sur la même longueur d'onde. Pourquoi Kaiserley obtenait-il toujours si facilement ce qu'il voulait, tandis qu'elle ramait comme une folle pour recueillir la moindre information ? Merzig semblait prendre plaisir à ce combat de coqs. Et Kaiserley tout autant.

— Saphir était un des meilleurs espions qui soient. Ses activités opérationnelles remplissent plus de soixante classeurs. Il n'y a rien qu'on ignore.

— Dans ce cas, monsieur Kaiserley, vous devez aussi savoir qui étaient ses sources. C'est aussi simple que ça.

— J'ai les dossiers…

— C'est aussi simple que ça, dit Judith, répétant les mots de Merzig sur un ton acerbe. Vous avez votre traître. Une dactylo. Je peux continuer ?

— Ce n'était pas une secrétaire ! L'opération était top secrète. Même le coordinateur des services secrets n'était pas au courant de ce qui était exactement prévu.

Merzig souffla un nuage de fumée bleue vers le plafond.

— C'est que vous sous-estimez sacrément ce garçon. Monsieur Kaiserley, parfois les idées les plus simples sont aussi les plus géniales. Avez-vous vu le film *Romeo* ? Avec Martina Gedeck et Sylvester Groth ? Saphir, c'est lui.

— Je connais ce film, dit Judith. La femme a été anéantie par ce qui lui est arrivé.

Merzig sourit avec mansuétude.

— Ne croyez pas tout ce qu'on peut vous raconter en quatre-vingt-dix minutes. On a tous besoin d'un peu d'opérette. Continuons, voulez-vous ?

Kaiserley hocha la tête. Il avait l'air déconcerté, accablé. Une secrétaire. Une jeune femme qu'un amant aux ordres de la Stasi avait menée à sa perte. Pas une Mata Hari. Pas même une militante agissant par conviction politique. Juste une femme amoureuse, naïve. Était-ce possible ? Il ne semblait pas convaincu.

Merzig tira sur sa pipe, se repaissant de voir Judith sur des charbons ardents. Le moment était venu de l'emmener dans le Q. G. de ces hommes en gris qui avaient décidé du sort de ses parents.

— Wildgruber ?

Le capitaine Wildgruber était l'un des adjoints de Fröde. Un de ces jeunes loups fringants, si différents de la vieille garde qui avait connu la guerre, le régime nazi, la chute, puis la difficile résurrection ; qui avait cru en une Allemagne nouvelle, meilleure, un pays où chacun aurait sa place, sans distinction de classe. Ce pays, il avait fallu le protéger de l'ennemi impérialiste qui partout guettait, prêt à empoisonner par sa propagande les cerveaux de la jeunesse, et qui dansait, triomphant, sur sa montagne de biens de consommation, comme devant le veau d'or.

Wildgruber était de la génération d'après-guerre. Il avait mené des études brillantes à la faculté de droit de Potsdam, à la suite de quoi sa carrière avait suivi une pente exponentielle qu'il avait gravie avec aisance, et dont il venait à cet instant d'atteindre le sommet avec une satisfaction toute contenue. Il ne lui suffisait plus que de marcher sur la dépouille mortelle de Fröde. Ce qui comptait pour Wildgruber n'était pas le socialisme ; c'était la victoire. Il aurait fait carrière dans n'importe quel autre ministère au monde.

Wildgruber se racla la gorge. Tous ceux qui n'étaient pas directement concernés par cette catastrophe qui secouait la XIIe section levèrent la tête et dressèrent l'oreille. Les autres regardèrent dans le vide, comme paralysés.

— Nous possédons des informations indiquant que certaines copies de la dernière génération de nos archives microfilmées seraient en passe de sortir du territoire national. Pour des raisons évidentes, je n'entrerai pas dans les détails. Sachez seulement qu'une collaboratrice de notre section, animée d'une énergie criminelle hors du commun, a manifestement réussi à sortir pendant une assez longue période ces copies de notre service pour les proposer *via* un intermédiaire aux services secrets de l'Ouest, au premier rang desquels la CIA et le BND.

— Impossible ! s'écria Merzig.

Chuchotements et murmures à la ronde.

— Nous ne parlons pas de l'ensemble de nos contacts à l'étranger, non. Cette personne n'a filmé que les fiches de renseignements qui pouvaient être attribuées à un agent précis. À notre connaissance, cela représente trois mille sept cent quatre-vingt-deux Éclaireurs de la paix qui sont ainsi livrés en pâture.

Les murmures montèrent d'un cran. Merzig entendait le sang bourdonner dans ses oreilles. Une collaboratrice de la XIIe section… Il regarda du côté de Fröde.

L'ampleur de cette haute trahison dépassait l'entendement. L'homme avait besoin d'un verre d'eau, ou d'un docteur. Il était à deux doigts de tourner de l'œil.

— En contrepartie, la République fédérale fournira aux traîtres trois passeports et les exfiltrera du pays avec l'aide de la CIA.

— Trois ? chuchota Merzig, manquant de suffoquer.

Les autres échangèrent à leur tour des regards incrédules.

— Kauperth ?

Merzig tressaillit. Pourquoi le ministre s'adressait-il à son adjoint, et non pas directement à lui ? Kauperth se racla la gorge. Sa pomme d'Adam sautillait de nervosité, mais sa voix était ferme.

— Je n'ai eu connaissance de cette affaire que ce matin. Mais entre-temps, j'ai pu joindre les collaborateurs chargés du dossier à Schwerin. Le plan des traîtres est aussi simple que perfide. Ils se retrouveront dans le même train que les espions ennemis. Une intervention est…

Merzig voyait les lèvres de Kauperth remuer, mais n'entendait plus rien. Son regard balaya les visages des autres hommes. Tous écoutaient avec attention et gravité les explications de Kauperth. Il s'arrêta sur celui de Wildgruber, qui avait du mal à cacher un petit air de triomphe. Puis, à sa gauche, sur celui de Kauperth, son collaborateur, qui parlait sans discontinuer avec une faconde que Merzig ne lui avait encore jamais vue, les yeux brillant d'un zèle mal dissimulé.

— Pourquoi vous ne les arrêtez pas sur-le-champ ? aboya le nabot.

Kauperth hésita. La remarque du ministre lui fit perdre un instant ses moyens.

— Parce que alors nous n'apprendrons jamais où se trouvent les copies. Et il ne faut en aucun cas qu'elles quittent le pays.

Le ministre fronça les sourcils. Merzig se doutait de ce qu'il pensait. Supplice de la goutte d'eau, quartier d'isolement, blanc-seing autorisant toutes les méthodes d'interrogatoires – il y a vingt ans, ç'aurait été une évidence. Mais les temps avaient changé. Aujourd'hui, il fallait se montrer plus subtil. Aujourd'hui, plus question d'étrangler les dissidents sur un parking dans la campagne du Brandebourg. Aujourd'hui, plus question d'enlever les ennemis ni de les abattre ni de les supprimer de quelque manière que ce soit. On appliquait d'autres méthodes pour en venir à bout. Quant à savoir si celles-ci étaient plus efficaces, c'était là un sujet de discorde entre les anciens et les réformateurs. Merzig se situait quelque part au milieu. Il ne s'était jamais vraiment fait aux méthodes brutales.

— Nous devons attendre que les espions se manifestent, poursuivit Kauperth. Ils seront dans le même train. Si nous intervenons trop tôt, nous n'aurons que les traîtres. Mais si nous les arrêtons au moment de la remise, nous prendrons aussi les agents ennemis dans nos filets. Ce sont des pointures de la CIA et du BND, qui valent cher.

Le ministre aspira l'air entre ses lèvres serrées, émettant un couinement de ballon qui se vide. Il devait déjà être en train de calculer combien de marks allait coûter aux Allemands de l'Ouest le rachat de leurs agents. Ou combien de citoyens de la RDA détenus pour espionnage dans les prisons ouest-allemandes pourraient, dans un prochain échange, traverser le pont de Glienicke.

— Merzig ?

Tous les regards se tournèrent vers lui.

— Mandats d'arrêt. Aujourd'hui même.

Merzig hocha la tête. Il connaissait presque par cœur les formulations standard pour désertion de la République et haute trahison. Se trompait-il ou le ministre le fixait-il plus longtemps que nécessaire ? Non. Celui-ci se tournait à présent vers Wildgruber, qui s'était un peu écarté de Fröde.

— Donnez les noms au lieutenant-général Merzig. Compris ?

Les yeux clairs et vigilants de Wildgruber étincelèrent.

— Messieurs ?

Le nabot se leva. Comme à la table de l'empereur, les autres firent de même, puis attendirent que le ministre eût quitté en premier la salle de conférences pour se mettre en mouvement. Merzig resta immobile et vit soudain Wildgruber à ses côtés.

— Je souhaiterais vous dire une ou deux choses, lui dit le jeune capitaine.

Sa voix, à l'instant encore claironnante comme dans une cour de caserne, s'était baissée jusqu'au murmure.

— Au sujet des noms ?

— Oui. Il y a une circonstance dont vous devez être informé.

Merzig s'empressa de gagner le couloir. La moquette avalait le bruit des pas. Le gros de la troupe descendait l'escalier, les vieux de la vieille patientaient devant les ascenseurs. Merzig se joignit à eux.

— Je n'ai pas besoin de vous rappeler que tout ceci est top secret, dit-il. La situation est très claire, et je ne veux pas ni ne dois en savoir plus.

Wildgruber s'arrêta. Merzig, qui ne voulait pas paraître malpoli, se tourna vers lui.

— Ce cas est différent, insista le jeune homme, en regardant par-dessus l'épaule de Merzig pour s'assurer que personne ne pouvait entendre leur conversation. Aimez-vous les saucisses de Thuringe ?

— Oui, commenta Kaiserley. C'est ainsi que je me suis toujours imaginé ce genre de réunion.

Merzig semblait se barricader derrière son écran de fumée. Judith n'arrivait pas à savoir si le souvenir de ce jour particulier le touchait et, si oui, de quelle manière.

— Donc, c'est vous qui avez signé les mandats d'arrêt contre mes parents ?

— C'était mon travail. Ils étaient accusés d'avoir préparé une sortie illégale du territoire national de la République démocratique en enfreignant toutes les lois en vigueur. Sans compter les chefs d'accusation de trahison et de haute trahison. À l'époque, c'était encore passible de la peine de mort.

Judith sentit qu'elle recommençait à trembler. Mais ce n'était plus, cette fois, un symptôme de manque : elle prenait conscience de l'ampleur du danger auquel ses parents s'étaient exposés.

— Elle n'a été abolie qu'en 1987, dit Kaiserley. Le dernier exécuté s'appelait Werner Teske, un commandant de la Stasi qui avait tenté de passer à l'Ouest.

— Qu'avez-vous fait ensuite ? demanda Judith.

Tout, dans ce salon petit-bourgeois avec ses splendides poissons, produisait un effet étrange et irréel. Elle avait l'impression de gaver de jetons un automate pour lui faire cracher ses informations.

— Nous leur avons laissé croire que personne n'avait eu vent de leurs préparatifs de fuite. Nous savions que le premier contact direct avec l'ennemi n'aurait lieu qu'à Sassnitz. C'est pourquoi nous devions à tout prix empêcher les traîtres de quitter le wagon.

— Ne les appelez pas ainsi.

Merzig haussa les sourcils.

— Comment les auriez-vous appelés, s'ils avaient été des citoyens de la RFA et avaient emporté le fichier complet des noms des agents ouest-allemands en RDA ?

— Il n'y a jamais eu d'agent du BND en RDA, rétorqua Kaiserley.

— Affirmation intéressante, mais nullement exacte. Encore un point dont nous pourrions débattre ultérieurement. (Merzig saisit un petit instrument en argent et fourragea dans sa pipe.) Comme vous voulez, appelons-les vos parents, madame… Kepler.

Judith hocha la tête. Elle avait un mal fou à garder son calme.

— Les collègues de Schwerin ont pris l'opération en main. Autrement dit, tout ce que je vais vous dire, je le tiens de mon souvenir d'une copie du dossier que le bureau local avait bien voulu me transmettre.

— Où est l'original ?

— Il n'existe plus.

— Passé au broyeur ?

— Tout. Monsieur Kaiserley pourra vous le confirmer.

Kaiserley acquiesça et précisa :

— Et aussi notre ami commun, le docteur Matthes. Il reste cependant des sacs en plastique entiers dont le contenu peut encore être reconstitué.

— Je vous souhaite bien du plaisir, répliqua sèchement Merzig. À chaque pays les mesures d'aide à l'emploi qu'il mérite.

Judith se retenait de sauter de son siège pour flanquer une bonne claque et faire voler sa pipe à ce nain de jardin arrogant. Il semblait se réjouir de pouvoir exercer une dernière fois son pouvoir. Un roi déchu, arpentant tête haute la chambre aux trésors de sa mémoire.

— Que s'est-il passé à Sassnitz ?

Merzig tourna les yeux vers l'aquarium. Deux perches nageaient en rond, et leurs mouvements élégants offraient une chorégraphie d'une beauté féerique.

— Votre mère a voulu monter avec vous dans la voiture directe à destination de Malmö. Si elle avait réussi, il aurait été trop tard pour vous arrêter. Le contrôleur suédois avait été soudoyé par le BND, mais la Stasi avait surenchéri, de sorte qu'il ne vous a pas laissées passer et vous a livrées immédiatement à la police des frontières.

— Où se trouvait mon père ?

— Dans la voiture directe pour Malmö.

— Comment a-t-il pu monter dedans ? Il avait un visa ?

— Je pensais que vous étiez au courant. Il était citoyen de la RFA, chargé de missions très spéciales.

Le silence qui s'ensuivit fut tel que Judith pouvait entendre le tabac se consumer dans la pipe de Merzig. Ces derniers mots résonnaient dans sa tête comme des coups de marteau.

— Il était..., commença-t-elle d'une voix blanche. (Elle se tourna vers Kaiserley.) Un citoyen de la RFA chargé de missions très spéciales ? Ça veut dire quoi ?

Kaiserley évita son regard. Ce fut Merzig qui lui donna la réponse.

— Richard Lindner était avec Saphir l'un des meilleurs Roméo que nous ayons jamais eus.

27

Sur la terrasse de sa villa, Kellermann regardait d'un air attendri les deux rosiers qu'il avait plantés avec Éva derrière la maison lors de leur emménagement. Ils avaient eu alors tout au plus quatre ou cinq bourgeons. Aujourd'hui les branches grimpaient des deux côtés de la porte-fenêtre pour presque se rejoindre au milieu du linteau. L'année prochaine, avait affirmé Éva, les deux n'en formeront plus qu'un.

Cet été-là avait été très chaud, tout comme cette année. D'un geste de la main, elle avait écarté les cheveux de son visage, laissant sur ses joues des traces de boue et de terre, que Kellermann avait affectueusement essuyées. Il l'avait prise dans ses bras et avait contemplé sa maison. Son château fort, sa forteresse. Les hauts murs qui entouraient le terrain. Le système d'alarme. Les deux chiens, patauds, qui jouaient sur la pelouse, mais qu'un simple ordre de sa part transformait en véritables bêtes féroces.

Il s'était senti en sécurité. Il avait fait tout ce qu'il avait pu pour empêcher le monde extérieur de pénétrer ici. Il avait même vendu son âme. Mais vingt ans plus tard, il se sentait comme Faust avec son pacte : bien forcé de reconnaître qu'il avait été trompé, qu'il avait tiré la courte paille.

Il rentra dans le salon par la porte-fenêtre. Les soirées commençaient à fraîchir, un changement bienvenu après cette interminable canicule estivale. Le doux chuintement de l'arrosage automatique parvenait à ses oreilles. 19 heures pile. Il s'accorderait bien un petit whisky, en espérant être déjà endormi au moment où Éva rentrerait. Il se dit qu'avec le temps un autre ennemi s'était introduit insidieusement dans son existence : l'habitude, qui laissait s'écouler la vie sans accrocs, paresseusement, lui gommant toutes ses aspérités, la polissant peu à peu pour la laisser comme un galet tout lisse et tout brillant. Ne restait plus alors, pour tout sentiment, qu'une vague gratitude.

Son portable sonna. Toto. Si tard. Il hésita à prendre l'appel. Il était fatigué de toute cette chasse. Il finit par décrocher.

— Oui ?

— Vous n'avez pas reçu mon mail ?

Toto avait l'air à cran, à bout de souffle.

— Quel mail ?

— Je vous ai envoyé cet après-midi un message, avec une pièce jointe.

— Un instant.

Kellermann vérifia sa boîte mail.

— Je n'ai rien reçu.

— Impossible. 16 h 42.

— Je rappelle.

Kellermann raccrocha et fouilla la boîte de réception. Rien. Un sentiment désagréable s'empara de lui. Il ouvrit la corbeille électronique et y trouva le mail. Quelqu'un l'avait lu, puis supprimé. La pièce jointe était intacte. Kellermann restaura le message et la pièce jointe, puis lut le texte en diagonale, ne sachant pas ce qui l'inquiétait le plus : son contenu ou la question de savoir comment il avait pu atterrir dans la corbeille. Il composa le numéro d'Éva, mais elle ne décrocha pas. Quand son répondeur se mit en route, il coupa.

Toto avait tracé Kaiserley. Il avait découvert où se trouvait ce fou et, ce faisant, ouvert la boîte de Pandore. Kaiserley était chez Merzig. Ce qui signifiait que… le pouls de Kellermann s'accéléra, ses pensées se bousculèrent. Des choses qui auraient dû rester enfouies sous la glace pour toute éternité se mettaient en mouvement.

Kellermann se versa un double au bar. Il but une grande gorgée, puis regarda le portable qu'il tenait toujours à la main. Il hésitait à le balancer contre le mur.

Où était Éva ?

Je vais retrouver une amie au Bayerischer Hof. Ne m'attends pas. Je risque de rentrer tard.

Le texto était arrivé sur son téléphone à 16 h 44. Un sombre pressentiment l'envahit et lui glaça les sangs. Elle avait lu les messages qu'il avait écrits à Angelina. Son portable était comme un livre ouvert. Et si elle avait lu plus loin, alors elle savait aussi pour Sassnitz. Elle savait qu'il avait tout fait pour empêcher le pire. Et que Kaiserley était en train de tout foutre en l'air.

Kellermann laissa choir l'appareil et l'écrasa du pied. Le portable glissa par terre comme sur du verglas. Il le piétina et l'envoya d'un coup de pied contre le mur, où il finit par tomber en morceaux et rendre l'âme. Kellermann avait renversé son whisky. Le souffle lourd, il se reversa à boire, puis rappela Toto.

— Tu dois retrouver Éva.

— Quoi ?

Kellermann prit une profonde inspiration. Comment expliquer l'inexplicable à un blanc-bec pareil ? Lui dire qu'on pouvait aimer et tromper quelqu'un en même temps ? Et que par conséquent certaines choses avaient refait surface qui allaient tous les détruire ?

— Éva, dit-il. Éva Kellermann. Il faut que je sache où elle se trouve.

Il raccrocha. Plus aucun secret n'était sûr.

— Un Roméo ?

Judith bondit de son siège. Elle avait le sentiment d'étouffer dans cette pièce exiguë.

— Qu'est-ce que c'est que ces conneries ? À quoi jouez-vous, tous les deux ?

— Il voulait s'arrêter, expliqua Kaiserley. Alors il a pris contact avec nous lors du Salon de la photographie à Budapest. Nous l'avons fait venir à Berlin, où nous avons élaboré un plan pour sortir sa femme, son enfant et le fichier du pays. Ensuite il est rentré en RDA et a continué à se faire discret. Nous avions prévu de mener l'opération au moment de la foire de Hanovre. Lindner devait s'y rendre comme représentant de la VEB Carl Zeiss Iéna. Et moi aussi. Nous nous sommes rencontrés. J'avais pour mission de l'accompagner à Sassnitz et de lui apporter ses nouveaux papiers d'identité : Richard Borg, citoyen suédois détenteur d'un passeport ouest-allemand. Muni de ce passeport, il est allé avec moi à Berlin-Ouest, et le lendemain notre train repartait de la gare de Zoologischer Garten à Berlin, pour nous conduire à Sassnitz.

Merzig vida sa pipe au-dessus du cendrier :

— Il était devenu un agent double. Le pire cauchemar de tout service secret.

— Depuis quand étiez-vous au courant ?

— Depuis ce fameux mardi d'août.

Berlin-Lichtenberg, ministère de la Sécurité d'État,

Normannenstrasse/Gormannstrasse, bâtiment 22, 1985.

La cantine était une salle lumineuse et fonctionnelle, divisée en un côté libre-service et un côté restaurant, pour lequel il fallait réserver. Elle pouvait contenir jusqu'à deux cents couverts mais, la plupart du temps, elle était à moitié vide, car l'accès était exclusivement réservé aux hauts gradés. Merzig avait attendu Wildgruber dans son bureau. Ensemble ils avaient gravi la colline.

— Laissez. C'est pour moi.

Wildgruber sortit son porte-monnaie et régla l'addition de 2,74 marks. Il posa les deux assiettes sur un seul plateau, le prit et se mit en quête d'une place loin des autres clients. Merzig le suivit tout en sentant croître son aversion à l'égard de cet homme.

— Voulez-vous boire quelque chose ? Une bière ? Radeberger ?

— Non merci.

D'un geste, Wildgruber signifia à la jeune serveuse qui s'apprêtait à rejoindre leur table de ne pas les déranger. Elle fit demi-tour et se consacra aux autres clients. À deux tables d'eux, Merzig reconnut le major Henze en compagnie du colonel Zwedylla. Il les salua d'un signe de tête, mais Henze ne semblait pas l'avoir vu.

— Eh bien, bon appétit.

Wildgruber découpa sa saucisse en menus morceaux, saisit la fourchette de sa main droite, puis se mit à manger.

— Nous avons un sacré merdier sur les bras, déclara-t-il. Je n'ai qu'un mot à dire : Stiller. Stiller puissance dix. Puissance cent.

À la fin des années 1970, Werner Stiller, capitaine des services de renseignements extérieurs, avait fui à l'Ouest en emportant un joli tas de documents dans ses bagages. Depuis ce jour-là, même les guêpes ne pouvaient plus passer le Mur sans un contrôle d'identité en bonne et due forme. Stiller avait fait tomber presque cinquante agents.

Merzig posa ses couverts. Pour une raison qu'il ignorait, cette saucisse de Thuringe ne lui revenait pas.

— Fröde va se faire éjecter. Mais une fois seulement l'opération Sassnitz terminée. Nous ne voulons éveiller aucun soupçon, vous comprenez ?

Le regard de Merzig tomba sur la porte en verre qui conduisait du mess aux ascenseurs. Il fut surpris d'apercevoir plusieurs soldats en faction. Une visite impromptue du président du Conseil ?

— C'est pourquoi nous devons savoir quelle position vous comptez adopter. Allez-vous délivrer les mandats d'arrêt ?

— Naturellement.

La question ne se posait pas. Merzig était du reste étonné que cette conversation ait lieu ici, à table, et non pas à huis clos.

— Alors, vous devrez vous comporter comme vous l'avez toujours fait.

Wildgruber plongea un morceau de sa saucisse dans la purée de pommes de terre. À mi-chemin de sa bouche, le tout glissa de la fourchette et retomba dans la sauce. La chemise blanche de Wildgruber se moucheta de minuscules taches.

— Oh, ça m'arrive tout le temps. Ma femme dit toujours que je mange comme un moujik.

Tout sourire, le capitaine attrapa sa serviette pour réparer les dégâts. Merzig de son côté réessaya de manger un morceau de saucisse. Il mâcha, mais parvint à peine à avaler. Il repoussa son assiette.

— Pour être tout à fait franc, camarade Wildgruber, je ne saisis pas très bien le but de cette conversation. La mission de mon service est de démasquer et prévenir les attaques des services secrets étrangers contre notre pays et nos collaborateurs. Je ne vois pas comment des mandats d'arrêt contre des suspects ou des criminels avérés seraient susceptibles d'influencer mon comportement de quelque manière que ce soit.

— Même s'il s'agissait d'amis, ou de membres de votre famille ?

Merzig s'essuya minutieusement la bouche avec sa serviette. La question l'étonnait. Personne dans son entourage n'avait de contacts à l'Ouest, sauf pour des raisons professionnelles et sur sollicitation expresse des services de renseignements. Tout le monde autour de lui était membre du Parti. Et certains travaillaient même pour son ministère. Tous avaient été inspectés à la loupe et repassaient tous les ans un examen de routine, comme une visite médicale qui contrôlerait en même temps l'état physique et psychique du patient. La seule chose que Merzig n'arrivait pas à maîtriser, c'était son poids.

— Cela ne m'influencerait pas davantage, dit-il. On ne rompt pas un serment.

Wildgruber hocha la tête.

— C'est bien mon avis.

Quand Merzig regarda une nouvelle fois vers la porte, les gardes avaient disparu.

Toto n'avait pas de chance. Le téléphone d'Éva Kellermann était éteint. Pas d'émission, pas de réception. Toto s'étonnait de la tournure soudaine des événements.

Kaiserley, Kepler, et maintenant la propre épouse de son chef – Kellermann était-il encore maître du jeu ? Et de quel jeu s'agissait-il, au juste ?

Un son mélodieux l'arracha à ses pensées. Les araignées avaient tissé leur toile, quelque part dans le monde une nouvelle proie était prise dans les rets. Toto ouvrit la fenêtre et composa à toute vitesse le numéro de Kellermann – rien, sonnerie dans le vide. Il regarda son Toughbook comme si cette chose était elle-même un cheval de Troie grâce auquel l'ennemi se serait introduit dans son saint des saints, son appartement.

Le portable sonna. Le numéro était masqué, mais Toto sut immédiatement qui l'appelait.

— Alors ? brailla Kellermann.

— Il y a du nouveau, dit Toto à voix basse.

Il ne savait pas comment apprendre la chose à son patron. D'autant moins qu'il n'avait aucune idée de la partie qui était en train de se jouer. Il pressentait seulement que tout était lié et que les nouvelles qu'il apportait n'étaient pas bonnes.

— Je viens de localiser le portable de votre épouse.

— Et ? Où est-elle ?

— À Berlin. Elle vient tout juste de quitter l'aéroport de Tegel et se dirige… un instant…

Il s'approcha de son Toughbook, qui lui fit l'impression d'une bête féroce prête à le mordre à tout moment. C'était idiot, absolument idiot. Il en avait assez. Il était technicien. Tout ça, c'était de la préhistoire, des vieilles légendes qui survivaient vaguement dans de sombres caves voûtées, des histoires datant d'une époque où la vie d'un agent secret ne se passait pas devant des ordinateurs dans des bureaux Feng Shui inondés de lumière, mais dans les catacombes de la zone frontalière, dans des tunnels longeant un mur infranchissable, dans des régions où une balle dans la tête passait pour une mort naturelle. Toto soupçonnait quelque chose, mais ne voulait pas en savoir plus.

— … vers les quartiers est. En ce moment sur la B1. Direction Biesdorf. Où se trouve Kaiserley, en train de prendre un café chez le lieutenant-général Merzig. Monsieur Kellermann, que signifie tout cela ?

Kellermann ne répondit rien.

— Et ce n'est pas tout. Le relevé des mouvements de votre femme indique qu'elle s'est rendue il y a deux jours dans le sud de la Suède. Malmö.

Il entendit un son plaintif, comme un gémissement. L'inquiétude de Toto vira instantanément à la consternation. Quelque chose échappait des mains de Kellermann. Le vieux guerrier était touché.

— Mais je suppose que vous le saviez déjà, dit-il sans y croire lui-même. Dois-je informer quelqu'un ?

Pas de réponse.

— Avez-vous besoin d'aide ?

— Non.

La voix de Kellermann était râpeuse comme du papier de verre gros grain.

— Toto, rends-moi un service et oublie tout ça, si tu peux.

— À vos ordres, chef.

Toto était soulagé. Son étrange mission était enfin terminée. Il resta debout, le portable à l'oreille, attendant que Kellermann coupe la communication en premier.

Kellermann raccrocha sans dire au revoir. Toto se précipita sur son Toughbook et commença par effacer tout ce qui était lié de près ou de loin aux événements de ces derniers jours. Il désactiva les portes dérobées et les chevaux de Troie, lança de fausses pistes, multiplia les *tracks* et les *traces*. C'est alors qu'il comprit que cela ne suffirait pas, que tous ses efforts étaient vains. Il n'y avait qu'une seule solution.

Pour la première fois depuis deux mois, Toto se réjouissait d'avoir ce foutu chantier au pied de son immeuble. Avant de descendre, il dévissa la coque de son Toughbook, en sortit le disque dur, le prit et quitta son appartement.

Poser les rails du tramway devait être une affaire assez compliquée. Deux soudeurs travaillaient à la jonction des barres, au milieu d'un bruit assourdissant. Au bout d'un certain temps, l'un des deux ouvriers leva enfin la tête et aperçut Toto qui, derrière la barrière, sifflait et gesticulait comme un enragé. Toto expliqua à l'ouvrier ce qu'il attendait de lui et lui fourra un billet de 50 euros dans la main. Il eut même l'autorisation de s'approcher à un peu plus d'un mètre pour assister au spectacle. Quand le disque dur ne fut plus qu'une petite boule de métal rougeoyant, les ouvriers l'enfoncèrent de deux coups de marteau sous le fer profilé du rail.

— Auriez-vous un portable ? demanda-t-il au soudeur.

Celui-ci hocha la tête et sortit un petit appareil de sa poche de poitrine.

Judith dévisagea Merzig comme un nuisible à éradiquer à coup d'insecticide. Le lieutenant de la Stasi ne semblait pas remarquer sa répulsion. Ou bien il l'ignorait tout simplement, habitué qu'il était à ce genre de réaction. Il regarda Kaiserley d'un air songeur.

— Lindner travaillait pour les renseignements extérieurs est-allemands. Tantôt à Bonn, tantôt à Hambourg, tantôt à Munich. Il faisait du bon boulot. Souvent même excellent. J'ai commis une erreur impardonnable : je ne me suis aperçu de rien. Personne, d'ailleurs. Il faut prendre le mal à la racine, au tout début, quand la personne commence à douter pour la première fois de ce qu'elle fait.

— Peut-être avait-il juste envie de vomir en se regardant dans la glace ? suggéra Judith. Ma mère était-elle au courant ? Qu'il baisait avec d'autres femmes pour obtenir des informations ?

— Bien entendu. Elle aussi travaillait pour le MfS.

— Les deux ? fit Judith. Je pensais qu'elle…

Un portable vibra. Judith lança un regard agacé vers Kaiserley. Celui-ci sortit son téléphone, jeta un œil à l'écran, haussa les épaules et le refourra dans sa poche. Merzig s'assura qu'il pouvait continuer sans être interrompu.

— Je ne sais pas si Irene Sonnenberg était informée dans le moindre détail. Mais je pense qu'elle était au courant. Entre époux on se parlait, bien sûr, même si c'était formellement interdit. Finalement, il y a lieu de croire que c'est la raison pour laquelle ils voulaient quitter la RDA.

Judith baissa les yeux sur ses mains. Elle se rappelait ce que Kaiserley lui avait dit à Malmö. On cherchait des parents, et on trouvait des monstres. Son père, un Roméo. Sa mère, employée du MfS. La fuite, achetée par une trahison.

— Beaucoup de mariages se sont brisés à cause de ça, continua Merzig. Les perpétuels mensonges. Les faux noms. Les questions sans réponses. N'est-ce pas, monsieur Kaiserley ?

Kaiserley ne répliqua rien.

— La maladie professionnelle de tout agent secret. Il faut un caractère bien trempé pour pouvoir partager la vie d'une telle personne. Pour l'aimer. Pour lui faire confiance. La famille, c'est le point de rupture.

— Ton père était un type bien.

Judith leva brusquement la tête et fusilla Kaiserley du regard.

— Ah oui ? Comment tu le sais ?

— Je l'ai connu.

— Tu ne m'as pas dit un traître mot de ce qu'il a réellement fait ! Et ma mère – technicienne de laboratoire photo ! Quand j'entends ça, je pense à des photos de vacances au lac Balaton, pas à des microfilms ! C'est elle qui les a réalisés ? C'est elle ?

— Judith, ne sois pas naïve. À ton avis, d'où venait le fichier Rosenholz ? Trouvé sur un banc public ? Tu crois que le BND aurait fait des faux passeports suédois pour exfiltrer de RDA une gentille petite famille par pure bonté d'âme ?

— Des papiers modélisés, tu veux dire, le corrigea Judith, sarcastique. C'est comme ça qu'on dit, non ? Et n'essaie pas de me traiter de nouveau de naïve, compris ?

— Tout le monde en aurait tiré avantage. Tes parents, qui voulaient commencer une nouvelle vie, la CIA, qui était tout aussi infiltrée que le BND, et, *last but not least*, le BND, qui d'un seul coup aurait remporté un triomphe inouï. Un marché gagnant-gagnant.

Judith plongea la main dans son sac. Ses doigts effleurèrent le pistolet, qu'elle avait pris dans le tiroir du bureau de Dombrowski quand le commissaire de police lui avait donné dix minutes pour se changer. Le métal froid la rassura. Gagnant-gagnant. Kaiserley avait-il seulement conscience de ce que ces mots provoquaient en elle ?

Ses doigts s'enfoncèrent un peu plus et trouvèrent le paquet de tabac. Elle le sortit et posa le sac à ses pieds. Le portable de Kaiserley se remit à vibrer. Il l'ignora.

— Au final, tout le monde est resté sur le carreau. Tous perdants dans la bataille, dit Judith de la voix la plus calme possible. Mes parents sont morts. J'ai été placée en foyer. Deux autres sont allées en Suède. Et moi, en gros, je suis tombée aux oubliettes, c'est ça ?

— Stanz vous a sauvé la vie.

— Stanz ? À moi ?

Judith s'arrêta de rouler sa cigarette.

— C'est Stanz qui a rédigé le rapport sur cette fameuse nuit à Sassnitz. Et sur le rôle joué par une certaine femme dans cette affaire.

— Quelle femme ? demanda Judith. Marianne Kepler ?

Merzig secoua la tête en souriant. Calé dans son canapé, il était assis sur les secrets des dieux et la laissait dans le flou. Judith ressentait une envie irrépressible de sortir son arme et de le descendre. Soudain Kaiserley posa la main sur son genou. Il la retira aussitôt, mais Judith avait compris son geste : « Calme-toi, disait-il. Calme-toi, s'il te plaît. »

— Je ne connais que le nom de code qu'elle utilisait à l'époque, dit Merzig.

— À savoir ?

— Rose. Comme la fleur.

28

Gare de Sassnitz, zone de transit vers la Suède, 1985.

Dans la salle d'attente, le capitaine Hubert Stanz, la petite quarantaine, grand, élancé, la peau claire parsemée de taches de rousseur, regardait le train express international Berlin-Malmö qui, à l'arrêt depuis une demi-heure, sous la lumière de gigantesques projecteurs, se faisait contrôler déjà pour la troisième fois par la brigade canine. Stanz était nerveux. La dernière fois qu'il avait éprouvé une sensation de ce genre remontait à l'examen final de la faculté de la Jeunesse libre allemande. Autant dire que ça ne datait pas d'hier. Jusqu'ici son travail s'était concentré sur la préparation et l'exécution des interrogatoires. Ceci était sa première mission « sur le terrain ». À cet instant précis, il mesurait le gouffre qui existait entre la théorie et la pratique. Le fait, par exemple, qu'une opération planifiée à la perfection n'impliquait pas nécessairement qu'elle se déroulerait comme prévu.

Ils étaient en train de jouer une pièce de théâtre, et la police des frontières avait eu ordre d'y participer. Tous étaient à leur poste. La sonnerie du téléphone, dans le hall sinistrement désert de la gare, le fit sursauter. En deux pas, il rejoignit l'appareil pour décrocher le combiné.

— Trente minutes, siffla-t-elle. Qu'est-ce qui cloche ?

— Je n'en sais rien.

Il regarda en direction du train. Il savait que Lindner attendait dans l'un des compartiments de transit. Ce rat. Ce traître. En compagnie de la crème des agents du BND. Intouchable pour ses hommes. Deux wagons plus loin, dans la partie du train à destination de Bergen, se trouvaient Sonnenberg et sa fille, tenues à l'œil par le contrôleur. L'engeance du rat. Cette vermine. Elles ne bougeaient pas. Plus leur attente se prolongeait, plus l'opération risquait de capoter.

— Peut-être sont-ils convenus d'un signe.

— Comme quoi ? Des rubans jaunes ? (La voix de Rose se fit méprisante.) Nous ne pouvons pas laisser le train indéfiniment à l'arrêt. Dis à tes hommes de passer à l'assaut.

Stanz secoua la tête, mais elle ne pouvait pas le voir, car le train les séparait l'un de l'autre.

— Hors de question. Trop de témoins.

Il n'osait même pas imaginer les conséquences diplomatiques qu'entraînerait un tel assaut. Des arrestations dans un train en transit. Une mère et son enfant. De la folie pure. Du pain bénit pour la presse ouest-allemande. La RFA venait de porter le montant du crédit commercial sans intérêts à 850 millions de marks, et se portait caution d'un autre à hauteur de 950 millions. Erich Honecker avait prévu de se rendre à Bonn en septembre. En d'autres temps, ils auraient traîné la femme et l'enfant hors du train par les cheveux. Aujourd'hui il leur fallait des preuves. Irréfutables.

— Elle en sait autant que Lindner. Elle peut identifier l'agent du BND, dit-elle.

Et pourquoi, toi, tu ne peux pas ? avait envie de lui demander Stanz. Toi non plus, tu n'as pas fait tes devoirs ? Il en avait plus que ras le bol de se voir traiter par ces arrogantes femmes de l'Ouest comme s'ils vivaient ici sur la lune. Mais il ravala ces mots avant qu'il soit trop tard. La femme avait déclaré d'entrée de jeu qu'elle pouvait leur communiquer le plan du BND, mais pas les noms des agents chargés de l'opération. Elle ne savait pas qui étaient les passeurs. Les femmes de l'Ouest n'avaient pas toujours la science infuse. Stanz regarda fébrilement l'aiguille de l'horloge. Minuit largement passé. Le temps leur filait entre les doigts.

— Alors faites-les au moins sortir, conclut-elle simplement.

Elle raccrocha. Stanz sortit une autre cigarette de son paquet et l'alluma. Cela lui laissait quelques minutes de sursis. Pourquoi ne se passait-il rien dehors ? Le contrôleur avait changé de camp pour 1 000 marks ouest-allemands. Les Suédois tout crachés. Il ne savait pas ce qu'il méprisait le plus : la corruption en soi ou la vitesse avec laquelle ces gens se laissaient corrompre. Il était convenu que le contrôleur irait les chercher dès que la femme lui ferait signe. Mais elle n'en faisait rien. Se doutait-elle de quelque chose ? Savait-elle que leur fuite était compromise ? Avait-elle un sixième sens ? Les chiens lui faisaient-ils peur ? À moins que ce ne fût la lumière des projecteurs, ou son propre plan délirant ? Stanz inhala profondément la fumée. Dans ce train se trouvaient deux traîtres et un agent de l'Ouest. Plus un enfant. L'enfant était le maillon faible.

Il écrasa sa cigarette, puis se rendit sur le quai et monta dans les wagons qui devaient être détachés du train direct.

Stanz avait pris le temps de mémoriser la photo. La femme était assise à la fenêtre d'un compartiment pour six, le bras autour de sa fille, regardant fixement les douaniers et leurs chiens, qui inspectaient encore et toujours le dessous des wagons. D'un coup sec, Stanz ouvrit la porte.

— Madame Sonnenberg ?

La femme sursauta et le dévisagea, blanche comme un linge. Elle était plus belle que les photos de son dossier ne l'avaient laissé croire. La fillette se frottait les yeux de fatigue et serrait une peluche contre elle. Les autres voyageurs le regardaient d'un air effrayé.

— Je vous demanderai de bien vouloir me suivre.

— Pourquoi ? demanda-t-elle.

— Votre mari vous cherche.

Dans la lumière bleuâtre des néons, son visage sembla perdre le peu de couleur qui lui restait. Elle se leva d'un bond et prit la main de la fillette.

— Mon… mari ? Il est arrivé quelque chose ?

Les autres voyageurs accueillirent la confusion d'Irene Sonnenberg comme une distraction bienvenue, tant l'attente était longue. Stanz savait qu'il lui restait très peu de temps.

— Oui. Veuillez me suivre, s'il vous plaît.

Elle devait savoir que son plan, à cet instant, avait échoué. Stanz n'était pas le contrôleur qui aurait dû la conduire dans le wagon de transit. Derrière elle, la porte du compartiment se referma en coulissant.

— Qu'est-ce qui se passe ?

La peur avait éteint sa voix.

— Madame Sonnenberg, évitons d'attirer l'attention.

— Je pars en vacances. Le train va être détaché d'un instant à l'autre et repartir pour Bergen. Nous avons loué une chambre au centre de vacances de l'union syndicale, à Prora. Regardez.

Elle fouilla nerveusement dans son sac à main et finit par en sortir une petite fiche.

— Maman ? Qu'est-ce qu'il a, papa ?

Elle se pencha vers l'enfant. Une petite fille frêle avec des boucles d'ange. La ressemblance entre les deux sautait aux yeux.

— Rien, mon trésor.

— Il t'attend, dit Stanz à l'enfant. Là-bas, regarde. Tu vois le wagon à côté du hangar des locomotives ? Tu le vois ?

La fillette écrasa son nez contre la vitre.

— Oui.

— Il est là, ton papa.

Irene Sonnenberg vacilla, mais se ressaisit aussitôt. Tout signe de vie avait disparu de son visage. Stanz connaissait bien ces moments-là : les secondes précédant les aveux, l'instant avant l'effondrement final.

— C'est le wagon-salon de Lénine, expliqua Stanz. Et c'est là que nous allons maintenant tous ensemble.

— S'il vous plaît, chuchota Irene Sonnenberg, s'il vous plaît, non.

Stanz passa devant et ouvrit une porte du train, qui donnait sur une sombre voie secondaire.

— Viens, ton papa t'attend.

Deux policiers armés de mitraillettes les escortèrent. Les couloirs du train donnaient de ce côté des voies. Le contrôleur ferait en sorte qu'aucun voyageur ne sorte des compartiments. Pas de témoins gênants. Personne ne les verrait emmener Irene Sonnenberg et sa fille. La distance à parcourir était de moins de trente mètres, mais Stanz savait qu'elle semblait à cette femme aussi interminable que le chemin vers l'échafaud. Son absence de compassion lui avait demandé un long entraînement. Il avait mené moult interrogatoires. Il avait figuré parmi les meilleurs de sa promotion. Il savait comment faire craquer les gens. Lui et ses collègues avaient été exercés à ignorer les larmes, les balbutiantes tentatives d'explication, les suppliques et les implorations. L'expérience leur avait même appris à ignorer la petite voix intérieure qui, dans de très rares cas, leur murmurait qu'ils allaient un peu loin.

Sonnenberg méritait la peine de mort. Elle avait beau ressembler à un ange, elle n'en portait pas moins en elle la destruction et la trahison. Des milliers d'agents étaient en danger à cause d'elle. Curieusement, l'enfant l'émouvait. La petite avait agrippé la main de sa mère et traversait cahin-caha les rails et les pierres. À un moment, la peluche lui glissa des mains. Stanz la ramassa, mais Sonnenberg la lui arracha pour la rendre elle-même à sa fille.

L'idée du wagon-salon venait de Rose. Une fois de plus, Stanz ne put s'empêcher d'admirer la manière dont elle avait planifié l'opération, sans rien laisser au hasard. Stanz n'avait pas l'habitude de travailler avec des Q. G. opérationnels, cette expérience était nouvelle pour lui. Quand il baissa la lourde poignée de la porte et s'écarta pour laisser passer la mère et sa fille, il se sentit soulagé à l'idée que cette affaire ne se termine pas dans la gare même.

La fillette regarda autour d'elle avec étonnement. Le velours râpé et le laiton taché se métamorphosaient dans ses yeux en un somptueux palais.

— Où est Lénine ? demanda-t-elle.

Une main écarta le lourd rideau de velours rouge. L'enfant se retourna et cria :

— Non !

Sonnenberg voulut se ruer sur sa fille, mais Stanz la retint brutalement.

— Du calme, dit-il. (La situation semblait pourtant dégénérer à vue d'œil.) Allons, du calme.

— Lénine va bientôt arriver, dit Rose à l'intention de l'enfant.

Le soudeur but une demi-bouteille d'eau gazeuse d'une traite, puis rota un bon coup.

— Je peux récupérer mon portable maintenant ?

Toto jurait intérieurement. Pourquoi Kaiserley ne décrochait-il pas ?

— Tout de suite.

Il fourra la main dans sa poche et en sortit un autre billet de 50.

— Je te le rachète. De toute manière, il date de la préhistoire.

— Hé ho !

Toto jeta le billet sur un tas de pavés et piqua un sprint. Le soudeur était trop lesté par sa tenue de travail pour pouvoir lui filer le train, mais deux rues plus loin Toto l'entendait toujours crier après lui.

Sa ligne fixe, son ordinateur, son portable – tout était sur écoute. Pendant tout ce temps, quelqu'un avait suivi chacun de ses mouvements, avait lu tous ses mails adressés à Kellermann. Et si ce que pensait Toto s'avérait exact, celui-ci était dans la mouise jusqu'au cou.

Il appela sur le portable de son chef en priant le ciel qu'il ait retenu correctement le numéro.

Kellermann ne décrochait toujours pas. Toto sentit soudain sa gorge se nouer. Kaiserley avait eu raison sur toute la ligne ; et Toto s'en voulait à mort de ne pas l'avoir cru. *Décroche ! Allez, décroche !*

Une main s'abattit sur son épaule et le fit pivoter. Toto se retrouva nez à nez avec le visage furibard et rouge de chaleur d'un homme baraqué.

— Portable, grogna celui-ci, attrapant Toto par le col.

C'était le soudeur. Son collègue apparut derrière lui ; il remontait les manches de sa chemise à carreaux d'un geste sans équivoque.

— C'est une urgence, haleta Toto. S'il vous plaît. J'en ai besoin.

Le soudeur le plaqua contre le mur. Toto suffoqua. L'appareil lui glissa des mains et tomba par terre.

— Tu cherches les emmerdes ? Tu vas en avoir.

L'homme lui flanqua un coup de poing dans l'estomac. Toto se plia en deux comme un couteau suisse et sentit un goût métallique dans sa bouche. Il s'était mordu la langue. Il s'effondra contre le mur, glissa à terre et atterrit sur le sol à quatre pattes. Sa main chercha le portable, mais le soudeur, plus rapide, lui marcha sur les doigts. Pas suffisamment fort pour lui briser les os, mais assez pour arracher à Toto un cri de douleur.

L'autre ramassa le portable et l'essuya.

— Il faut… que je passe un coup de fil, gémit Toto. C'est une urgence.

Le soudeur retira son pied pour lui donner un coup dans les côtes.

— Prends ça.

Les pensées se bousculèrent dans la tête de Toto. Il n'y avait plus de place pour les légendes et les mensonges. Pour les histoires à faire pleurer dans les chaumières. Les deux hommes s'éloignaient et il ne restait plus que quelques secondes pour la seule chose qui comptait désormais : la vérité.

— Un appel ! Un seul !

Toto se redressa péniblement et leur courut après. Il boitait et sa main lui faisait horriblement mal.

— Juste une dernière tentative. S'il vous plaît ! S'il vous plaît !

Des passants se retournèrent de l'autre côté du trottoir. Les deux ouvriers commençaient à trouver la situation gênante. Ils accélérèrent le pas.

— C'est une question de vie ou de mort ! hurla Toto.

L'un des deux s'arrêta, l'autre continua son chemin d'un air mauvais.

Toto continua à courir, les dépassa et leur barra le chemin. Le soudeur voulut le repousser.

— Il faut que j'essaie encore une fois. Une seule fois. Passez-moi votre portable. Je suis désolé, je ne voulais pas le voler. Laissez-moi passer cet appel !

— Ta gueule, répliqua le soudeur, mais sa voix avait perdu de son assurance. T'as qu'à prendre le tien.

— Impossible. Il est sur écoute. S'il vous plaît, je dois avertir quelqu'un.

Les deux hommes continuèrent leur chemin.

— Il s'agit de mon père ! hurla Toto. Une femme est à ses trousses. Elle veut le tuer !

Le soudeur s'arrêta et se retourna.

— T'as qu'à appeler les flics.

— Oui, mais comment ? cria Toto, désespéré.

Judith fixait les poissons derrière Merzig, mais elle ne les voyait plus. Quelqu'un venait de tirer un épais rideau de velours et tout lui était revenu. Les aboiements des chiens, les projecteurs, le *tac-tac, tac-tac* qui s'approchait de plus en plus.

— Judith ? (La voix de Kaiserley, tout près.) Qu'est-ce qui se passe ?

— Elle… elle m'a dit quelque chose, chuchota-t-elle. Elle m'a dit qu'elle sortait montrer quelque chose au monsieur. Elle est descendue du wagon et l'homme l'a suivie. Et puis… puis une locomotive est arrivée. Il y a eu un bruit sourd. *Pan !* Puis quelqu'un s'est mis à crier. Des cris aigus, stridents. Ça criait sans discontinuer.

Pour la seconde fois ce soir-là, une lueur apparut dans les yeux du lieutenant-général de la Stasi. Compassion ?

— C'était vous, madame Kepler. Vous avez vécu un terrible traumatisme. Votre mère a été abattue sous vos yeux.

Judith sentit sa raison s'éteindre, de part en part, comme si elle s'était trouvée devant sa propre boîte à fusibles et les en avait sortis un à un. Elle haïssait, vomissait, méprisait ce petit homme assis sur son canapé de velours, qui n'était toujours pas arrivé au bout de son histoire à lui, à elle, de leur histoire à tous.

— Elle a dit à Stanz qu'elle voulait lui montrer où étaient cachés les microfilms. Personne ne pouvait l'arrêter. Elle savait parfaitement ce qu'elle faisait. C'est alors qu'est arrivée la locomotive de manœuvre pour le train à destination de Bergen. Elle s'est mise à courir. Derrière la locomotive. Sur la voie. Dans la lumière des projecteurs. Les tireurs d'élite n'avaient pas le choix.

À la vitesse de l'éclair, Judith sortit le pistolet de son sac, bondit de son siège et pointa l'arme sur Merzig.

— Bande de porcs. Sale bande de porcs sans foi ni loi ! Vous l'avez abattue comme une bête !

— Non, Judith ! Non !

Elle déverrouilla le cran de sûreté, comme le lui avait montré un jour Dombrowski.

— Qui était Rose ?

Merzig leva les mains et lui dit doucement :

— Pose ton arme.

— Regarde bien ceci. (Elle pointa le canon sur la tête de Merzig.) Réfléchis bien à ce que tu vas dire. C'était qui ?

Kaiserley se leva, lentement, calmement, mais Judith, agile comme une danseuse, fit un bond de côté.

— Dis-moi son nom ! Vas-y ! J'emmerde cette Rose, ce Stanz, ce Lindner et... (Elle visa Kaiserley qui leva les mains à son tour.)... Weingärtner, et toute cette histoire de merde ! C'était qui ?

Pan ! La vitre se couvrit de fissures, telle une immense toile d'araignée, puis s'effondra dans une pluie de bris de verre. Une autre détonation. Judith ne parvint pas à se baisser à temps. Le verre de l'aquarium éclata en mille morceaux, qui lacérèrent ses vêtements, sa peau. Le temps que Kaiserley la plaque à terre, elle vit l'eau se soulever dans l'espace telle une immense colonne. Une vague, une seule, d'un mètre de haut, déferla dans la pièce. Kaiserley et Judith percutèrent la table basse et s'abattirent par terre. La violence de la chute arracha le pistolet des mains de Judith, qui glissa, hors d'atteinte, sous le canapé. Un poisson bleu argent atterrit juste à côté de son visage. Secoué de spasmes, il frétillait et bondissait en l'air. Kaiserley pressa sa main sur la bouche de Judith. L'eau ruisselait de ses cheveux sur elle. Le cœur de Judith tambourinait dans sa poitrine. Elle suffoquait, comme le poisson à côté d'elle.

Un dernier crissement, puis ce fut le silence. Rien que le bruit des gouttes tombant au sol sur les flaques. En face, à moins d'un mètre, Merzig était étendu derrière la table basse. Du sang coulait sur son visage. Il était pris de convulsions. Le scintillement de son regard n'était plus le reflet de son âme étrange, mais provenait de bouts de verre plantés dans ses yeux. Sa tête tomba sur le côté. Il avait un petit trou noir sur la tempe. Judith sentit le souffle de Kaiserley effleurer son visage. Il retira lentement sa main et posa son index sur ses lèvres. Elle resta immobile. Puis un nouveau crissement se fit entendre. Quelqu'un marchait sur les bris de verre.

29

Kellermann franchit le portail gris acier et gara doucement sa voiture sur le parking. Il poussa un soupir de soulagement. La BMW de Winkler était toujours là. Il y a quelques jours encore, Winkler n'avait été pour lui rien d'autre qu'une sorte de chauffeur, mais le vent avait tourné. Lui seul pouvait peut-être encore sauver les meubles.

Le bureau du coordinateur des services secrets se trouvait derrière les courts de tennis. Deux femmes y jouaient. Il passa devant elles en toute hâte et leur adressa un signe de la tête aussi bref que distrait. Il tentait de préparer quelques phrases dans sa tête, mais butait sur les premières. *Éva. Où est-elle ? Que fait-elle ? Qu'a-t-elle fait ? Que va-t-elle faire ?*

Winkler leva la tête, surpris de voir Kellermann entrer sans frapper et claquer aussitôt la porte derrière lui. Il glissa une règle en guise de marque-page dans l'épais dossier qu'il était en train de lire, avant de refermer celui-ci. Kellermann fit glisser une chaise pivotante devant le bureau de Winkler sans s'attarder à des politesses.

— Malmö, dit-il.

Winkler fronça les sourcils.

— Je ne comprends pas très bien.

— Il paraît que ma femme est allée là-bas. Tu peux m'expliquer pourquoi ?

Winkler esquissa un sourire poli.

— Je ne connais pas Éva si bien que ça. Vous avez des problèmes ?

Derrière Winkler était accroché le portrait du président de la République fédérale, de quelques années le cadet de Kellermann. Tous étaient de plus en plus jeunes. Sauf lui. Il devenait vieux et usé. Il était peut-être temps de tirer sa révérence.

— J'ai fait surveiller Kaiserley. Lui et Kepler. Après le meurtre de Borg, il m'a semblé que c'était la seule possibilité de découvrir où était planqué le fichier Rosenholz.

— Rosenholz… (Winkler se cala dans son fauteuil et regarda Kellermann d'un air songeur.) Il y a quelques semaines, nous avons refusé de prendre contact avec cette Suédoise. Tu te rappelles ?

— On nous avait proposé les microfilms sur un plateau d'argent !

— Pour 250 000 euros. Non, mon cher, nous ne pouvions pas justifier une telle somme auprès des contribuables, impossible.

Kellermann maudissait ces pinaillages. Il n'aurait eu qu'à effacer un nom, un seul.

— Depuis quand le contribuable est-il tenu au courant de ce qu'on fait avec son argent ?

Winkler montra le dossier.

— Cinq cents pages. Budget annuel de 430 millions. Demain, je dois pouvoir justifier le moindre poste budgétaire auprès de la commission de contrôle du Parlement. Déménagement. Personnel. Chauffage. Mais aussi les postes qui ne sont pas censés y figurer officiellement. Recueils de renseignements pour l'armée allemande à l'étranger. Fax et ordinateurs pour la cave de l'ambassade de France à Bagdad. Prise de contact avec le Bureau civil international au Kosovo. Recrutement d'hommes de paille dans les antennes internationales d'autres services. Pots-de-vin en échange d'informations sur les armes ABC, le terrorisme et le blanchiment d'argent. Un quart de million pour Rosenholz ? Rosenholz, c'est du passé. Ceci, c'est le présent.

— Nous avons laissé passer une chance unique.

— Nous ? (Winkler dévisagea Kellermann d'un air sévère.) Ce ne serait pas de toi que tu parles ?

Kellermann sentit des frissons lui parcourir le dos.

— Qu'est-ce que tu insinues ?

— Que soit tu parles maintenant, soit tu rentres chez toi et tu te tais pour toujours. Je ne peux t'aider que si tu joues franc jeu avec moi.

Kellermann repensait à toutes ces années durant lesquelles il avait dicté à Winkler ce qu'il fallait faire. Le loup dominant. L'homme qui montrait la direction à suivre. Un général qui ne rechignait pas à patauger dans la merde en première ligne. Peut-être que tout ça, c'était fini, peut-être que les techniciens, stratèges et analystes avaient pris les commandes pour de bon. Des types comme Winkler, qui même par cette canicule portaient des chemises d'un blanc éclatant et des chaussures Budapest. Kellermann vit clair en lui-même : son temps était révolu. Bizarre qu'il n'ait pas voulu l'admettre jusqu'ici.

— Kaiserley voit en ce moment même un ancien lieutenant-général du MfS. Et ma femme est sur le point de le rejoindre.

— C'est que sa vie privée est plus palpitante que la nôtre.

Winkler reprit son pavé. Kellermann inspira profondément.

— Je crains qu'elle ne soit en train de faire une bêtise.

— Vos problèmes de couple ne sont pas de mon ressort.

— Il s'agit…

Kellermann passa sa main dans ses cheveux. Winkler attendit.

— … Éva s'est empêtrée dans une histoire dont elle ne peut pas se sortir seule. Je crois qu'elle a trouvé certaines choses dans mon portable qu'elle n'aurait jamais dû trouver. Je crois qu'elle est à Berlin pour éviter que certaines choses de son passé n'éclatent au grand jour.

— Comme quoi ?

Merzig révélerait tout à Kaiserley. Toute l'histoire. Une histoire qui mettait en scène une jeune fille dont Kellermann avait été autrefois éperdument amoureux, qu'il avait désirée plus que tout. Mais cette jeune fille ne voulait pas d'un vieux con cynique qui avait le double de son âge et qui picolait. Elle était tombée amoureuse d'un bellâtre qui lui promettait la lune et la portait aux nues. Jusqu'au jour où il avait commencé à exiger une contrepartie…

— Elle ne l'a fait qu'une fois. Il y a vingt-cinq ans. Elle a transmis un rapport à Berlin-Est. Il y a prescription. Juridiquement, elle ne risque plus rien !

— Ta femme ?

— À l'époque, elle ne l'était pas encore. Mon premier mariage venait de foirer. C'était une jeune fille sans expérience. Au moment de la catastrophe à Sassnitz, elle s'est confiée à moi. J'ai étouffé l'affaire. Je l'ai épousée.

Kellermann avait protégé la fille, qui en échange s'était donnée à lui. Ils s'étaient mariés et Éva Lange était devenue Éva Kellermann. Ils avaient vécu des années de bonheur, lui et Éva. Le temps passant, il avait fini par oublier ce qui les avait réunis. Tout marchait si bien entre eux. Jusqu'au jour où les fantômes du passé avaient resurgi.

— Si Kaiserley apprend qui l'a trahi... et si Éva se pointe là-bas...

— Éva a trahi Sassnitz ?

Kellermann acquiesça.

— Éva ? Ta petite Éva chérie ? Tu en es sûr ?

— Malheureusement oui.

La main de Winkler surgit en un éclair et appuya sur une touche de son poste de téléphone. Il décrocha le combiné et attendit que quelqu'un réponde à l'autre bout du fil.

— Localisation alerte rouge. Numéro de portable ?

Kellermann le lui donna. Winkler attendit et en profita pour lancer une recherche sur son ordinateur.

— Comment s'appelle ce type de la Stasi ?

— Merzig. Lieutenant-général Horst Merzig, Berlin.

Winkler pianota sur son clavier, tout en écoutant ce qu'on lui disait dans le combiné.

— Merci, dit-il sèchement avant de raccrocher. Nous arrivons trop tard. Éva est déjà chez Merzig.

Kellermann poussa un gémissement. Winkler le regardait avec un mélange de regret et de compassion.

— Je vais prévenir les collègues de Berlin. Tout va probablement rentrer dans l'ordre, sans plaie ni bosse. Éva et ton bonhomme vont s'expliquer, et l'affaire sera réglée. Mais pour toi, il y aura des suites, tu t'en doutes.

Kellermann hocha la tête et se leva.

— Merci. Préviens-moi dès que tu as du nouveau.

Il était presque à la porte.

— Tu aurais dû venir plus tôt, dit Winkler.

Kellermann rentra à Munich, étonné par ses propres sentiments. Il aurait dû éprouver de la colère, enrager de voir dans quelle situation il s'était fourré. Mais tout ce qu'il ressentait, c'était un soulagement infini. Ils trouveraient Éva. Contre lui, une procédure disciplinaire serait engagée, et il serait envoyé à la retraite. Le faux pas d'Éva était prescrit. Le dossier Rosenholz pourrait être refermé, définitivement.

Il arriva dans le centre-ville et s'engagea dans la Maximilianstrasse.

Je vais retrouver une amie au Bayerischer Hof. Kellermann passa devant l'hôtel. Soudain il appuya sur le frein et la voiture pila dans un crissement de pneus. Éva n'avait pas d'amie qui logeait au Bayerischer Hof. Lui, oui.

Kellermann connaissait le numéro de chambre d'Angelina par cœur. Il longea la réception avec un léger signe de tête – un type en voyage d'affaires pressé de prendre une douche et de se mettre au lit. Il monta dans l'ascenseur. Cinquième étage. Il tenait dans sa main le passe universel d'IntSec, l'entreprise de sécurité qui équipait le système de verrouillage de la centrale du BND et était également leader du marché de la mécatronique dans le secteur civil. Le badge lui donnait accès à toutes les portes dont les serrures codées s'ouvraient par radio-identification. Il n'y avait pas beaucoup de cartes de ce genre en circulation. Jusque-là, Kellermann y avait surtout vu une marque de privilège, mais à présent qu'il avançait dans ce couloir, aux aguets, l'épais tapis étouffant le bruit de ses pas, elle était devenue dans sa main une arme.

Angelina Espinoza. Il passa la carte dans la fente en reprenant son souffle. Il était venu pas plus tard que la semaine précédente. Ils s'étaient donné par SMS un de ces rendez-vous aussi furtifs qu'haletants, qui lui paraissaient désormais aussi irréels que sa présente intrusion. Si elle était là, la surprise jouait pour lui. Si elle ne l'était pas, il l'attendrait. Il s'assiérait dans l'un des fauteuils bleu nuit italiens et regarderait la reproduction de Modigliani, un nu féminin dont les formes opulentes et la tête timidement baissée lui rappelaient Éva.

Il ouvrit la porte et entra dans le salon. Le silence l'accueillit. Il nota d'un coup d'œil que la pièce était déserte. Le *room service* avait arrangé les livres sur la table basse, secoué les coussins et ouvert les rideaux. Visiblement personne n'était entré depuis le matin. Mais un parfum de jasmin flottait dans l'air, un parfum que Kellermann connaissait bien.

— Angelina ? appela-t-il.

Pas de réponse.

— Angelina ? Tu es là ?

Il ferma la porte. Éva et Angelina s'étaient vues. La rivale avait-elle tout raconté à l'épouse ? L'épouse avaitelle demandé des comptes à la rivale ? Que s'était-il passé ? Éva avait trahi et s'était rendue à Berlin pour éviter d'être trahie à son tour.

L'inquiétude et la honte l'étranglaient. Il alla à la fenêtre et, pour la première fois, regarda la rue en contrebas. Il se demanda si l'on pouvait se jeter par cette fenêtre. Pure hypothèse, bien entendu. Il tenta de l'ouvrir, sans y parvenir. Climatisation. Sécurité. Deux raisons de poids.

Il s'assit, les yeux rivés sur le nu. Saloperie de portable. Il avait été beaucoup trop négligent, l'avait trop souvent laissé traîner. Mais comment ne pas avoir un minimum de confiance en la personne avec qui l'on vivait depuis vingt ans ? Un jour, il avait simplement cessé d'être prudent. Elle avait dû tomber des nues, et il n'avait pas pu la rattraper.

Kellermann fixa le tableau sur le mur tendu de soie. Il connaissait l'original. Il l'avait vu un jour dans une exposition avec Éva. Ils s'étaient arrêtés devant lui et il lui avait dit qu'elle avait la même façon de serrer la serviette contre elle quand elle sortait de la salle de bains… La salle de bains.

Le bruit était si faible qu'il crut avoir mal entendu. Un tintement métallique très doux, ténu comme un fil, mais suffisamment fort, dans le silence de la pièce aux fenêtres insonorisées, pour le faire sursauter. Kellermann retint son souffle et tendit l'oreille. Puis il sortit son arme de service et se leva. L'arme pointée devant lui, il s'approcha à pas feutrés de la porte de la salle de bains. Il s'en voulait de ne pas avoir inspecté toutes les pièces. Quelle que fût la personne qui se trouvait de l'autre côté de cette porte, elle l'avait entendu.

Kellermann ouvrit la porte d'un coup de coude. Marbre blanc, sang rouge. Une mare de sang, nourrie par l'écoulement régulier de l'eau rouge. Une femme était allongée dans la baignoire, son bras pendant par-dessus le rebord. Des gouttes tombaient d'une plaie à son poignet et grossissaient la mare. Sur le sol gisait un tube de cachets vide qui devait avoir glissé à l'instant de sa main. Kellermann baissa son arme. Il commençait à entrevoir qu'il vivait là un de ces moments qui font basculer toute une vie. Seules deux choses avaient ce pouvoir : l'amour et la mort. Et l'amour, il n'avait jamais su le donner.

Judith plissa les yeux. Kaiserley était toujours allongé sur elle, l'empêchant de bouger. Le canon du pistolet de

Dombrowski dépassait légèrement de sous le canapé, mais tant que Kaiserley s'obstinerait à penser qu'il devait la protéger de tout son corps et au prix de sa vie, il lui serait impossible de l'atteindre.

— Quel beau tableau, s'exclama une voix de femme. Cela fait beaucoup d'eau pour un petit thé entre amis.

Kaiserley tenta de se redresser.

— Du calme, dit-elle. Pas de précipitation. L'un après l'autre, les mains sur la tête, visage tourné vers le mur.

S'écartant de Judith, il roula sur le côté et se leva. Judith regarda encore une fois vers le pistolet, mais la femme était si proche que le moindre faux mouvement risquait d'être son dernier. Elle se redressa avec effort. À côté d'elle, le poisson bleu argent battit une dernière fois de la queue avant de s'immobiliser. Seule sa gueule s'ouvrait encore par intermittence.

La femme devait avoir près de la cinquantaine et était remarquablement belle, de type méditerranéen, silhouette fine et gracile, bien que sculptée jusqu'à la moindre fibre de ce corps parfait. Elle portait un tailleur-pantalon sombre, mais décontracté, des gants de cuir noirs. Elle promenait ses yeux bruns autour d'elle avec un calme surprenant, tout en pointant tour à tour sur Kaiserley et Judith une arme munie d'un gros silencieux.

— Quirin, dit-elle.

Judith faillit s'étouffer. Chaque fois que dans ce bas monde il se passait de vraies saloperies, tout le monde se connaissait.

— Vous êtes… ? demanda-t-elle.

— Warrant officer Angelina Espinoza, Central Intelligence Agency.

Devant l'expression ahurie de Judith, elle ajouta :

— CIA. Dans la vraie vie, si tant est qu'elle ait jamais existé, je m'appelais Gretchen. Gretchen Lindbergh.

Elle prononça ce nom à l'américaine.

— Tu n'as pas travaillé que pour la CIA, précisa Kaiserley.

— Mains en l'air !

Elle pointa l'arme sur Kaiserley, qui obtempéra instantanément.

— KGB, FSB, MfS… je travaille pour celui qui me paie. Et présentement pour mon propre compte.

Elle contourna le canapé et s'approcha tout près de Judith.

— Où sont les microfilms ?

Judith lui cracha à la figure. Espinoza leva la main. Judith ne se baissa pas assez vite. Le coup l'atteignit à la nuque. Elle tomba sur les genoux et vit du coin de l'œil Kaiserley se jeter sur la femme. Le coup de feu claqua comme un bouchon de champagne. Kaiserley s'effondra en hurlant, ses deux mains agrippées sur sa cuisse gauche. Incrédule, il regarda la tache rouge qui s'élargissait à vue d'œil.

— Je n'ai pas perdu la main, t'inquiète. (Espinoza visa la tête de Kaiserley.) Aujourd'hui je joue les secrétaires. Tu sais, elles manquent toujours leur cible au premier coup.

— À qui vas-tu faire porter le chapeau cette fois ? gémit Kaiserley.

Espinoza sortit un portable de sa poche, le brandit d'un geste triomphant et le rempocha aussitôt. Judith se tordait de douleur, sa tête était près d'exploser. Cette femme avait l'art de vous mettre hors d'état de nuire. Se détournant de Kaiserley, elle s'en prit une nouvelle fois à Judith et lui flanqua un coup de pied dans les côtes.

— Franchement, cette question n'a aucune importance, tu ne crois pas ?

Judith s'effondra et resta prostrée par terre. Elle vit de nouveau le flingue de Dombrowski. Merzig ne bougeait plus. Ses yeux injectés de sang fixaient le plafond. L'espionne se baissa vers elle.

— Le passé, c'est le passé, comme dirait mon père allemand.

— Alors pourquoi vous faites ça ? demanda Judith.

— Les États-Unis d'Amérique ont une conception de la justice légèrement différente de la vôtre. On n'y cache pas aussi facilement qu'ici les choses sous le tapis. Moi, c'est trois fois vingt-cinq ans qui m'attendent, et pourtant je n'ai même pas trahi mon pays.

— Tu les as tués tous les deux, Lindner et Sonnenberg, dit Kaiserley d'une voix déformée par la douleur.

Espinoza se releva brusquement.

— La femme avait échappé à Stanz et courait droit dans la ligne de mire des postes-frontières. Du pur suicide. Je n'ai rien à voir avec ça.

— Mais Lindner.

— Lindner m'aurait dénoncée, dès qu'il aurait eu son procès. J'aurais été cramée pour toujours et n'aurais plus jamais revu la lumière du soleil. Les films, mais pas de prisonniers : c'était les instructions que j'avais reçues des Russes. Stanz préférait la manière douce. Ruses, pièges et psychologie. Surtout pas de vagues. Ne rien montrer à ces précieux voyageurs de l'Ouest qu'ils puissent rapporter chez eux. J'ignorais que c'était toi qui dirigeais l'opération.

— Ça aurait changé quelque chose ?

— Oui. (Sa voix s'assombrit un peu.) Oui, ça aurait changé quelque chose.

Elle se tourna vers Judith, qui venait de glisser sa main gauche sous le canapé ; le bout de ses doigts frôlait le pistolet, mais elle ne pouvait pas le saisir.

— Il ne serait pas avec vous aujourd'hui, lui dit Angelina. Vous ne seriez jamais allée aussi loin.

— Sans lui, j'en aurais déjà terminé, souffla Judith. Surtout avec vous.

— Je ne pense pas. (Espinoza esquissa un maigre sourire.) À Malmö déjà, vous étiez à deux doigts de passer l'arme à gauche. Le trip a-t-il été agréable, au moins ? Et moi qui pensais qu'une telle dose pouvait achever n'importe qui, même une junkie comme vous.

— De la came coupée. Le dealer vous a arnaquée.

— J'en suis navrée. Vous méritiez au moins d'avoir une fin agréable, contrairement à la vieille qui nous a fait chanter. Irene Borg, *alias* Marianne Kepler. Ça a marché un bon moment. J'ai ouvert un compte sous un nom d'emprunt et devais déposer à Malmö l'argent collecté. Tous les Allemands de l'Ouest qui avaient travaillé un jour pour la Stasi étaient mis à contribution. Mais à un moment, les gens ont commencé à refuser. Ils n'avaient plus peur. Ils prenaient leur retraite et n'avaient plus rien à craindre. Ce qui pendant la guerre froide avait constitué un crime capital n'est plus aujourd'hui qu'une peccadille.

Elle souffla avec mépris.

— Et voilà que sa maligne de fille a eu l'idée de vendre le fichier au plus offrant. Là je me fâche. Mon nom ne regarde que moi.

— Qu'avez-vous fait à mon père ?

— Stanz est allé ramasser une pute à l'Hôtel Rügen, blonde elle aussi, ou du moins teinte en blond. Et puis une gamine au foyer. Ensuite, il a fait éteindre les projecteurs. Il a profité de l'obscurité pour les placer près d'une fenêtre dans le hall de la gare. Les leurres parfaits. Nous n'avions plus qu'à attendre que Lindner, dans le train, craque. Mais quand nous l'avons arrêté, il n'a plus dit un mot. Alors nous avons filé les passeports à la pute, qui est montée avec la gamine dans la voiture directe. L'agent, pensant la reconnaître, lui aurait parlé. Elle l'aurait identifié. Et nous les aurions eus.

— Aurions, répéta Judith dont la main n'était plus qu'à quelques millimètres du pistolet de Dombrowski. Mais vous ne les avez pas eus.

Espinoza plissa les yeux.

— Non, répondit-elle. Nous ignorions qu'elle avait baisé la veille avec le contrôleur suédois. Ce sont des hasards qui arrivent. Les Suédois ont toujours exagéré leur neutralité. Toujours du côté de ceux qui les caressent dans le sens du poil. Il a laissé la pute voyager dans le wagon jusqu'à Bergen, où elle a pris un taxi qui l'a déposée directement à l'embarcadère des ferries, et la voilà en route pour la Suède, ni vue ni connue. Là-bas, Vonnegut a fait disparaître son nom dans les registres paroissiaux. Et nous qui poireautions toujours sur notre quai de gare ! Quand, au bout d'une demi-heure, nous avons fini par envoyer la police des frontières à bord du train, les deux s'étaient déjà fait la malle.

— Et mon père ?

— Je l'ai abattu quand Stanz a enfin eu l'idée de chercher vos doublures dans le train. Pas de témoins, pas de risques. Il connaissait les règles du jeu. Soit tu gagnes, soit tu perds.

Elle leva l'arme et fit un pas vers Judith.

— Où sont les films ?

— Je n'en sais rien ! cria Judith. Et si vous nous butez tous les deux, vous ne les verrez jamais.

— Borg les avait avec elle ! La police ne les a pas trouvés. Pas plus que le BND. Mais vous, la femme de ménage, vous détenez quelque chose. Vous savez quelque chose.

— Non !

— Ces films sont trop précieux. On les garde sur soi. On ne les quitte pas des yeux. On n'essaie de les faire disparaître qu'au dernier moment. Où les avez-vous trouvés ? Dans le vide-ordures ? Dans la cave ? Sur le toit ?

Elle appuya sur la détente. Judith se jeta sur le côté, la balle la manqua d'un cheveu. Espinoza jouait au chat et à la souris. La prochaine fois, elle ne raterait pas sa cible. Pas pour la tuer. Pas encore. Borg avait été pourchassée par sa meurtrière à travers tout l'appartement. Elle l'avait laissée se vider de son sang, comme maintenant Kaiserley qui, livide, gisait à demi conscient sur le canapé. Judith pensa aux taches, aux bris de verre, à l'eau et aux poissons, et se dit qu'elle devait être vraiment sonnée pour que sa dernière pensée aille au nettoyage.

Elle attrapa le corps encore frétillant d'un poisson moribond et le jeta à la figure d'Espinoza. La femme tituba en arrière en laissant échapper un cri. Son visage se tordit de dégoût, et cet instant d'inattention suffit à Judith pour glisser en vitesse la main sous le canapé.

Elle saisit le pistolet et plongea vers la porte. Deux nouveaux bouchons sautèrent, un bout de crépi ruissela du mur. Paniquée, Judith regarda autour d'elle. La porte d'entrée était trop loin. Elle courut dans la chambre à coucher de Merzig et se posta derrière la porte ouverte. Elle essaya d'évaluer approximativement la taille d'Espinoza, leva l'arme vers la porte à hauteur présumée de la tête, et attendit.

Ses yeux s'habituèrent lentement au noir. Le verre brisé crissait sous des pas feutrés. Elle vit le lit de Merzig et le lino terne au sol. Sur une étagère au-dessus du lit quelques diplômes, des trophées sportifs, une petite pile de livres. Près du chevet, une photo dans un cadre bon marché. Les chiffres lumineux du réveil indiquaient 21 h 04. L'heure qui serait inscrite sur son certificat de décès. Les pas s'approchèrent.

— Cours ! hurla Kaiserley. Cours, Judith, cours !

Elle retint son souffle. Dans la pénombre elle sentit, plus qu'elle ne vit, une ombre glisser dans la pièce par la porte entrebâillée. Elle tira. La détonation fut si assourdissante qu'elle faillit lui percer les tympans. Le recul la projeta contre le mur. Un trou dans la porte. Elle entendit un corps s'effondrer, mais n'osa pas bouger. Puis elle vit la porte s'ouvrir tout doucement.

Kellermann posa son arme sur le bord du lavabo, ferma le robinet de la baignoire et ouvrit la bonde. Il ne savait pas s'il devait bouger le corps ou non, et même s'il le pouvait, toute tentative de l'extraire de la baignoire était vouée à l'échec.

— Éva ! Éva ! Mon Dieu !

Il la souleva et la serra contre lui, pressa son visage contre sa poitrine. L'eau était chaude, mais le corps froid. Une pâleur anormale couvrait son visage. Sur ses tempes, de petits vaisseaux bleus brillaient à travers la peau diaphane. Il posa sa main sur la carotide, mais ne sentit rien. Il cligna des yeux. Il se sentait désemparé. Complètement démuni. À côté du lavabo se trouvait un téléphone. Les yeux embués de larmes, il le saisit à tâtons. Le combiné faillit glisser de ses mains mouillées. Il appela la réception et signala une urgence.

C'est alors seulement qu'il vit un bout de papier, posé contre le miroir.

Je ne peux plus continuer à vivre comme ça. J'ai tué parce que je t'aime. Pardonne-moi. Comme je t'ai pardonné pour ce que tu m'as fait.

Il ne comprenait pas. Il relut le mot plusieurs fois sans pouvoir en saisir le sens. Il plia la feuille et la glissa dans sa poche. Puis il reprit Éva dans ses bras et attendit l'arrivée du médecin.

Kaiserley s'empara du cendrier en cristal qui était tombé par terre à côté de Merzig. Il n'avait pas d'autre arme à sa disposition. Sa jambe lui faisait mal, et voyant l'immense tache sombre sous le canapé, il comprit qu'il avait déjà perdu beaucoup de sang. Il se leva en tentant de ménager sa jambe gauche.

Le salon était jonché de débris. Il s'étonnait que les voisins n'eussent pas encore appelé la police. Puis il calcula que trois minutes à peine avaient dû s'écouler depuis l'irruption d'Angelina. Une éternité, lui semblait-il. Il avait tellement peur pour Judith qu'il en était presque fou. Depuis le coup de feu, plus un bruit ne provenait du couloir. Portant le cendrier à bout de bras, il clopina vers la porte. Arrivé là, il lâcha son arme de fortune.

Le corps d'Angelina Espinoza était étendu sur le sol de la chambre de Merzig. Inerte. Qu'importait l'arme qui l'avait tuée, de son beau visage ne restait plus qu'une masse informe et sanguinolente.

— Judith ?

Il enjamba péniblement le corps d'Angelina et entra dans la chambre. Judith était assise sur le lit de Merzig, le pistolet posé sur les genoux. Elle tenait le petit cadre dans ses mains et ne leva pas la tête lorsque Kaiserley s'approcha et s'assit à ses côtés.

La photo montrait quatre personnes. Lindner, une belle femme blonde, un enfant au sourire d'ange radieux, et derrière eux Merzig, qui regardait fièrement l'objectif. La ressemblance entre Irene Sonnenberg et lui était frappante. Des larmes coulaient sur les joues de Judith, mais elle ne les séchait pas, et ne clignait pas des yeux.

— Il a signé le mandat d'arrêt de sa propre fille, dit-elle.

Kaiserley regarda de nouveau la photo. Il voulut soulever son bras pour attirer Judith vers lui, mais se sentit trop épuisé pour faire le moindre geste.

— Il a… c'était mon grand-père.

Kaiserley ne dit rien. Il la sentit s'appuyer contre lui et poser doucement sa tête contre son épaule, comme elle l'avait fait une fois déjà. Il s'efforça de ne pas bouger. Peut-être resterait-elle ainsi un moment.

— Je suis désolé, chuchota-t-il. Judith, je suis tellement désolé.

Quelques larmes coulaient sur la photo qu'elle tenait dans la main.

— Je l'aurais tué. Dieu m'en est témoin, je l'aurais tué, dit-elle. Et il le savait.

— Je t'en aurais empêchée.

Elle retira sa tête. La chaleur disparut instantanément.

— *Pfff*, vaniteux, va.

Le ton de sa voix n'était pas aussi dur que d'habitude. Elle avait l'air de le croire.

30

Judith essuya ses larmes, rangea la photo dans sa poche et se leva. Le flingue de Dombrowski, elle le coinça dans sa ceinture.

— Combien de temps nous reste-t-il ? demanda-t-elle.

— Rien.

— Tu es gravement blessé ?

— La balle n'a fait que traverser. Ça ira.

Elle alla dans la cuisine et, avec l'assurance d'une funambule, trouva les couteaux de cuisine à l'endroit où quatre-vingt-dix-huit pour cent des ménages rangent ce genre d'ustensiles. Elle en choisit un petit et très pointu. Sous l'évier, elle trouva un seau, du liquide vaisselle et un chiffon. Pas de gants. Elle ne prit même pas la peine d'en chercher. Elle se passa finalement du seau et trempa le chiffon dans le savon liquide non dilué.

Kaiserley la regarda d'un air moqueur quand elle revint.

— Tu ne vas tout de même pas t'essayer à la chirurgie d'urgence !

Elle secoua la tête, s'approcha du mur en face de Kaiserley, trouva l'impact et sortit la balle du trou. Après quoi elle effaça ses empreintes au chiffon. Elle fit de même sur la porte, puis s'agenouilla près d'Espinoza, fouilla les poches de sa veste et finit par trouver son portable.

— Tu viens ? lança-t-elle en se levant à la hâte.

Kaiserley se releva en étouffant un gémissement et la suivit clopin-clopant dans le salon. Elle examina le carnage d'un œil critique.

— Tu as touché à quelque chose ?

— Le cendrier, je crois. Il est encore là-bas.

Judith retourna précipitamment dans la chambre. Elle y trouva l'objet et le fourra dans sa sacoche de travail, que Kaiserley lui tendait déjà. Le portable prit la même direction.

— Autre chose ? Réfléchis !

Kaiserley regarda autour de lui.

— Le canapé.

— Pas d'empreintes sur le tissu. Des fibres peut-être.

Elle examina le pantalon clair de Kaiserley.

— Les débris de verre ? La table ? suggéra-t-il.

Elle se mit à genoux pour observer le verre de la table basse à contre-jour.

— Rien, dit-elle en se redressant. Ils trouveront des traces d'ADN, mais ne sauront pas l'identifier. Partons.

Elle jeta le chiffon dans l'évier, non sans avoir passé un coup rapide sur les poignées des placards et des portes. C'était tout ce qu'elle pouvait faire. Cela leur ferait peut-être gagner quelques heures. Puis ils quittèrent la maison par la porte de derrière. Les hurlements d'une sirène s'approchaient. La faible lumière des lampadaires les éblouissait comme une rampe de projecteurs dans un stade de foot.

— Par ici.

Kaiserley montra le petit chemin pavé qui menait au compost dans le fond du jardin. Judith regarda furtivement autour d'elle. Quelque part dans le voisinage quelqu'un remontait ses stores.

— Je te porte. La police scientifique conclura peut-être qu'un colosse a fait le coup. Allons-y!

Il l'attira vers lui et la souleva de terre. Judith s'agrippa. Elle l'entendit souffler à travers ses dents serrées. Ses douleurs devaient être atroces. Il se fraya un chemin à travers les buissons jusqu'à l'arrière du terrain voisin. Judith pria pour qu'il n'y ait pas de chien en liberté et tenta de se faire aussi légère que possible. Elle sentait ses bras et la force avec laquelle il la portait, plus loin, toujours plus loin. Elle ne se rappelait pas avoir jamais été portée.

Il s'arrêta; elle ouvrit les yeux. Ils se trouvaient devant une clôture en bois assez basse. Judith l'enjamba et aida Kaiserley à faire de même. Sa voiture était garée au coin de la rue. Il s'appuya sur elle, et l'on aurait cru voir un instant un couple d'amoureux faisant sa promenade du soir.

Les lumières bleues des gyrophares rôdaient sur les façades. Deux policiers sonnèrent chez Merzig. L'un d'eux entreprit de faire le tour de la maison, sortit son arme et disparut dans l'obscurité. L'autre regagna la rue et regarda les alentours.

— La clé, chuchota Judith.

Kaiserley la lui donna. Elle ouvrit la portière et se glissa derrière le volant, Kaiserley à ses côtés. Elle démarra et partit tout en douceur. Avant même d'avoir rejoint la B1, ils croisèrent deux autres voitures de police.

— Judith…

— Je ne veux rien entendre, d'accord?

— Tu dois en parler. Tu viens de tuer quelqu'un.

— C'était de la légitime défense.

— Tu as appris des choses sur ta famille...

— Je n'ai pas de famille ! Pas celle-là en tout cas. Je n'en veux pas, compris ? Je n'en veux pas !

— Ils t'aimaient. Ils voulaient t'offrir une vie meilleure.

— Ah oui ? (Elle passa furieusement la cinquième et déboula sur la nationale à quatre-vingts à l'heure.) Une vie géniale ! Merci beaucoup ! Dix ans de foyer ! À seize ans dans la rue ! À vingt ans toxico ! C'était ça, une vie meilleure ?

— Judith !

Elle mit les warnings et se gara au bord de la route. Les deux mains sur le volant, elle y posa sa tête. Ils restèrent un moment à l'arrêt. Une ambulance passa en trombe et tourna en direction de Biesdorf, suivie de deux fourgons de police.

— J'ai tout fait foirer, finit-elle par dire. Moi seule.

— Non. Tu t'es défendue comme tu as pu. Il y a quelque chose en toi que personne n'a pu effacer : ton courage, ta compassion, ta force. Toutes choses qui s'acquièrent dans les premières années de la vie. Ce qui est venu ensuite t'a blessée, mais ne t'a pas brisée. Tu as été seule, tu es seule, et si tu continues comme ça tu le resteras. Mais c'est à toi d'en décider, pas au reste du monde, aussi méchant soit-il.

— Arrête avec tes conneries, murmura-t-elle.

— D'accord.

Elle releva la tête. Kaiserley souriait.

Le trafic était fluide et ils se replongèrent dans l'anonymat de la grande ville. Jusqu'à la Landsberger Allee, ils ne dirent pas un mot. Judith prit la direction de Kreuzberg.

— Où vas-tu ?

— Chez Dombrowski. (Elle jeta un rapide coup d'œil à sa montre : presque 22 heures.) La dernière équipe va rentrer. Après ce sera calme. Je dois rapporter le pistolet avant qu'il se rende compte de quoi que ce soit.

Kaiserley hocha la tête, il avait l'air de se contenter de cette réponse.

— Le portable. Angelina voulait faire porter le chapeau à quelqu'un. Je me demande bien à qui.

Judith haussa les épaules.

— Dans ma sacoche. Tu n'as qu'à appuyer sur la fonction rappel.

Assis au chevet d'Éva, Kellermann lui tenait la main. Du moins le bout des doigts qui dépassaient des pansements couvrant ses avant-bras. L'infirmière vérifia une dernière fois les appareils de soins intensifs – écrans aux courbes en dents de scie, sifflement hydraulique de l'appareil d'assistance respiratoire, perfusion goutte à goutte – puis adressa un sourire encourageant à Kellermann.

Il repensa pour la millième fois à cette lettre d'adieu. Il comprenait son désespoir. Il pouvait même concevoir le geste de prendre des barbituriques et de s'ouvrir les veines. Il se sentait responsable de cette tentative de suicide. Mais de qui parlait-elle quand elle écrivait : « J'ai tué » ?

Les paupières d'Éva commencèrent à bouger, ses mains se promenèrent fébrilement sur la couverture. Elle ouvrit les yeux et le regarda comme s'il était un étranger.

— Éva ? (Le bonheur faillit faire éclater sa poitrine.) Tu m'entends ? Tu comprends ce que je dis ? Tout ira bien. Crois-moi. Tout s'arrangera.

Elle posa sa main tremblante sur le tube d'oxygène relié à son nez :

— Qu'est-ce qui s'est passé ?

— Je t'expliquerai, Éva. Un autre jour. D'abord tu dois te rétablir.

Elle le regarda, et les souvenirs lui revinrent. Les yeux de Kellermann se mirent à brûler, transpercés par le regard d'Éva. Il attendit qu'elle avoue son crime.

— Elle m'a dit que tu allais me quitter, dit-elle.

— Je ne te quitterai jamais. Jamais.

— Que tu l'aimais.

— Je ne l'aime pas.

Elle respira profondément. Ses doigts tressaillirent. Kellermann lui caressa la main. *Je ne l'aime pas*, pensa-t-il. *Est-ce que je sais ce que c'est qu'aimer ? Mais si ce que nous ressentons ici n'est pas de l'amour, ça y ressemble sacrément.*

— Et puis… nuit noire. Je ne me rappelle plus rien. Qu'est-ce que ça veut dire ? (Elle leva les bras et les laissa retomber sans force.) Qu'est-ce qui s'est passé ?

— Tu t'es ouvert les veines, ma petite Éva. Tu as failli y passer. (Sa voix se brisa. Il ne se reconnaissait pas.) Tu as failli y passer.

— Ce n'est pas moi qui ai fait ça, chuchota-t-elle. Tu sais bien que je ne te laisserai jamais seul. Sauf si tu ne veux plus de moi.

Kellermann brandit le papier.

— Tu as écrit cette lettre ?

— Une lettre ? Non. Quelle lettre ?

Kellermann froissa le papier en boule et le remit dans sa poche :

— Aucune importance.

Elle ferma les yeux, sa main cherchant la sienne, et sa respiration se fit plus régulière et plus calme.

— Reste avec moi, dit-il. Ne me quitte pas. C'est toi que je veux.

L'infirmière revint à pas de loup.

— Rentrez chez vous. Vous devriez vous changer et dormir quelques heures.

— Je ne peux pas.

Elle désigna les taches de sang sur le pantalon de Kellermann, qui dépassait de la cape de protection verte.

— Faites-le pour elle. Quand elle se réveillera.

Il se regarda de haut en bas, pensant qu'elle avait raison.

Judith se gara à côté de deux camions de déménagement, prit sa sacoche et piqua un sprint jusqu'au baraquement. Même si Kaiserley avait eu l'intention de la suivre, son état l'en aurait empêché.

La porte du bureau de Dombrowski n'était pas fermée à clé. Elle découvrit avec stupéfaction la lampe de bureau allumée, ainsi qu'une silhouette assoupie, qui se redressa brusquement.

— Salut, dit-elle, le souffle court.

Dombrowski attrapa la lampe et la braqua sur Judith qui porta les mains devant ses yeux. Elle tourna les talons.

— Tu restes !

Dombrowski se leva d'un bond. En trois enjambées, il rejoignit la porte, qu'il fit claquer avec une telle violence qu'un morceau de crépi tomba par terre.

— Le flingue.

Elle le sortit de sa ceinture et le lui tendit. D'un geste expert, il contrôla l'arme, puis renifla le canon.

— Qu'est-ce qui s'est passé ?

— Rien.

— Ne me mens pas !

Il ouvrit le tiroir du bureau d'un coup sec et y jeta le pistolet. Judith sursauta. Elle n'avait jamais vu son patron dans un tel état.

— Tu es venue à la nage ?

— Non.

— Écoute, ma petite. À cent mètres et par vent contraire, je sens si quelqu'un est dans la merde. Et tu pues à plein nez ! J'ai protégé tes arrières. J'ai menti aux flics pour toi. Kevin t'a donné un alibi avec ta carte de pointage. Tu me piques mon flingue, tu rentres la nuit, tu as tiré avec cette arme et tu ressembles à la mort en personne. Dis-moi enfin ce qui s'est passé !

— Je ne peux pas.

— Alors, j'appelle les flics. Je n'ai jamais fait ça de ma vie, je te le jure. Mais là, c'est pour te protéger.

Il se laissa retomber dans son fauteuil et empoigna le téléphone. Judith se jeta sur lui et lui arracha le combiné.

— Non !

— Alors parle !

Judith raccrocha. Ses mains tremblaient. Elle remarqua les sillons creusés par l'inquiétude dans le visage de Dombrowski, et elle y vit autre chose : de l'affection. Elle pensa à la photo dans sa poche, aux yeux de Merzig injectés de sang et aux membres de sa famille qui s'étaient trahis les uns les autres. Et se dit qu'il était bon, finalement, de tout savoir. Parce qu'on ne pouvait mépriser que ce qu'on connaissait. Pour l'affection, il en allait apparemment de même.

Elle posa sa main sur le gros bras de Dombrowski.

— Approche-toi, fit-il d'une voix rauque.

Il l'attira sur ses genoux et la prit dans ses bras, tout en lui tapotant le dos, à la manière d'un déménageur. Judith le laissa faire, sachant qu'il serait terriblement blessé si elle le repoussait. Et aussi parce que cela ressemblait un peu au père qu'elle s'était toujours imaginé. Quand elle se détacha de lui tout en douceur, il avait les yeux embués.

— J'ai jamais eu de fille, dit-il, ayant sans doute pensé à la même chose.

— Trois, je te rappelle. Et de trois lits différents.

Il hocha la tête et esquissa un sourire pitoyable.

— Qui ne sont jamais venues me voir quand elles avaient des ennuis. Je me suis dit, pour une fois, fais les choses correctement.

— C'est ce que tu as fait, Dombrowski. C'est ce que tu as fait.

— Tout est réglé maintenant ?

— Maintenant, oui.

Elle donna un coup contre le tiroir. Le pistolet disparut. Elle se leva et regagna la porte.

— Tu me refais un coup pareil, et je te colle aux chiottes publiques !

— Compris, dit Judith en grimaçant un sourire.

Elle allait sortir quand Dombrowski la héla encore une fois.

— Attrape !

Elle se retourna trop tard. Quelque chose s'écrasa contre le mur, tomba par terre et éclata. Une odeur pénétrante de chien, d'urine et de moisissure se répandit dans la pièce.

— Ne laisse plus jamais traîner un truc pareil. Josef a failli tourner de l'œil.

Judith fixa le sac-poubelle éclaté et la petite boule noire informe qui avait roulé à ses pieds. Brusquement un souvenir lui traversa la tête. *Ces films sont trop précieux. On les garde sur soi. On ne les quitte pas des yeux. On n'essaie de les faire disparaître qu'au dernier moment.*

Poussé par le désespoir, paniqué à l'idée de la mort, on les jette par exemple par-dessus le balcon. Ils atterrissent dans les plates-bandes ; des chiens les trouvent et les enterrent. Ils restent dehors exposés au soleil et aux intempéries, de jour comme de nuit. Jusqu'à devenir un tas d'immondices. Des ordures que plus personne ne veut toucher.

Elle se baissa et ramassa la chose du bout des doigts.

— Beurk !

— Tu l'as dit. Vire-moi ça à la poubelle. Qu'est-ce que tu as ?

Sous les yeux de Judith, la boule se transformait en quelque chose qui rappelait vaguement un animal. Une queue, quatre pattes et une sorte de capuche vide où avait dû se trouver la tête : un visage joufflu en plastique avec des yeux ronds comme deux boutons et un point noir en guise de nez. Les mains, les pieds, autrefois en plastique souple, n'étaient plus que des restes mordillés. Mais elle le reconnut. Elle faillit suffoquer.

— C'est…

Elle palpa le ventre de la chose. Soudain ses doigts se figèrent. Elle regarda vers Dombrowski.

— Cutter ?

Il trouva un cutter et vint vers elle. Judith posa la chose sur le sol. L'odeur était suffocante. Elle sortit la lame du cutter et éventra la chose informe d'un geste net. Métal sur métal. Jetant le cutter, elle fourra sa main dans la vieille boule humide.

— Qu'est-ce que c'est ? demanda Dombrowski.

Judith fit surgir une à une quatre petites boîtes de crème Florena.

— C'était mon Kiki. Mon jouet préféré.

— Et ça, là ?

Elle tenta d'ouvrir la première boîte, mais le couvercle était coincé ou rouillé.

— Laisse-moi faire, dit Dombrowski. Qu'est-ce qu'il y a dedans ? De la coke ? De l'héro ? Des diamants bruts ? Pourquoi tous ces gens étaient-ils à tes trousses ?

Il ahana, puis d'un coup se retrouva avec le couvercle dans une main et la boîte dans l'autre. Estomaqué, il regarda le contenu.

— Des pellicules ?

Judith hocha la tête.

— Des pellicules. Souvenirs de vacances au lac Balaton.

Dombrowski, méfiant, lui rendit la boîte. Elle la fourra avec les autres et la peluche dans le sac-poubelle, qu'elle fit disparaître dans sa sacoche.

— Juste des pellicules ?

Visiblement Dombrowski avait du mal à la croire.

Judith ouvrit la bouche pour dire quelque chose, mais se ravisa aussitôt. On ne pouvait pas expliquer ça en une phrase. Tout ce qu'elle avait à faire, c'était prendre les boîtes, retrouver Kaiserley et les lui jeter aux pieds. Pas besoin de mots pour ça. Il était le seul à tout comprendre. Du début jusqu'à la fin.

Kellermann s'apprêtait à rejoindre la chambre à coucher lorsqu'il s'aperçut que quelqu'un venait d'appeler. Il ignora la petite lumière clignotante. Tâtonnant à l'aveugle dans la pénombre, il chercha quelque chose à se mettre, puis il prit une douche et enfila des vêtements secs et propres. En chemin vers la porte d'entrée, il fit demi-tour et sortit dans le jardin. Avec un sécateur, il coupa assez de roses pour former un immense bouquet. Des rouges et des blanches. Puis il se souvint qu'il était interdit d'apporter des fleurs en service des soins intensifs. Il les laissa tomber à terre. Rien de ce qu'il pouvait faire n'avait plus de sens.

Il s'approcha du répondeur et pria pour que ce ne fût pas l'hôpital. Le nom d'Éva scintillait sur l'écran. Kellermann fronça les sourcils. Le portable d'Éva était à Berlin, elle-même à Munich. Ça ne collait pas, et il ne s'en rendait compte que maintenant. Il appuya sur la touche « play », mais n'entendit que de la friture, comme si la personne à l'autre bout avait été en voiture et avait coupé la ligne trop tard.

Il composa le numéro et attendit que quelqu'un décroche.

Judith était assise sur la banquette arrière de la voiture de Kaiserley. Les portières étaient ouvertes, ses pieds touchaient le bitume. Elle fumait. Kaiserley avait allumé la loupiote au-dessus du rétroviseur et tenait la pellicule contre la lumière.

— Alors ? grogna-t-elle, impatiente.

Dombrowski fouinait dans le coffre.

— Je ne trouve pas la trousse de secours !

— Sous la roue de rechange ! répliqua Kaiserley. (Il baissa la voix.) Tout ce que je peux voir, c'est que ce sont des fiches d'enregistrement. Il faudra regarder ça avec un lecteur. Mais à vue de nez je pense que ces films sont les vrais.

Dombrowski commença à vider le coffre en jurant comme un charretier. Kaiserley fit un clin d'œil amusé à Judith.

— Sympa, ton chef.

Elle regarda furtivement vers l'arrière.

— Il l'est. Qu'allons-nous faire de ce matos ?

Kaiserley la dévisagea un bon moment. Ce « nous » était un cadeau qu'elle lui faisait. Un cadeau qu'il était libre d'accepter ou de refuser.

— Un tas de gens vont nous poser la question.

Judith accepta son « nous » avec un hochement de tête.

— Où sont les autres ? (Kaiserley replaça le film dans sa boîte.) Nous devons les remettre à la commission chargée des archives de la Stasi.

— « Nous » ne devons rien du tout. Ce sont mes films. C'est moi qui décide de ce que je vais en faire.

— Mais tu ne sais absolument pas quoi en faire. Dans quelques heures, les renseignements intérieurs seront sur ton paillasson. Le BND aussi voudra y jeter un œil. Il faut que ces pellicules atterrissent dans les bonnes mains.

Judith se leva, écrasa sa cigarette et se pencha vers Kaiserley par-dessus la portière passager.

— Tu vois ces mains ? Ce sont les bonnes. (Elle attrapa la boîte et la remit avec les autres.) J'ai payé mon dû. Toute ma famille de merde a payé.

Un portable se mit à sonner. Elle jeta un regard irrité sur Kaiserley, puis sur Dombrowski, qui était en train de sortir des bouteilles consignées d'une valeur équivalente à un mois de salaire. C'est alors qu'elle s'aperçut que le bruit venait de sa poche.

Elle s'éloigna de quelques pas.

— Oui ?

— Je parle à qui ?

Une voix autoritaire et rompue au commandement, que Judith reconnut sur-le-champ. La dernière fois qu'elle l'avait entendue, ç'avait été dans le métro. Elle revit aussitôt la silhouette trapue de cet homme qui avait osé faire pression sur elle.

— Monsieur Weckerle. Je sais, il ne faut pas dire les noms, mais dans le cas présent, étant donné les fortes chances pour que ce nom soit faux, je peux bien faire une exception.

Silence. Puis, d'un ton incrédule :

— Vous ?

Judith s'écarta de quelques pas supplémentaires avant de répondre :

— Pouvez-vous me dire qui vous vouliez appeler ?

— D'abord, je veux savoir comment vous avez eu ce portable.

— Le temps où c'était vous qui posiez les questions est révolu.

— D'où… ?

— Vous n'avez pas compris ? (Kaiserley tendit l'oreille et regarda du côté de Judith. Il l'aurait volontiers rejointe discrètement.) À qui vous attendiez-vous ?

— Je n'en sais rien.

— Je sais que vous mentez, Weckerle. Et vous savez pourquoi ? Parce que je reviens de l'enfer. De l'enfer. Parce que… (Elle s'interrompit, se rappelant soudain que c'était une ligne non sécurisée.) Parce que je sais, moi, qui est la dernière personne à avoir eu ce portable en main. Et si je vous parle encore, c'est uniquement parce que quelqu'un a voulu vous foutre dans la merde jusqu'au cou. Ce qui est, Weckerle, notre seul point commun.

L'homme à l'autre bout garda le silence, le temps, sans doute, de saisir ce qu'elle venait de lui dire. Quand il reprit la parole, sa voix semblait soulagée, débarrassée d'un immense fardeau.

— Nous pouvons parler à découvert. Les smartphones ont été changés la semaine dernière.

— Tiens donc.

Judith n'avait aucune idée de ce que cela signifiait, mais y vit un feu vert.

— Ce portable est celui de ma femme, continua-t-il. Elle est à l'hôpital. Elle aurait fait une tentative de suicide. Sa lettre d'adieu dit qu'elle aurait tué quelqu'un.

— Comment va-t-elle ?

— Ils disent que si elle passe la nuit, elle…

Weckerle, ou quel que fût son nom, s'interrompit.

— Écoutez, je suis vraiment désolée pour votre femme. Je ne sais pas ce qu'elle a trafiqué dans sa vie. Si elle tuait pour vos services ou quelque chose dans le genre. Mais sachez qu'elle n'est pas concernée par cette affaire.

— Ce n'est pas une tueuse. C'est ma femme.

— Alors il y a des chances qu'elle le devienne, rétorqua Judith. Êtes-vous en mesure de négocier ?

— Négocier quoi ?

— Vous le savez très bien. J'ai des exigences.

— Lesquelles ?

— Le nom de Gretchen Lindbergh vous dit-il quelque chose ?

— Non.

— M. Kaiserley la connaissait sous le nom d'Angelina Espinoza. Elle est morte. Elle a abattu un ancien lieutenant-général de la Stasi. Et si vous pouvez vous débrouiller pour faire croire qu'elle a ensuite retourné l'arme contre elle, il y a une petite chance pour que je jette ce portable au fond de la Spree. Un jour. Quand je serai vraiment certaine que l'affaire est enterrée pour de bon.

— Vous surestimez mon pouvoir.

— Non, insista Judith. Je ne crois pas. J'ai les films.

Weckerle ne dit rien. Il réfléchissait sans doute à la somme qu'il pouvait proposer à Judith.

— Je ne veux pas d'argent, dit-elle. Pas de passeport, pas de nouvelle identité. Tout ce que je veux, c'est que vous me fichiez la paix. Une fois pour toutes. Weckerle, à partir de maintenant vous êtes mon avocat. Je vous protège, vous et votre femme, si vous défendez mes intérêts.

— Je ne sais pas ce que mes supérieurs…

— Je me fiche de savoir comment vous allez vous y prendre pour faire plier vos supérieurs. On a voulu me tuer, parce que vous et les vôtres ont merdé. Je me suis défendue. Si cette affaire sort au grand jour, le nom de ma famille sera traîné dans la boue. Et je n'en ai aucune envie.

— Je crains…

— Weckerle ? Craignez encore plus. Soit vous et vos potes faites ce que vous avez l'habitude de faire pour n'importe lequel de vos agents à la noix, soit je vous la mets bien profond : je rouvrirai le dossier Sassnitz, j'acculerai tous ceux qui ont contribué à dissimuler l'affaire. Je ferai rouvrir des tombes, parce que l'une contient les cendres de deux personnes au lieu d'une. Je signalerai à la commission parlementaire de contrôle les virements sur un compte secret à Malmö depuis les caisses noires du BND, et je ferai placarder sur tous les murs les noms de tous ceux qui ont travaillé pour la Stasi et ne l'ont toujours pas reconnu publiquement. Vous m'avez bien compris ?

Silence.

— Compris ? hurla Judith.

— Vous avez réellement retrouvé les films ?

— *Fuck you*. Oh que oui.

Elle coupa la conversation et éteignit le portable. Kaiserley se tenait derrière elle. Il avait tout entendu. Il voulut dire quelque chose, mais à cet instant Dombrowski émergea du coffre de la voiture, tenant triomphalement une boîte à bout de bras.

— Le docteur vous prie de le suivre, cria-t-il dans leur direction.

— Bon, j'y vais, je crois, dit Judith.

Et c'est ce qu'elle fit. Pendant tout le trajet jusqu'à l'arrêt de bus, elle espéra que quelqu'un crierait son nom. Quand le bus arriva, elle monta sans se retourner.

Avant de repartir pour l'hôpital, Kellermann appela le chef local des renseignements intérieurs à Schwerin. Kresnick étant sur un court de tennis, il lui parla exactement deux minutes sans interruption.

— Pas question, dit Kresnick quand Kellermann eut terminé.

Kellermann prit trente secondes pour lui résumer toutes les alternatives, et même s'il utilisait un vocabulaire plus choisi que celui de Judith, Kresnick ne sembla pas le moins du monde impressionné.

— Peu importe. C'est totalement exclu, dit-il.

— Kepler causera des torts considérables aux services secrets de ce pays…

— Laissez-moi finir. J'ai dit que c'était sans discussion. Je n'ai pas dit que c'était impossible.

31

Deux semaines plus tard, Judith se retrouvait devant la porte de Merzig. Dans la rue, une benne vide, arrivée la veille, attendait déjà. Judith découpa le scellé et ouvrit la porte avec une clé qu'elle était allée prendre chez un voisin. Le nébulisateur à froid sur l'épaule, Kevin la suivit, regardant à la ronde, les yeux écarquillés.

— Oh, la vache, dit-il quand ils passèrent devant la chambre de Merzig.

La silhouette de la morte était encore marquée sur le sol à la craie. Le sang séché ressemblait à un gros nuage noir. Judith alla dans le salon. La police scientifique avait rafistolé provisoirement la fenêtre avec de l'adhésif. Le vitrier passerait dans l'après-midi. D'ici là, ils devaient débarrasser le plus gros.

— Putain !

Kevin posa l'appareil à côté du canapé.

— C'était un aquarium, ça ?

— Aucune idée.

Judith aperçut une chose blanche et visqueuse d'où s'élevait à cet instant un essaim de mouches. La forme et l'odeur suggéraient un poisson.

— Évite de marcher dessus, tu en mettrais partout.

— Oh, bordel. Il y en avait un autre ? (Il montra des traits de craie à côté du canapé.) Abattu lui aussi ?

Pour sa première mission sur une scène de crime, Kevin n'avait pas été informé des faits qui s'y étaient déroulés. Il devait lui filer un coup de main, rien de plus. Au moindre signe de défaillance, Judith le renverrait à la maison.

Et voilà qu'il se promenait dans le salon comme s'il était entré dans un film de série B. Comme tout le monde, il avait lu la presse à sensation, où les spéculations allaient bon train. Gretchen Lindbergh, ex-agent de la CIA – ce que l'Agence avait immédiatement démenti – s'était introduite avec un complice dans la maison de Merzig et avait abattu celui-ci de sang-froid, avant de se faire à son tour descendre par l'inconnu qui l'accompagnait. Les conjectures des voisins et de la presse allaient du croque-mitaine jusqu'aux services secrets russes, que l'on s'entêtait à appeler encore KGB. Chantage, Russes, guerre froide – Lindbergh/Espinoza était devenue « la belle qui venait du froid ». Merzig, supposait-on, avait dû détenir des informations sur son passé trouble. Le passé flamboyant de cette femme était destiné à garder son mystère, et l'affaire irait probablement croupir dans les archives des cas non résolus, en attendant qu'un journaliste télé ambitieux, bien des années plus tard, l'exhume pour lui redonner vie en y insufflant ce qu'il faut d'imagination.

Judith était étonnée que la levée de séquestre fût prononcée après deux semaines seulement. L'enquête était close. On avait retrouvé une parente éloignée de la victime, qui ne voulait pas entendre parler de la maison, ni moins encore des événements mystérieux qui s'y étaient déroulés. Dombrowski connaissant un peu partout des gens qui lui refilaient des tuyaux – y compris au standard du commissariat concerné –, la boîte avait naturellement récupéré l'affaire. Et naturellement, il y envoya

Judith pour libérer cette maison des mauvais esprits qui la hantaient.

Judith enfila ses gants de travail. Ils devaient d'abord débarrasser les débris, puis nettoyer sommairement le canapé, pour ensuite s'occuper des sols. La lointaine parente de Merzig était annoncée pour midi. Dombrowski lui avait parlé d'une vieille dame qui vivait en ex-RFA.

— Sors les bris de verre, dit-elle à Kevin.

Munie d'une balayette, elle commença à ôter du canapé les éclats de l'aquarium. Au beau milieu du travail, elle s'arrêta pour contempler la tache de sang que Kaiserley avait laissée sur le velours beige.

Il ne s'était plus manifesté. Elle aurait voulu minimiser la chose, comme s'il s'agissait d'un salut non rendu ou d'un rappel jamais effectué. Mais elle n'y arrivait pas. Il avait résolu son mystère, et elle le sien. Leurs chemins s'étaient séparés. Aurait-elle dû le retenir ?

Les films se trouvaient dans ses placards. Ils y resteraient jusqu'à ce qu'elle soit sûre que Weckerle lui fiche la paix. Pour le moment, lui et sa petite bande avaient l'air de tenir parole. Mais ces derniers temps, Judith en avait appris un rayon sur les promesses non tenues.

À midi, ils avaient fini de porter les restes de l'aquarium et de la vitre dans la benne. Kevin s'étonnait de retrouver des miettes un peu partout sur le lino de la chambre. Judith se garda bien de lui indiquer à quoi ressemblait la matière cérébrale séchée. Elle lui fourra la pelle et le balai dans la main et lui donna ordre de faire disparaître tout ce qui ressemblait de près ou de loin à de la saleté, des miettes, du sang ou des traits de craie.

Puis elle monta à l'étage. Il n'y avait là que deux pièces aménagées, très basses de plafond. La forte inclinaison des combles accentuait l'exiguïté des lieux. Des rayons de bibliothèque, un vieux fauteuil à bascule, des commodes remplies de draps et de couvertures. Elle s'assit sur le fauteuil et commença à se balancer doucement en avant et en arrière, bercée par le doux grincement de la vannerie. Le soleil pénétra par la petite lucarne et tomba sur son visage. La poussière dansait dans la lumière. Elle ferma les yeux.

L'odeur... lourde, une odeur d'été, de foin, de moisson. De bois et de résine. La pièce basse s'élargit, les murs devinrent plus hauts. Il faisait noir, et par la fenêtre elle pouvait voir les étoiles briller comme des diamants sur un velours bleu nuit. Quelqu'un la tenait dans ses bras. Elle sentit la chaleur de son corps et s'y blottit. Au-dessus d'eux scintillait Cassiopée. Elle poursuivit au-delà de la pointe du « W » et trouva l'étoile Polaire. Plus jamais elle ne se perdrait.

— Ce n'est pas pour ça que je vous paie !

Judith sursauta. Devant elle émergeait la tête d'une vieille dame qui s'était arrêtée au milieu de l'escalier pour reprendre son souffle.

— Je suis désolée. Excusez-moi, balbutia Judith.

La femme gravit les quelques marches restantes et regarda autour d'elle. Plutôt frêle, elle faisait une tête de moins que Judith et avait des cheveux blancs soigneusement ondulés. Elle portait un tailleur en jersey et des chaussures orthopédiques.

— Mon Dieu, fit-elle en secouant la tête d'un air réprobateur. Quel bazar. Le jeune homme en bas, il est avec vous ?

— Oui. C'est Kevin. Judith Kepler, Dombrowski Facility Management.

Elle lui tendit la main, s'attendant à ressentir quelque chose. Les liens du sang ? Une affinité ? Que les yeux de l'autre s'illuminent, la reconnaissent tout à coup ? Rien de cela n'arriva. Judith sentit la déception frôler son cœur, pour la quitter aussitôt.

— C'est vous qui nettoyez ici ? Je m'appelle Andrea Günzle. Le défunt était mon cousin.

— Mes sincères condoléances.

Mme Günzle alla jeter un œil dans l'autre pièce. Judith la suivit. Il y avait là deux armoires, que la cousine de Merzig ouvrit en fronçant le nez.

— Seigneur Jésus, dieux du ciel, murmura-t-elle. Jetez tout, vraiment tout. Vous faites aussi le débarras ?

— Bien sûr. Nous laissons les maisons vides et propres.

Mme Günzle referma la porte de l'armoire.

— Horst... je veux dire, le défunt et moi, nous n'étions pas spécialement proches. C'est affreux la façon dont son passé l'a rattrapé. Il a été... enfin, je suppose que vous lisez les journaux. Je veux dire, il n'a pas dû se faire beaucoup d'amis.

— On en sait plus maintenant ?

— Ils cherchent toujours ce type. Ce troisième homme. Apparemment, l'Américaine a d'abord tué mon cousin, puis a voulu s'en prendre à l'autre. Le trou dans la porte, et tout ça, je n'y comprends pas grand-chose. Mais la police m'a dit qu'il s'agissait selon toute vraisemblance de légitime défense.

— Affreux, murmura Judith.

Mme Günzle acquiesça.

— Avait-il d'autres parents, à part vous ?

Le visage de Mme Günzle se ferma. Judith s'en voulait d'avoir laissé cette question lui échapper. Elle n'avait aucune intention d'accabler davantage cette gentille mamie. Le passé était mort. À quoi bon en parler ? Elle observa du coin de l'œil la dame, qui s'était détournée et promenait un dernier regard sur la mansarde. Judith tenta de découvrir une quelconque ressemblance, mais n'en trouva aucune. Tout au plus dans cette manière qu'elle avait de se mouvoir : droit au but, rapide, gardant un œil sur tout. Elle semblait faire ses adieux sans sentimentalisme exagéré.

— Non, répondit-elle au bout d'un long moment. Il avait une fille et une petite-fille, mais elles ont péri dans un accident.

— Un accident.

— Oui. En Roumanie. Une sortie de route en pleine nuit. Lui qui n'était déjà pas un homme facile, après ça il n'a plus gardé de contact avec personne. Il s'est…

Mme Günzle quitta la pièce et se dirigea vers l'escalier. Soudain elle s'arrêta.

— … enfermé, acheva-t-elle. Oui. On peut le dire comme ça. Il était comme un de ses poissons dans son aquarium. Nous étions autour de lui, nous le voyions, mais lui, il était dans son monde.

Mme Günzle secoua la tête et chercha des mains la rampe pour s'aider à descendre.

— Puis-je garder le fauteuil à bascule ?

La vieille dame se retourna une dernière fois.

— Cette vieille chose qui ne fait que prendre la poussière ? Si vous y tenez vraiment. Vide et propre… je crois que c'est ce qu'il aurait voulu.

La maison de Merzig fut la dernière mission que Judith mena à son terme. Au bout d'une semaine, les lieux étaient vides et propres, prêts à être livrés à l'agent immobilier. Judith lui remit elle-même la clé. Cela fait, elle monta sans se retourner dans le camion de déménagement pour apporter les biens de Merzig à la déchetterie municipale. Kevin, Josef et deux manutentionnaires mirent la main à la pâte. Judith resta près de la trappe ouverte et regarda le tout partir dans différents containers.

Elle fit ses adieux à Dombrowski, qui lui lança quelques mots fleuris dont elle conclut qu'elle allait lui manquer. Du moins pendant ces trois mois de congé qu'elle avait décidé de s'accorder. Elle se rendit aux vestiaires, prit une douche, se changea et commença à vider son casier. Elle comprenait Dombrowski. Il pressentait qu'elle ne reviendrait peut-être pas. Elle même l'ignorait. Elle devait d'abord tirer un certain nombre de choses au clair. Par exemple, répondre à la question de savoir si ce job était la suite logique d'une série d'événements dont elle pouvait à présent faire son deuil. Ou bien s'il représentait plus que ça.

Elle verrouilla la porte de son casier et observa l'équipe qui rentrait du travail, Josef qui garait son camion. Kevin avait déjà pris le chemin du retour. Dombrowski lui avait proposé une place d'apprenti. Nettoyage d'entreprise. Pas de scènes de crime. Le gamin avait été un peu déçu, mais il s'était quelque peu ragaillardi quand Dombrowski l'avait mis sur la maison de Merzig avec Judith en lui promettant une formation complémentaire s'il se montrait à la hauteur.

Elle jeta son sac sur l'épaule et traversa la cour en direction du grand portail coulissant. Soudain elle entendit derrière elle un sifflement à percer les tympans. Elle se retourna et vit Dombrowski à la fenêtre ouverte.

— Attrape ! cria-t-il en lançant quelque chose dans sa direction.

Elle lâcha son sac et ouvrit les mains. C'étaient les clés de sa vieille camionnette.

— Elle s'appelle reviens !

Il claqua bruyamment la fenêtre et disparut de sa vue. Judith ramassa son sac et se dirigea vers le véhicule. L'idée de prendre de vraies vacances, de partir n'importe où, commençait à prendre forme. Elle jeta le sac sur le siège passager, fit le tour du capot et percuta un homme de plein fouet.

— Où donc allez-vous, madame Kepler ?

Judith fronça les sourcils et considéra l'homme depuis la raie de ses cheveux tirée au cordeau jusqu'aux chaussures faites main de Budapest.

— Désolée, je ne me rappelle plus votre nom. Il y en a eu trop d'un coup ces temps-ci, vous comprenez ?

— Peter Winkler, Télécoms Région Sud. Mais vous vous souvenez de Malmö, n'est-ce pas ?

— Je ne vois pas de quoi vous parlez. (Elle l'écarta d'un geste et saisit la poignée de la portière conducteur.) Qu'est-ce que vous me voulez ?

— Pouvons-nous parler un instant en toute franchise ?

— Vous avez un micro sur vous, ou d'autres saloperies de ce genre ?

— Pas du tout. D'ailleurs, entre nous, rayon saloperies, c'est plutôt vous la spécialiste.

Un sourire charmeur effleura ses lèvres. On apprenait ça au BND ? Faire des sourires à ces dames pour gagner leur confiance ? Elle regarda autour d'elle. Il n'y avait personne en vue sur le parking. La camionnette était le seul endroit dont elle était certaine qu'il n'était pas mis sur écoute.

— Montez.

Une fois Winkler assis, elle démarra et partit. Comme elle ne savait pas où aller, elle prit la direction de l'autoroute urbaine.

— Qu'est-ce qu'il y a ?

— Nous avons tenu notre parole. À vous de tenir la vôtre.

— Qui me dit que la police n'est pas sur de nouvelles pistes ? L'Américaine a tué au moins quatre personnes, et elle m'aurait tuée aussi si je ne m'étais pas défendue.

— Je sais. C'est pourquoi nous vous faisons une proposition qui nous engage autant que vous.

— À savoir ?

— Nous avons fait examiner la tombe de la prétendue Marianne Kepler. Sur demande de M. Kaiserley. Il avait raison. L'urne contient les cendres de deux personnes. D'après le récit qu'il nous a fait, nous supposons qu'il s'agit de Richard et Irene Sonnenberg.

Judith mit le clignotant et se concentra sur les voitures à l'entrée de l'autoroute, attendant le moment propice pour s'insérer dans la file. Le nom de Kaiserley l'avait prise au dépourvu. Le fait qu'il ait parlé d'elle à Winkler la blessait.

— C'est une idée de Kaiserley ?

— Nous vous proposons de réenfouir l'urne et d'installer une nouvelle sépulture. Vous auriez un lieu où vous recueillir.

— Qui vous dit que j'en ai envie ? Mon père et mon grand-père n'étaient pas vraiment le genre de héros dont on aime se vanter.

— Et votre mère ?

Judith se mordit les lèvres. Elle ne voulait pas donner prise à cet homme. Ses sentiments n'appartenaient qu'à elle. Mais elle ne pouvait pas s'empêcher de cligner des yeux, et ça l'agaçait. Winkler plongea la main dans la poche intérieure de sa veste et en sortit un passeport.

— Nous vous avons fait faire de nouveaux papiers. Peut-être voudriez-vous porter de nouveau votre nom de naissance. Christina Sonnenberg. Tenez.

Il lui tendit le passeport. Judith y jeta un bref coup d'œil, puis reporta son attention sur le trafic. Christina Sonnenberg. Le nom résonna dans sa tête, et elle sut qu'il lui serait pour toujours étranger.

— Gardez-le. Les noms, c'est pas mon truc. À la fin je vais m'embrouiller et j'aurai l'air aussi débile que votre Karsten Michael Oliver Connard.

Winkler eut un petit rire sec.

— Il fera son chemin, vous verrez. Le terrain n'est pas vraiment son fort. Son père, lui, c'était une autre paire de manches.

Judith lui décocha un regard.

— Son père ?

— Kaiserley. Je pensais que vous étiez au courant. Si ce n'est pas le cas, oubliez ce que je viens de vous dire. Kaiserley est resté quelques jours à Munich. Je crois que ces deux-là avaient beaucoup de choses à se dire.

Judith brûlait de lui demander si Kaiserley était de retour à Berlin et, si oui, depuis quand, et pourquoi il ne s'était plus manifesté. Mais Winkler n'était pas la bonne personne pour ce genre de choses.

Il rempocha le passeport.

— C'est vous, le bureau d'enregistrement d'état civil ? demanda-t-elle.

— Je ne fais que rendre service.

Winkler était donc l'homme qui avait aidé Kaiserley pendant toutes ces années. Qui avait peut-être été le seul à le croire. Pendant un court instant, une seconde d'égarement, elle se demanda si elle aussi pouvait lui faire confiance.

— Que feriez-vous des films, si je vous les donnais ?

— À ce jour, nous n'avons eu que du matériel manipulé, passé dans de multiples mains. Nous pourrions comparer.

— Ou faire disparaître des noms ?

— Si après mûre réflexion cela se révélait préférable, oui.

— Aucune chance.

— Je n'en attendais pas moins de vous. Vous pouvez me déposer ici.

Il désigna un panneau indiquant Hohenzollerndamm. Judith ralentit et s'engagea vers la sortie. Elle arriva à un énorme carrefour où s'agglutinaient les voitures venues des quatre directions, la bretelle d'autoroute, et le métro aérien. Winkler montra la station de métro.

— Là-bas, s'il vous plaît.

— Vous non plus, vous n'avez pas de voiture, hein ?

Elle s'arrêta. Winkler eut un sourire.

— J'ai encore quelque chose pour vous. De la part de Kaiserley.

Il lui passa un petit paquet. Judith le garda dans la main sans l'ouvrir.

— C'est à cause de ce type qui se fait appeler Weckerle que vous faites ça ?

Winkler regarda par la fenêtre sans répondre. Judith retourna le paquet. Il était emballé dans une simple feuille de papier.

— Je ne sais pas comment ça marche, le pardon, enchaîna-t-elle. Mais j'avais l'impression que cet homme tenait à sa femme. Elle, vous pourriez peut-être faire en sorte de la garder en dehors de cette histoire. Lui, c'est un connard, mais un de ceux qui s'assument. Ce qui me le rend presque sympathique.

Winkler hocha la tête.

— Je veux cette tombe.

Il se retourna et regarda Judith dans les yeux.

— Vous l'aurez, je vous le promets.

Judith plongea la main dans son sac, en sortit les quatre boîtes de Florena et les lui tendit. Winkler en ouvrit une, qu'il referma aussitôt.

— Il y a un *copy shop* fabuleux dans la Silbersteinstrasse, dit-elle. Ils scannent, numérisent... J'y suis allée hier. Au cas où je remarquerais qu'une fois de plus vous vous attaquez au menu fretin et laissez les gros poissons s'en sortir indemnes.

— Ne vous inquiétez pas, se hâta de répondre Winkler.

Il avait toujours les yeux rivés sur les boîtes, comme s'il n'arrivait pas à croire ce qu'il tenait en main.

— Merci, dit-il.

Il descendit de voiture, traversa le pont et disparut dans la station de métro. Judith déballa le paquet. Un petit lecteur MP3. Rien d'autre. Elle rejoignit le Kurfürstendamm, puis prit la direction de l'autoroute.

La première chanson résonna à ses oreilles : *Parlez-moi d'amour*.

Judith quitta l'autoroute à la première sortie et fit demi-tour en direction de Prenzlauer Berg.

Remerciements

Ce livre fut pour moi l'occasion d'un étrange voyage dans le passé. Un voyage qui m'a conduite à Sassnitz et Malmö, mais aussi dans des bureaux d'archives et des ministères, des greniers dissimulés, des ruines abandonnées, des ports disparus et des usines désaffectées. Un voyage qui m'a transportée dans les années 1980, au cœur d'une histoire préservant encore ses zones d'ombre : l'histoire des services secrets de part et d'autre du rideau de fer.

Mes remerciements vont en premier lieu au journaliste Norbert Juretzko, dont les livres *Im Visier* et *Bedingt dienstbereit*, qui décrivent avec force, sous la plume précise et experte d'un ancien capitaine du BND, les méthodes de travail des services de renseignements, m'ont été d'une aide précieuse. Sans son regard critique et ses précieuses suggestions, ce livre ne serait pas ce qu'il est. Un grand merci aussi à son épouse Katrin et à leur fille Sofie pour leur accueil généreux dans leur maison des landes de Lunebourg. Merci pour les pizzas, les baignades, leur amitié et les merveilleuses soirées d'été partagées avec eux !

Merci à Helmut Müller-Enbergs, professeur honoraire à l'université d'Odense, collaborateur scientifique de la commission chargée des archives de la Stasi et directeur du groupe de recherche « Rosenholz », pour ses précieuses connaissances, aussi sûres qu'étendues, qui ont accompagné la genèse de ce livre, et pour l'incroyable rapidité avec laquelle il a su élucider les détails les plus saugrenus et répondre à une foule de questions qui ne peuvent émerger que dans l'esprit d'un romancier ! Son savoir quasiment inépuisable m'a stupéfiée, son intérêt pour mon histoire m'a enthousiasmée.

Qui a eu la chance de participer à une visite guidée de Sassnitz sous la férule de Wulf Krentzien sait véritablement tout sur l'histoire de la ville et de ses ports. À l'exception, toutefois, de l'endroit où est passé le wagon-salon de Lénine… Ce mystère, à ce jour, n'a pas été levé. La rumeur veut qu'on l'ait vu la dernière fois dans la périphérie de Nuremberg. Quant à cet après-midi à Sassnitz, il s'est terminé au Club de modélisme ferroviaire, niché sous les combles, et l'on en trouvera dans ces pages une description à peu près fidèle – hormis l'eau-de-vie Asbach et les miniatures de Lénine. Une visite absolument incontournable !

Le *calcul différentiel fractionnaire* ne fait pas vraiment partie de ma vie quotidienne. Il est plutôt lié à celle de mon frère, Richard Herrmann, qui a publié chez World Scientific Publishing un ouvrage intitulé *Fractional Calculus – An Introduction for The Physicist.*

Merci à Ewa de l'hôtel Heleneholm à Malmö, à Gregor Wossilus, à Clara Juliane Westerhoff, à Martin Bott et à son coup de main pour le montage des micros, ainsi qu'à tous ceux qui, pour diverses raisons, ne veulent ou ne peuvent pas être nommés ici. Merci à ma famille, à mes amis et collègues, à tous ceux qui m'ont soutenue et encouragée, à la communauté Facebook qui a accompagné ce livre au fil de ses avancées et de ses revers, avec toujours une attention chaleureuse.

Merci à Ivan Aksenov pour le ciel au-dessus de Menton et l'observation des galaxies lointaines. À sa femme merveilleuse, mon amie Anke Veil, pour tous les appels téléphoniques et l'aide d'urgence dispensée chaque fois que les accidents d'écriture viraient à la catastrophe. À Cora Stephan, *alias* Anne Chaplet, pour ce magnifique été passé dans le sud de la France. À Renate et Gerdt Balke pour leur indéfectible présence.

Et à ma lectrice Katrin Fieber, sans la passion, le cœur, le charme et l'obstination de laquelle mon manuscrit n'aurait pu devenir ce livre. Tu es formidable.

Berlin / Altenstadt, octobre 2010

Composition :
Soft Office – 5 rue Irène Joliot-Curie – 38320 Eybens

Achevé d'imprimer par GGP Media GmbH, Pößneck
en avril 2013
pour le compte de France Loisirs,
Paris

N° d'éditeur : 72443
Dépôt légal : janvier 2013
Imprimé en Allemagne